Une deuxième vie
Tome II
Sur la glace du fleuve
de Mylène Gilbert-Dumas
est le mille cinquante-septième ouvrage
publié chez
VLB ÉDITEUR.

Direction littéraire : Mélikah Abdelmoumen
Révision linguistique : Élyse-Andrée Héroux
Correction : Isabelle Taleyssat
Design de la couverture : Véronique Giguère
Photo de l'auteure : Mathieu Rivard
Photo en couverture : Minnie Clark

Catalogage avant publication de Bibliothèque et Archives nationales du Québec
et de Bibliothèque et Archives Canada
Gilbert-Dumas, Mylène, 1967-
    Une deuxième vie : roman
    Sommaire : t. 2. Sur la glace du fleuve.
    ISBN 978-2-89649-641-9 (vol. 2)
    I. Gilbert-Dumas, Mylène, 1967- . Sur la glace du fleuve. II. Titre.
PS8563.I474D49 2015   C843'.6   C2015-940159-3
PS9563.I474D49 2015

VLB ÉDITEUR
Groupe Ville-Marie Littérature inc.*
Une société de Québecor Média
1010, rue de La Gauchetière Est
Montréal (Québec) H2L 2N5
Tél. : 514 523-7993, poste 4201
Téléc. : 514 282-7530
Courriel : vml@groupevml.com
Vice-président à l'édition : Martin Balthazar

Distributeur :
Les Messageries ADP inc.*
2315, rue de la Province
Longueuil (Québec) J4G 1G4
Tél. : 450 640-1234
Téléc. : 450 674-6237
*filiale du Groupe Sogides inc.,
filiale de Québecor Média inc.

VLB éditeur bénéficie du soutien de la Société de développement des entreprises culturelles
du Québec (SODEC) pour son programme d'édition.
Gouvernement du Québec – Programme de crédit d'impôt pour l'édition de livres – Gestion
SODEC.
Nous reconnaissons l'aide financière du gouvernement du Canada par l'entremise du Fonds
du livre du Canada pour nos activités d'édition.
Nous remercions le Conseil des arts du Canada de l'aide accordée à notre programme de
publication.

L'auteure tient à remercier le Conseil des arts et des lettres du Québec pour son soutien financier.

Dépôt légal : 3ᵉ trimestre 2015
© VLB éditeur, 2015
Tous droits réservés pour tous pays
editionsvlb.com

UNE DEUXIÈME VIE

Tome II

Sur la glace du fleuve

Mylène Gilbert-Dumas

UNE DEUXIÈME VIE

Tome II

Sur la glace du fleuve

roman

vlb éditeur
Une société de Québecor Média

On peut communiquer avec l'auteure sur sa page Facebook, Mylène Gilbert-Dumas, romancière, et par courriel à l'adresse suivante : mylene.gilbertdumas@sympatico.ca

À la mémoire de Denis Chabot,
toujours vivant dans le cœur des Yukonnais.

Chapitre i

L'enseigne de la station-service grinça comme dans un vieux western. D'instinct, Élisabeth leva la tête, et le vent balaya ses cheveux, découvrant son visage. Elle ferma les yeux. Ce n'était pas l'habituelle brise de juin qui soufflait sur le Yukon, mais un vent de changement. Un autre! Et les bourrasques, presque brutales, repoussaient sans ménagement tout ce qui se trouvait sur leur chemin.

L'enseigne grinça de nouveau, mais cette fois, Élisabeth n'y prêta pas attention. Appuyée contre son *dog truck*[1], elle jeta un regard en direction des chiens qui se trémoussaient. Elle les avait attachés l'un à côté de l'autre à la chaîne qu'elle avait tendue entre la camionnette et un poteau électrique. Ils avaient suffisamment d'espace pour se dégourdir les pattes, mais pas assez pour s'emmêler ou se

---

1. Camionnette surmontée de petites cabines individuelles servant au transport des chiens de traîneau.

9

chamailler. C'était un truc de musher[2], un de ceux que Ian lui avait transmis, et elle lui en savait gré.

Il y avait beaucoup de circulation ce matin sur la route de l'Alaska, et les chiens suivaient des yeux les voitures qui passaient à vive allure. Ça les rendait nerveux.

Élisabeth fouilla d'une main dans le sac à dos posé à ses pieds. Elle trouva rapidement le paquet de cigarettes qu'elle venait d'acheter. Elle le déballa, retira le papier aluminium protecteur et pigea une cigarette qu'elle alluma en inspirant un grand coup. La fumée trouva son chemin jusqu'à ses poumons, comme autrefois. Il aurait été exagéré de dire qu'elle avait recommencé à fumer, mais revisiter une vieille habitude apporte souvent du réconfort. Et en ce moment, on pouvait dire qu'Élisabeth avait grand besoin de réconfort. Trop d'incertitudes l'attendaient. Davantage même qu'en quittant le Québec, trois ans plus tôt, pour venir s'installer à Whitehorse avec Pierre-Marc. Certes, leur couple était passé à travers plusieurs épreuves, et la séparation leur avait été salutaire, à tous les deux. Les imprévus n'en avaient pas moins jonché leur route. Rien n'était facile au Yukon, elle l'avait bien compris. Elle se répétait donc qu'elle avait vécu pire et qu'elle surmonterait cette nouvelle difficulté comme elle avait surmonté les autres. Elle demeurait toutefois contrariée, et savait qu'il fallait éviter que les chiens s'en aperçoivent.

Elle tira une deuxième fois sur la cigarette.

Elle s'inquiétait sans doute pour rien. Gabriel saurait comment régler le problème, avec son expérience du Yukon, ses contacts professionnels – il était mécanicien, après tout ! – et ses relations personnelles qui, même si elles s'avéraient parfois douteuses, lui permettaient toujours de se sortir du

---

2. Musher : Terme anglais dérivé du commandement français « Marche ! » et désignant le meneur d'un traîneau à chiens. Au féminin, en français, on dit « musheuse ».

pétrin. Oui, il saurait quoi faire. C'est d'ailleurs parce qu'elle avait confiance en lui qu'elle l'attendait aujourd'hui, au fond de la cour. Elle avait stationné son pick-up assez loin pour que les chiens ne dérangent pas les clients de la station-service, mais assez près pour qu'elle-même puisse suivre des yeux Gabriel qui s'activait dans le garage où se trouvait une voiture en réparation. Chaque fois qu'il tournait la tête vers elle, il lui adressait un de ces clins d'œil familiers et rassurants dont lui seul avait le secret. Il reportait ensuite son attention sur ses outils et travaillait comme si rien ne pressait. S'il feignait d'avoir tout son temps, il avait quand même remis à lundi le rendez-vous prévu cet après-midi. Élisabeth n'avait pas besoin d'autre preuve pour se convaincre qu'il prenait son problème au sérieux.

Il aurait pu s'en laver les mains. Ne l'avait-il pas mise en garde, six semaines plus tôt, contre l'idée d'acheter la propriété de Jim Osborn?

— C'est une tête de pioche, cet homme-là. Et tout ce qui le concerne est compliqué.

Élisabeth n'avait pas tenu compte de son avis. Elle voulait partir de chez Ian, et cette maison était disponible à un prix raisonnable. Elle n'avait pas cherché à en savoir plus.

Il faut dire, à sa décharge, que personne n'aurait pu anticiper le genre de complications qui l'attendaient. Qui en effet aurait pu imaginer que pour permettre à un éventuel acheteur de visiter la maison, Stephen Osborn, le fils de Jim, avait rusé? De mèche avec les services sociaux, il avait obtenu pour son père un rendez-vous chez le médecin. Le vieux Jim avait libéré les lieux le temps d'un examen médical. L'agent immobilier en avait profité pour faire le tour de la propriété en compagnie d'Élisabeth, qui ne se doutait de rien. Ils étaient entrés dans la maison, puis dans la cabane du fond et dans le hangar. Ils avaient même parcouru à pied la largeur du terrain. Satisfaite, Élisabeth était passée à la banque et, prêt en main, elle avait déposé une offre d'achat. Elle ne pouvait pas savoir que les bizarreries du vieux Jim avaient permis à son fils de faire valider un mandat d'inaptitude vingt ans plus tôt, et que Jim n'était pas même au courant de la transaction.

Or, voilà que ce matin, en finalisant la vente chez l'avocat, elle avait appris que la maison n'était pas aussi «disponible» qu'on le lui avait fait croire. Elle avait été bouleversée quand Stephen Osborn lui avait lancé, en lui remettant les clés:

—Je vais faire mon possible pour sortir mon père de là d'ici une semaine.

Une semaine!

Sur le coup, elle avait cru ses plans fichus. Elle venait tout juste de partir de chez Ian avec, pour bagage, une valise et onze chiens. La séparation, qui aurait dû se faire aisément, s'était avérée difficile. Depuis deux semaines, Ian avait tout fait pour lui être agréable et lui donner le goût de rester. Ce matin, Élisabeth avait réalisé que, dans le fond, elle l'aimait peut-être encore un peu. Assez. Juste assez pour que partir la déchire.

Par chance, s'était-elle dit, elle emménagerait très vite dans sa nouvelle maison. La douleur serait bientôt effacée par le train-train quotidien du chenil et son travail d'hygiéniste dentaire. C'était du moins ce qu'elle avait cru en saluant Ian d'un geste de la main au moment où sa camionnette s'engageait sur le chemin boueux en direction de Whitehorse. Elle avait eu le cœur gros, les yeux pleins d'eau, mais avait refusé de regarder en arrière. Deux heures plus tard, cependant, après avoir appris que sa nouvelle maison n'était pas vide, elle avait dû considérer l'idée de retourner chez Ian, non sans dégoût. Elle avait jugé préférable, pour elle comme pour lui, de chercher une autre solution. C'est ainsi que l'image de Gabriel s'était imposée. Elle savait qu'il connaissait Jim Osborn. Peut-être saurait-il le convaincre de quitter les lieux?

— Anytime ! avait-il répondu quand elle l'avait appelé pour lui poser la question.

Il lui avait dit de venir l'attendre au garage, le temps qu'il en finisse avec une réparation urgente.

Voilà une des raisons pour lesquelles elle fumait, adossée au *dog truck*, surveillant ses chiens d'un œil tandis que de l'autre elle suivait les allées et venues de Gabriel avec, au creux de l'estomac, une douleur plus vive que d'habitude.

C'est que l'anxiété qui l'habitait avait plusieurs causes, et l'une d'elles relevait de la présence de Gabriel, justement. Maintenant qu'elle était libre, tenterait-il quelque chose ? Voudrait-il aller plus loin ? Et elle, comment réagirait-elle ? Élisabeth se ressaisit à cette idée. Avait-elle peur de son ombre ? Quelle gamine elle faisait !

Elle regarda la cigarette qui s'était consumée presque toute seule. Pourquoi avait-elle acheté ce paquet ? C'était ridicule. Elle n'avait pas à s'effrayer des sentiments qui l'habitaient. Elle avait trente-huit ans, un bon métier. Elle était maintenant propriétaire de son propre chenil et de sa propre maison, pourvu qu'elle arrive à en extraire l'ancien propriétaire ! Et en ce qui concernait le reste, elle avait assez d'expérience pour accepter les choses comme elles se présentaient. Vrai que de l'avis de Rita, Gabriel n'était pas un homme fiable. Mais Élisabeth avait-elle besoin de quelqu'un de fiable ? Si elle avait songé à fonder une famille, peut-être… Mais ce n'était pas le cas. Elle n'aurait jamais d'enfant ; la vie s'était chargée de rayer cette possibilité de son avenir. Dans ces conditions, qu'est-ce que ça pouvait bien faire si Gabriel fumait son joint tous les soirs ? Qu'est-ce que ça changerait dans sa vie à elle ?

Elle écrasa la cigarette sous sa botte. La voiture en réparation venait de reculer, et son conducteur l'arrêta devant une pompe à essence.

Quelques minutes plus tard, Gabriel sortit du garage, lavé et changé. Il s'approcha d'Élisabeth.

—Je suis ready! lança-t-il, un sourire avenant aux lèvres. On va aller voir s'il n'y aurait pas moyen de faire sortir Jim de son trou.

Il l'aida à hisser les chiens dans leurs cabines respectives, et quand chacun fut à sa place, il monta dans son pick-up pour suivre Élisabeth sur la route de l'Alaska.

CHAPITRE 2

— Open the door, Jim! lança Gabriel en frappant doucement à la porte. It's your friend Gab Dumont.

La maison se trouvait en plein cœur d'Ibex Valley, à 600 mètres de la route qui menait en Alaska, à environ quarante minutes de voiture au nord-ouest de Whitehorse. Parce qu'il s'agissait d'une contrée hostile, habitée par peu d'êtres humains, mais peuplée de nombreux animaux sauvages – loups et ours inclus –, Élisabeth avait décidé que c'était plus simple de dire qu'elle venait d'acheter une maison au milieu de nulle part. Plus simple que de décrire cette réalité à quelqu'un qui ne connaissait rien du Yukon.

Ladite maison se dressait sur deux étages, tout en rondins. Élisabeth se rappelait que le rez-de-chaussée était à moitié couvert par la mezzanine qui servait de chambre. Pour cette raison, les fenêtres du haut, qui formaient un triangle en longeant les pentes du toit, étaient aussi grandes et nues qu'une vitrine de magasin. Inutile d'y mettre des rideaux puisqu'elles s'ouvraient sur le vide. Et puis, à cette hauteur, personne ne pouvait voir ce qui se passait à l'intérieur.

— Come on, Jim! continuait Gabriel.

La fenêtre juste en dessous donnait sur le salon. En ce moment, elle était obstruée par une toile blanche et opaque. Élisabeth avisa l'interstice entre le coin de la fenêtre et le bord de la toile. Les mains en visière, elle se pencha jusqu'à ce que son front touche la vitre. Elle eut beau plisser les yeux, elle ne vit rien.

Gabriel continuait de frapper, toujours aussi doucement.

— Inutile de faire gros du bruit ou de crier, avait-il dit à leur arrivée. La maison est tellement petite, c'est certain que Jim nous entend.

La propriété comptait quinze acres de terrain et deux dépendances. Un hangar s'élevait à gauche, au fond du terrain, à la lisière d'un tas de broussailles. À droite, à la même distance, on avait construit une cabane pas plus grande qu'une remise. Un lit et un poêle à bois prouvaient qu'on l'avait déjà habitée.

La maison principale se trouvait plus près de la route. Une immense galerie en longeait la façade et, bien qu'érigée à un mètre du sol, elle était dépourvue de garde-fou. Ce n'était pas là un détail innocent puisqu'une personne assise sur une chaise longue, n'importe où sur la galerie, pouvait voir le soleil se coucher au loin, derrière les montagnes, d'abord de plus en plus vers le nord jusqu'au 21 juin, ensuite de plus en plus vers le sud jusqu'à Noël.

On devait cette vue magnifique à une maigre végétation. Quelques peupliers faux-trembles et une demi-douzaine de fines épinettes noires. Le reste était constitué de touffes de buissons éparpillés sur l'ensemble du terrain. Élisabeth observa les montagnes, lointaines de deux ou trois kilomètres. Leurs cimes effilochaient quelques rares nuages. Au-delà, le ciel avait ce bleu craquant typique des régions semi-arides.

On est riche, pensa-t-elle, quand on se lève tous les jours devant un si beau paysage.

— Open the door, Jim, répéta Gabriel. We know you're in there.

Évidemment qu'ils le savaient à l'intérieur ! À leur arrivée, ils avaient trouvé la porte verrouillée. Stephen leur avait bien remis une clé pour la serrure, mais c'était un loquet manuel qui les empêchait d'entrer. La maison ne comptant qu'une sortie, celui qui avait poussé le verrou ne pouvait se trouver qu'à l'intérieur.

— Il est peut-être mort, suggéra Élisabeth, un peu inquiète.

— Non, il n'est pas mort. Je le connais, ce vieux-là. Il va tous nous enterrer. Bon, attends. Faut que je pense, là.

Gabriel s'adossa au chambranle, et ses yeux s'étirèrent jusqu'à n'être plus que deux minces fentes qui fixaient l'horizon. Quand il se concentrait ainsi, il avait l'air du Métis qu'il était, avec ses yeux et ses cheveux noirs, avec son cou large et ce corps charpenté. Son attitude rappelait d'ailleurs les anciens portraits de Gabriel Dumont, célèbre compagnon de Louis Riel, en l'honneur de qui il avait été baptisé. Il vivait au Yukon depuis tellement longtemps qu'Élisabeth se demandait ce qu'il restait chez lui du Franco-Manitobain d'autrefois. Une façon de s'exprimer, peut-être. Peut-être aussi une manière d'envisager la vie, le monde, le temps et la relation entre les trois. Chose certaine, Gabriel n'était pas un gars de la ville. Comme la plupart des Yukonnais vivant à l'extérieur de Whitehorse, il portait trois cent soixante-cinq jours par année un manteau reprisé au *duct tape*, des bottes usées à la corde, des jeans du même acabit et une casquette de base-ball. L'hiver, il remplaçait la casquette par une tuque péruvienne ou un chapeau doublé de fourrure avec cache-oreilles rabattables.

Élisabeth rit en songeant au peu de variété dans la tenue vestimentaire de Gabriel. Elle-même ne s'habillait autrement que pour se rendre à la clinique. Le reste du temps, surtout avec ses onze chiens, la tenue habituelle des Yukonnais lui convenait parfaitement. C'est fou ce qu'un coup de griffe pouvait faire comme dégâts! Aussi bien éviter de prendre des risques et garder pour les grandes occasions les robes chics et autres vêtements frivoles. Après tout, elle vivait dans un endroit où la température descendait en flèche trois mois par année, souvent jusqu'à -40 °C.

La voix de Gabriel la ramena sur la galerie.

— Si tu n'ouvres pas, Jim, dit-il en anglais, je vais devoir briser une vitre.

Toujours pas de réponse.

Gabriel s'avança vers la grande fenêtre, tenta à son tour de voir dans l'interstice, mais en vain.

— Je n'en suis pas certain, mais je ne pense pas que le vieux parle français, alors je vais t'expliquer en français ce qu'on va faire.

Il entraîna quand même Élisabeth à l'écart, par précaution.

— Je vais retourner à mon pick-up et ramasser une couple d'outils. Je dois avoir quelque chose de gros, que je pourrais promener devant la fenêtre. Comme on a le soleil en arrière de nous, Jim devrait voir les ombres sur la toile. Et comme il n'est pas fou, le vieux, il ne voudra pas que je casse la vitre parce qu'une vitre de cette grosseur-là, ça coûte la peau des fesses et ça se répare bien mal au duct tape, ça fait que…

— Arrête les plans de fou, Gab Dumont.

La voix venait de l'intérieur et surprit davantage Élisabeth que Gabriel. C'était une voix d'homme, un ton énergique qu'on n'aurait pas du tout associé à un vieillard.

— Je vivre dans Montreal for a while, you know, pour la travail. Alors je comprendre tes histoires all right. Si tu brises, je *sue* toi en cour.

Gabriel sourit.

— Ce serait plutôt à mon amie Bebette, ici, de te poursuivre en cour, Jim. Elle a acheté cette *cabin* avec l'autre et tout le terrain alentour. Et toi, tu l'empêches d'entrer.

— I don't give a fuck what she bought. This house is mine and I'm staying right here. I have a gun, you know.

Élisabeth tressaillit. Il avait un fusil. Voilà qui compliquait les choses.

— On devrait appeler la police, murmura-t-elle.

Gabriel secoua la tête, mais ne dit rien. Il ne bougea pas non plus. Il réfléchissait.

Élisabeth pensa à Stephen Osborn. Où était-il, celui-là ? Comment pouvait-il laisser son père se faire expulser de la sorte ? Elle eut soudain pitié du vieux.

— Monsieur Osborn, dit-elle. Si vous voulez, je peux vous louer la petite *cabin*.

— Pas de question ! Je vivre dans cette maison depuis quarante années, you know. C'est pas vous autres qui va sortir moi d'ici.

Élisabeth s'apprêtait à répliquer, mais Gabriel lui mit un doigt sur les lèvres et lui fit signe de le laisser parler – elle en frissonna d'un plaisir coupable, mais se garda bien de le montrer. De toute façon, concentré comme il l'était sur leur problème, Gabriel ne s'aperçut de rien.

— Écoute-moi bien, Jim, fit-il, de nouveau en anglais. Mon amie Bebette vient d'acheter cette maison où elle a l'intention de s'installer avec ses onze chiens. Tu penses bien que la *cabin* du fond, elle est beaucoup trop petite pour une famille de cette grosseur-là.

— Comment ça, onze chiens ?

Gabriel sourit et adressa à Élisabeth un clin d'œil victorieux.

— Dix chiens de traîneau, dit-il, et un chien de compagnie.

— Comment est-ce qu'ils s'appellent ?

C'était à Élisabeth de jouer. Suivant le conseil de Gabriel, qui lui dit de parler en français, elle présenta ses chiens.

— Mon pet dog s'appelle Ravenne…

— Raven ?

— Non. Ravenne. En français. Et c'est une fille, alors c'est féminin.

Gabriel lui fit un geste qui signifiait qu'elle devait donner des détails. Elle obéit.

— … elle a deux ans. Elle est noire, comme son nom l'indique.

— Elle trop chaud dans l'attelage.

— Oui, approuva Élisabeth. Mais elle n'aime pas tirer. C'est juste…

Elle hésita et décida enfin que le surnom donné par Ian ferait poétique dans cette conversation.

— … c'est juste une bouche inutile.

Le vieux éclata de rire derrière la porte.

— Les autres ?

Élisabeth regarda le *dog truck* stationné dans la cour.

— Mes deux meilleurs leaders[1] s'appellent Cassandre et Minuk.

— Ils venir d'où ?

— Du chenil de Josette Arpin.

— Who ?

— De chez Mars.

Nouvel éclat de rire.

— Les autres ?

— J'ai Transam et Odyssey qui servent de swing dogs[2], même si, à leurs heures, ils sont capables d'être leaders.

— Transam. Odyssey. Who else ?

— Matrix, Camaro, Cavalier, Corvette.

— Ça faire huit.

— Silverado et Highlander sont de bons wheelers[3]. Ils sont gros et forts.

---

1. Leader : chien de tête.
2. Swing dog : chien de pointe.
3. Wheeler : chien de barre.

— Où venir, les chiens ? From Ian Goyette ?

Si Gabriel affichait un sourire victorieux, Élisabeth, elle, avait l'impression de manipuler le vieux. Elle répondit néanmoins par l'affirmative, et la porte s'ouvrit.

Un petit homme sortit de la maison en clignant des yeux, ébloui par le soleil qui plombait la prairie. Il s'avança d'un pas assuré, dévoilant une chevelure longue, hirsute et complètement blanche, qui rejoignait sur le devant une barbe de couleur et de texture identiques. Ses doigts, longs et fins, tenaient un fusil de gros calibre. Quand il fut habitué à la lumière, Élisabeth constata qu'il avait des yeux d'un bleu si pâle qu'ils lui donnaient un air doux et naïf, presque ahuri. Gabriel avait raison, cet homme n'était pas dangereux, malgré l'arme qu'il serrait toujours dans ses mains.

— Je veux voir, dit-il en traversant la galerie.

Indifférent à la présence de ses visiteurs, il s'avança vers le *dog truck* et en fit le tour. Élisabeth réalisa qu'il étudiait les chiens d'un œil de connaisseur. Il repéra tout de suite Ravenne, qu'il appela par son nom. Puis il continua sa tournée en caressant les bêtes à tour de rôle après avoir demandé qu'on lui répète le nom de chacune. Élisabeth joua le jeu et répéta.

— Take them out ! ordonna-t-il soudain. Vous avoir un chaîne, sûrement.

Amusé, Gabriel ouvrit le casier vide où il avait rangé la chaîne en quittant le garage. En homme prévoyant, il avait construit sur la camionnette des casiers pour vingt chiens même si le chenil d'Élisabeth n'en comptait encore que onze. Il attacha la grosse chaîne entre le devant de sa camionnette et l'arrière de celle d'Élisabeth. Puis, à deux, ils commencèrent à sortir les chiens. Jim appuya son fusil contre le mur de la maison pour leur donner un coup de main. Dès qu'ils furent attachés chacun à sa chaîne, les chiens se mirent à uriner.

— Tu ne me feras jamais croire que ces chiens-là vivent dans la maison, déclara Jim en anglais, les sourcils froncés par la méfiance.

Ce fut au tour de Gabriel d'éclater de rire.

— Évidemment pas. C'était juste un truc pour te faire sortir.

— Et maintenant ?

— Et maintenant, les interrompit Élisabeth, je vous propose de vous louer la *cabin* d'en arrière. Évidemment, je ne vous demanderai rien à vous. Je vais passer par mon avocat et exiger que Stephen me paie votre loyer.

Le vieux l'étudia un moment, la détaillant des pieds à la tête. Son regard n'avait plus rien de naïf ni d'ahuri.

— Are you a musher ? demanda-t-il, un brin incrédule.

Élisabeth hocha la tête. Jim Osborn parut satisfait.

— J'ai fait la Quest, dans le temps, vous savez…

Il fouilla dans une poche et en sortit une blague à tabac et du papier à rouler. Puis, considérant soudain Élisabeth et Gabriel comme des invités, il s'assit dans l'escalier, se roula une cigarette et se mit à parler.

CHAPITRE 3

Jim leur avait fait du café qu'ils buvaient maintenant assis sur la galerie, les pieds dans le vide. Il était repassé à l'anglais et parlait en fixant l'horizon.

— Dans mon temps, vous savez, vingt ou trente chiens, c'était un gros chenil. C'était avant, bien avant que les millionnaires de l'Alaska arrivent avec *leurs* gros chenils. Vous savez, au début, même le plus pauvre des mushers pouvait espérer gagner la Quest. Maintenant, c'est autre chose... Ces gens-là, ils ont quatre-vingts, quatre-vingt-dix et même cent chiens. Avec cent chiens, tu as l'embarras du choix pour monter ton équipe.

Il tenait sa cigarette entre le bout du pouce et de l'index, exactement comme Gabriel tenait ses joints. Mais le vieux ne prenait pas de drogue. Il avait simplement gardé un goût ancien pour les cigarettes à rouler.

— C'est meilleur marché, avait-il dit pour s'excuser en voyant Élisabeth sortir le paquet acheté plus tôt ce matin-là.

C'est presque à contrecœur qu'elle s'en était allumé une à son tour. Gabriel avait repoussé le paquet, mais sorti son petit sachet de plastique.

Le soleil s'était déplacé, ils l'avaient maintenant en plein visage. Comme la brise soufflait sur la vallée, on n'avait pas trop chaud. Du terrain voisin s'élevaient des hennissements. Jim avait expliqué qu'on y gardait des chevaux.

— Pour les touristes, avait-il ajouté, avec mépris.

Puis il avait poursuivi son récit.

— Là-bas – il désignait la limite sud de la propriété –, j'avais construit vingt-cinq niches. Mon leader s'appelait Brutus. Un méchant caractère, celui-là! Mais il m'aurait conduit en enfer si je le lui avais demandé. Avec lui, j'attelais Gary ou bien Harley. Évidemment, il courait mieux quand Harley courait à côté de lui, mais il fallait que je fasse attention quand elle était en chaleur, vous savez...

Il leur raconta ainsi sa vie de musher et comment, un peu après son soixante-cinquième anniversaire, son fils avait vendu ses chiens et démantelé le chenil.

— Il les a placés n'importe où, sans faire attention. Brutus en est mort, vous savez. Mort d'ennui et de chagrin, j'en suis certain. Et Trixie! Oh, ma belle Trixie! Ça, c'était la meilleure chienne que j'ai eue de ma vie. Stephen l'avait vendue à quelqu'un de Tagish. Eh bien, elle s'est sauvée! Oui, oui! Elle a voulu revenir ici. Mais la route de l'Alaska, elle ne pardonne pas. Il y a des camions, vous savez... Le chauffeur a dit qu'elle était sortie tout d'un coup de la forêt. Moi, je pense qu'elle courait sur le côté et qu'il l'a écrasée. Purement et simplement. Mais vous savez, les conducteurs de camion, ils ne vous diront pas ce qu'ils font pour passer le temps...

Élisabeth frissonna d'horreur. Elle ne fut rassurée qu'en croisant le regard de Gabriel qui semblait lui dire: «Jim exagère toujours. Il veut se rendre intéressant. Inquiète-toi pas.»

De toute évidence, ce n'était pas la première fois qu'il l'entendait raconter des histoires à dormir debout.

— Et puis il y avait Mogluk! Ah ça, c'était un wheeler! On aurait dit qu'il voyait venir les courbes un mille à l'avance.

En même temps que Brutus, tiens! Mais attention! Si on avait le malheur de croiser des caribous… Oh, là, là! Il oubliait qu'il était attaché au traîneau et fonçait droit dessus. Je ne vous dis pas le nombre de fois qu'on a frôlé un arbre à cause de lui.

Le regard de Jim se perdit à l'horizon, et Gabriel profita de cette pause pour parler de ce qui devenait urgent.

— Alors, Jim? Comprends-tu qu'il faut que tu déménages? Trouves-tu que la proposition de Bebette a du bon sens?

Le vieux grogna comme un adolescent mécontent, mais ne protesta pas.

— Voici ce que je te propose, continua Gabriel. On te laisse dans ta maison cette nuit et on revient demain. C'est samedi, demain, alors je ne travaille pas. Et Bebette non plus. Comme ça, tu auras la soirée et la matinée pour ramasser tes affaires. Nous, on reviendra à midi et on apportera le dîner. Et après avoir mangé ensemble, on fumera un brin, et je t'aiderai à déménager tes affaires dans la *cabin* du fond. Qu'est-ce que tu en penses?

Élisabeth aurait aimé avoir son mot à dire, mais se tut en réalisant que Gabriel avait un plan. Elle le laissa régler l'affaire comme si ça ne la concernait pas. Elle était d'ailleurs tellement détachée qu'elle sursauta quand Jim se tourna vers elle, les yeux plissés, l'air de nouveau méfiant.

— Qui est-ce qui va faire à dîner? demanda-t-il le plus sérieusement du monde. Parce que je te jure que si vous m'apportez de la pizza, je vous la balance au visage et je referme la porte. De la pizza… De la pizza! C'est à croire que Stephen ne mange pas autre chose. Moi, je veux un repas maison. Et quelque chose de bon. Des sloppy joes, tiens! Ça, ça serait bon.

Gabriel attrapa la balle au bond.

— D'accord, on te prépare des sloppy joes. Mais en échange, on te laisse le dog truck avec ses habitants. Je suppose que tu es encore capable de nourrir des chiens et de ramasser des crottes...

— Si je suis capable? Pour qui tu me prends, un vieux? Laissez-moi tout ce qu'il faut et je ne veux pas vous revoir avant midi demain. Non, tiens! Pas avant une heure! Et n'oubliez pas le dîner.

CHAPITRE 4

Elle n'avait opposé aucune résistance. C'était d'un ridicule consommé. Pourquoi diable perdait-elle à ce point ses moyens quand il s'agissait de Gabriel? Ça l'énervait de voir qu'elle avait accepté sans hésiter son invitation pour la nuit. Oh, il avait bien parlé du sofa, mais elle n'y croyait pas. Elle voyait la situation comme un piège et se laissait tomber dedans, tout doucement, presque avec délice.

Ils roulaient maintenant vers la ville et venaient de dépasser les premières habitations. Comme ils n'avaient pas encore mangé, Élisabeth proposa qu'ils s'arrêtent pour souper avant de rentrer à Annie Lake. Gabriel ayant pris une demi-journée de congé pour l'aider, elle ajouta:

— Je t'invite, mais je te laisse choisir le restaurant.

Quand il vira dans le stationnement du McDonald's, elle protesta.

— Pas au McDo, quand même!

Il l'ignora et stationna son pick-up.

— Garde ton cash pour les grosses dépenses qui s'en viennent. Et ne pense surtout pas que Jim a entretenu son shack. Ça fait longtemps qu'il ne fait plus rien dessus. Ça me surprend même que tu n'aies pas vu l'ouvrage qui t'attend.

— Oh, je l'ai vu ! Mais j'avais besoin d'une place à moi et cette place-là, ben elle était à vendre à un prix qui me convenait.

— Demande-toi pas pourquoi le prix te convenait.

Dix minutes plus tard, ils mangeaient en silence, assis l'un devant l'autre. N'importe qui aurait perçu le malaise grandissant entre eux. Ce fut Gabriel qui brisa la glace en terminant sa boisson gazeuse.

— As-tu des meubles ?

— Quelques-uns, oui. Ils sont en storage. Je voudrais les ramasser cette semaine en revenant de travailler, mais pour ça, j'aurais besoin d'un coup de main pour enlever la boîte à chiens de mon dog truck.

— On fera ça demain, si tu veux. As-tu pensé aux niches ?

Elle grimaça.

— Ouais… C'est la première chose que je vais faire. Je voudrais t'emprunter quelques outils. Ian m'a laissé un plan pour fabriquer une niche avec une planche de quatre par huit.

Gabriel approuva.

— Ah oui ! Je sais ce que tu veux dire. J'en ai déjà vu. Pour les outils, je pense que Jim a encore les siens, mais on va en apporter quand même. Comme ça, on pourra se mettre à l'ouvrage tout de suite en arrivant.

— Attends ! Je n'ai même pas de bois !

— On va passer en chercher avant de monter demain. À trois, on devrait pouvoir bâtir dix niches avant dimanche soir.

— Tu n'avais pas prévu autre chose en fin de semaine ?

Il secoua la tête.

Elle eut envie de lui faire remarquer qu'il n'avait jamais rien de prévu quand elle lui demandait un service, et de lui dire que ça l'inquiétait de le savoir toujours à ce point disponible. Mais elle ne dit rien. Au fond, ça l'arrangeait. Surtout que cette fois, elle avait réellement besoin d'aide. Et puis ça lui faisait tout chaud en dedans quand il lui disait *oui*.

Ils s'arrêtèrent au supermarché, achetèrent ce qu'il fallait pour préparer des *sloppy joes* et poursuivirent leur chemin. Il était presque 22 heures quand Gabriel immobilisa sa camionnette devant la maison.

— Sers-toi une bière, dit-il en ouvrant la porte. Je vais aller faire un peu de ménage…

Il s'enferma dans sa chambre sans plus d'explications.

Élisabeth disposa des provisions, s'ouvrit une cannette de bière et sortit la boire dehors en regardant le ciel, aussi lumineux qu'en plein jour. Ça faisait trois ans, maintenant, qu'elle vivait au Yukon et elle ne se lassait toujours pas de ces jours qui s'éternisaient, de cette douceur de l'air en été, lorsqu'une brise soufflait et qu'il n'y avait pas de moustiques. Et quand, à 22 heures, le soleil vous chauffait encore le visage comme en fin d'après-midi.

Par quel hasard s'attarda-t-elle sur ses ongles noircis ? Après les ongles, elle regarda ses mains écorchées, puis ses jeans tachés de boue, son coton ouaté déchiré et reprisé à quatre endroits, ses bottes tellement usées qu'elles en étaient fendues sur le côté. Elle sentait un peu la sueur et beaucoup le chien et n'avait pas lavé ses cheveux depuis trois jours – ils glissaient ainsi beaucoup moins hors des élastiques. Elle avala une gorgée de bière et inspira longuement.

Une image lui revint, le souvenir d'elle-même, adolescente, au retour d'une promenade en montagne sur la terre de son grand-père. Elle ressentait en ce moment la même sensation qu'à cette époque. Ça venait du cœur et ça montait vers la tête, lui emplissant la poitrine au passage. Ça faisait naître sur ses lèvres un sourire de ravissement. C'est ainsi qu'elle se sentait le plus elle-même. Ici, dans le bois, avec des vêtements usés mais confortables et avec, comme principal souci, celui de vivre et non de plaire.

Quand Gabriel revint, elle souriait toujours, le visage baigné de soleil.

— Tu as trop de pouvoir sur moi, dit-elle en évitant de le regarder. C'est dangereux.

Il resta silencieux pendant un moment. Elle l'entendit boire une gorgée et sentit la fumée de son joint lorsqu'elle lui passa sous le nez.

— Pour être dangereux, dit-il enfin, il faudrait que je m'en serve.

De fait, cette nuit-là, il dormit sur le divan et elle, dans son lit, comme il le lui avait promis. Mais une fois couchée, elle réalisa qu'il n'y avait rien de plus érotique au monde que d'être allongée dans les draps de Gabriel et de le savoir à quelques pas, derrière une porte close.

*

À 23 heures le dimanche, on posa la dernière vis de la dernière niche et on fixa tout de suite deux bols sur le toit de chacune. Comme chez Ian, c'est là qu'Élisabeth servirait les repas des chiens. Gabriel enfonça des pieux, Jim y attacha aussitôt les chaînes. Ainsi, dès ce soir-là, le chenil prit un air familier, et les chiens, qui semblaient satisfaits, s'endormirent sans faire de cérémonie.

Tout le monde étant crevé, Gabriel rentra chez lui. Jim, qui avait tenu parole, s'installa pour de bon dans la petite cabane et laissa la grande à la nouvelle propriétaire. Élisabeth déroula un tapis de sol au milieu du rez-de-chaussée, y posa son sac de couchage et s'allongea, Ravenne à ses côtés.

Comme elle l'avait expliqué à Jim, la chienne ne faisait pas partie de l'attelage. C'était un chien domestique. Son *pet dog*. Une bouche inutile, aux yeux de la plupart des mushers. Mais Ravenne était beaucoup plus que cela. Bâtarde aussi noire qu'un corbeau, affectueusement étiquetée alaskan par le vétérinaire, Ravenne était devenue au fil du temps une compagne de vie, une amie, une sorte de confidente qui écoutait les mouvements du cœur. Elle aimait courir, de cela Élisabeth avait la certitude. Elle suivait d'ailleurs l'attelage dans tous les entraînements. Mais même s'il s'agissait du premier chien de traîneau qu'Élisabeth avait adopté, Ravenne ne supportait pas le harnais. Pour cette raison, pendant les courses, elle gardait la maison.

Élisabeth allongea le bras et gratta le cou de la chienne qui émit un grognement de satisfaction avant de se rendormir.

— Chanceuse, va! murmura-t-elle en se retournant pour la cinquième fois.

Elle aussi aurait aimé dormir, mais le sommeil ne venait pas. Ce n'était pas parce qu'elle était dépaysée et énervée par le déménagement. Ni parce que l'avenir s'annonçait différent de ce qu'elle avait anticipé. C'était simplement à cause du manque d'habitude. Jim lui avait laissé les rideaux du rez-de-chaussée, et elle les avait fermés, mais la lumière pénétrait par les fenêtres en triangle, à l'étage, de sorte qu'il faisait aussi clair dehors que dedans. Élisabeth n'avait pas pensé à ce détail en achetant une maison orientée vers l'ouest. Il ne s'agissait pas vraiment d'un défaut puisque, en automne et au printemps, une telle orientation permettrait de faire durer le jour. Mais en été…

De toute façon, cette maison présentait des défauts bien plus importants. À commencer par la mezzanine qui, normalement, devait servir de chambre. Élisabeth avait naturellement pensé s'y installer pour la nuit, mais elle avait vite découvert qu'on y crevait. L'endroit serait parfait en hiver, cependant, quand elle chaufferait le poêle à bois. Mais il fallait trouver une alternative en été. Surtout que la lumière lui serait arrivée directement dans les yeux si elle avait été couchée là-haut.

Sous la mezzanine, Jim avait aménagé un coin qui servait de cuisine. Deux bouts de comptoir à angle droit, un évier qui se déversait dans un seau, une cuisinière au gaz et un frigo, au gaz, lui aussi. Par la fenêtre au-dessus de l'évier, on devinait, au milieu des broussailles, l'enclos des chevaux du voisin. Les premières perches se trouvaient à presque cinq cents mètres. Au-delà s'élevait une montagne derrière laquelle, aux dires de Jim, coulait la rivière Ibex.

Le rez-de-chaussée ne comportait aucune division, hormis le rideau de plastique qui isolait la douche du reste de la pièce. La douche… un bidon de cinq gallons fixé sous l'escalier. Dessous, un carré de tuiles de céramique percé d'un trou d'évacuation qui se déversait derrière la maison. Il fallait faire chauffer l'eau sur la cuisinière, remplir le bidon, se dépêcher de se déshabiller et de se laver avant que l'eau refroidisse. En été, Jim trouvait qu'il était plus pratique d'utiliser la douche extérieure.

— Ça évite que l'humidité reste dans la maison. Tu vas voir, Sissi, on s'habitue vite à se laver dehors.

Après Bebette et Frenchie, voilà qu'elle venait d'être surnommée Sissi, comme l'impératrice. Jim ne lui avait pas demandé si ça lui convenait. Il avait simplement déclaré :

— Elizabeth is a mouthful. I'll call you Sissi.

Sissi était un diminutif peu fréquent pour Élisabeth, lui avait expliqué Gabriel qui trouvait que c'était mieux que Betty ou Lizzy, autres surnoms associés au même prénom. Élisabeth n'avait pas protesté. Un surnom, au fond, ça colorait une relation.

CHAPITRE 5

L'été avançait, et les jours, même s'ils raccourcissaient, se ressemblaient. Se lever de bonne heure, nourrir et abreuver les chiens, ramasser les crottes, aller courir cinq ou six kilomètres avec Ravenne pour garder la forme, rentrer, se laver, déjeuner, aller au travail, revenir à la maison, nourrir et abreuver les chiens, ramasser les crottes, souper, se coucher fourbue, mais heureuse.

Une fois par semaine, Élisabeth restait en ville après le travail pour faire la lessive et l'épicerie. La fin de semaine, il fallait couper du bois de chauffage. Elle en avait acheté plusieurs cordes, mais pour payer le moins cher possible, elle avait choisi des billots de quatre pieds de longueur. Il fallait donc scier les billots pour en faire des bûches qu'on devait ensuite fendre en morceaux assez petits pour le poêle à bois. Elle devait aussi puiser de l'eau au puits, pour les besoins des chiens et pour les siens.

Et c'était sans compter qu'il fallait changer les planches pourries de la galerie, installer de l'isolant autour des fenêtres. Et puis la porte d'entrée n'était pas étanche... Bref, Élisabeth trouvait chaque jour quelque chose à réparer. Elle en dressait la liste sur une ardoise qu'elle avait vissée à l'un des murs. Une *to-do list*, comme on disait au Yukon.

Il y avait aussi des travaux qu'elle n'osait pas y ajouter parce qu'elle ne voyait tout simplement pas le jour où elle pourrait les entreprendre. C'était le cas de l'enclos qu'il aurait fallu construire autour des niches pour pouvoir détacher les chiens de temps en temps. Elle avait dû y renoncer, car la routine, en plus de son travail à la clinique, la gardait occupée du matin au soir. Et la nuit, quand elle ne dormait pas, elle essayait de réorganiser ses journées, de se libérer du temps pour planifier les entraînements. Alors, construire un enclos ? Non, vraiment, elle ne voyait pas quand elle pourrait s'y mettre.

Elle s'entêtait à tout faire toute seule, même si elle savait que Jim l'aurait volontiers aidée. Quand elle nettoyait le chenil, elle le voyait tourner en rond devant sa cabane. Il avait envie de lui donner un coup de main, mais avait peur de l'insulter. Et elle, elle n'osait pas le lui demander. Il lui avait dit avoir soixante-dix ans, c'était bien trop vieux pour travailler aussi fort ! La vie dans un chenil était tellement difficile ! S'il avait fallu que Jim soit blessé par un chien ou qu'il se fasse mal avec un outil, elle se serait sentie responsable – surtout que Stephen avait accepté de payer le loyer pour son père à condition qu'il soit bien traité.

Après trois semaines de lourde besogne, elle fut surprise, un matin, de découvrir le chenil tout propre, et Jim qui finissait de remplir les gamelles.

— Si tu me prends comme handler[1], je vais te donner un coup de main comme un handler.

— Mais Stephen...

— Bah, oublie Stephen ! C'est un idiot, celui-là. Il y a des jours où je me demande si je suis bien son père. Penses-y !

1. Handler : Valet de chenil, c'est-à-dire l'assistant du musher.

À le voir avec ses beaux habits, on dirait qu'il n'a pas une once de sang yukonnais dans le corps.

Élisabeth rit. Effectivement, Stephen Osborn tenait davantage de l'homme de la ville que du musher. On ne trouvait chez lui aucun des traits de son père.

— Je ne serais pas surpris d'apprendre un jour que Clara m'a trompé avec un touriste. Juste parce que j'aurais enfin une explication, je pense que je lui pardonnerais. Elle est repartie il y a longtemps, tu sais. À Toronto. Oui, madame! Dans la grande ville. Probablement avec le même touriste, si ça se trouve.

Élisabeth aurait aimé refuser l'offre de Jim, mais elle réalisait que, sans aide, elle ne serait pas prête à temps pour l'hiver.

— D'accord. Je te prends comme handler, mais je t'avertis : j'ai plein de projets, mais je ne suis pas certaine d'en réaliser un seul!

— Pas de trouble, Sissi. On va vivre au jour le jour.

Elle approuva.

À partir de ce moment, elle fut enfin capable, le soir, de penser à autre chose qu'au lendemain matin.

*

Comme l'année précédente, elle ne prit pas de vacances cet été-là. Elle réservait ses congés pour les jours qui précéderaient et suivraient les courses. Refusant de se laisser ralentir par le déménagement et l'adaptation à son nouvel environnement, elle avait décidé de mener à terme trois projets pendant l'hiver. Trois courses, s'entend.

La Yukon Quest 300, au début de février, constituait son premier gros défi. La course partait de Whitehorse et s'arrêtait à Minto. Serait-elle suffisamment en forme? Les chiens seraient-ils suffisamment entraînés? Trois cents milles, ça faisait 483 kilomètres! Chaque musher avait le droit d'atteler entre huit et douze chiens. Avec un chenil réduit, Élisabeth aurait bien peu de marge de manœuvre advenant une blessure ou une maladie.

Les deux autres courses la stressaient moins. Elle avait déjà participé à la River Runner et connaissait le trajet. Les chiens aussi, d'ailleurs. Un petit 120 milles, c'était court. Et puis elle n'aurait besoin que de six à neuf chiens. Même chose pour la course Percy DeWolfe – la régulière, pas la Percy Junior –, qui la conduirait de Dawson City à Eagle aller-retour. Deux cent dix milles, soit 340 kilomètres, à la fin mars. De celle-là, elle connaissait déjà la moitié du parcours parce qu'elle l'avait fait l'année précédente. C'était toujours ça de gagné !

Des projets comme ceux-là nécessitaient un gros investissement, de l'argent qu'Élisabeth n'avait plus ; elle avait utilisé toutes ses économies, plus un prêt, pour acheter la propriété. Mais parce qu'elle pouvait compter sur son salaire et sur le loyer versé par Stephen, elle estimait qu'il ne lui faudrait pas longtemps pour amasser de quoi s'acheter un traîneau… Car – eh oui ! – Ian lui avait peut-être laissé les chiens, mais il avait gardé les harnais, les lignes de trait et le traîneau. Pour s'entraîner – et pour faire des courses ! –, Élisabeth devait entièrement se rééquiper.

Dans la semaine suivant son déménagement, elle avait fait un tour à l'entrepôt et constaté qu'elle possédait beaucoup trop de choses. Elle vendit ce qui avait un peu de valeur et donna le reste à l'Armée du Salut. Les quelques centaines de dollars récupérés furent investis, grâce aux conseils de Jim, dans du matériel d'occasion.

Il connaissait tous les mushers, ce vieux Jim, et tous les trucs aussi. Au fil de ses conversations avec lui, elle apprit qu'il avait déjà participé non seulement à la Yukon Quest, mais aussi à l'Iditarod. Il savait réparer, soigner, construire, prévoir et n'était pas avare de ses connaissances. Avec lui, elle rendit visite aux mushers qui avaient de l'équipement à vendre.

— Ce qu'il te faut, lui disait-il chaque fois qu'ils revenaient de faire un achat, c'est un traîneau fabriqué par Hans Gatt.

Et chaque fois, Élisabeth lui faisait la même réponse :

— Je ne peux pas me permettre d'acheter un traîneau neuf. Pas cette année. Pas avec toutes les dépenses du déménagement et de l'aménagement du chenil. Et puis je n'ai même pas encore d'argent pour le traîneau.

Et chaque fois, le vieux avait la même réplique :

— Je sais, je sais. Si Stephen s'était mêlé de ses affaires et n'avait pas vendu tous mes biens, je t'aurais donné le mien. Le dernier, je veux dire, parce que les précédents, tu sais, ils ne valaient pas grand-chose à côté de mon traîneau Gatt.

CHAPITRE 6

Parce qu'il jugeait l'inaction mauvaise pour les chiens, Jim décida un matin de les détacher l'un après l'autre pendant qu'Élisabeth serait à la clinique.

— Je leur ai fabriqué une longe, dit-il en montrant la corde avec laquelle il avait l'intention de promener le chien détaché. Je vais les emmener dans le sentier pour les habituer et pour leur dégourdir les pattes.

Élisabeth, qui connaissait bien le tempérament de chacun, le mit tout de suite en garde :

— Fais bien attention quand tu détacheras Transam. Elle a tendance à se sauver.

— Pour qui me prends-tu ? J'ai déjà eu des chiens, tu sauras. Je n'en ai jamais échappé un de ma vie !

Élisabeth s'excusa d'avoir si peu confiance en lui et partit travailler.

Pas une fois elle ne s'inquiéta. Après tout, Jim avait beaucoup d'expérience. Et puis ses chiens se montraient habituellement dociles. La plupart d'entre eux, du moins.

Au retour, elle remarqua tout de suite la niche désertée. Transam s'était échappée.

— Je la tenais fort, je te le jure. Comme j'ai tenu tous les autres avant de les attacher à la longe. Je ne sais pas comment elle s'y est prise. Elle a trouvé un moyen de tordre le collier à force de gigoter. J'ai failli me fouler un poignet en essayant de la retenir. C'est une vite, celle-là, je te jure.

Élisabeth balaya des yeux les environs. Elle n'avait pas besoin de détails ; elle voyait très bien la scène. Ce n'était pas la première fois que Transam lui faussait compagnie. Ignorant les explications et les excuses de Jim, elle remplit le bol d'eau et la gamelle sur la niche de Transam et vaqua à ses occupations comme d'habitude en se disant que, lorsqu'elle aurait faim, la chienne finirait bien par revenir.

Il aurait été facile d'en vouloir à Jim, mais Élisabeth savait qu'elle n'avait qu'elle-même à blâmer. Il fallait un enclos autour des niches, comme chez Ian. Les chiens étaient habitués, ils s'attendaient à voir et à sentir les limites de leur territoire. Elle manquait de temps, c'est vrai, mais ce n'était pas une excuse. Encore moins une raison pour critiquer le travail de son handler.

Quand elle se leva le lendemain matin, les deux bols avaient été vidés. C'était bon signe, pensa-t-elle, ça voulait dire que Transam rôdait aux alentours. C'est d'ailleurs ce qu'elle crut jusqu'au soir, quand elle vit Ravenne tourner autour de la niche de Transam avant de se hisser sur le dessus et de vérifier le contenu des gamelles. À partir de là, Élisabeth surveilla Ravenne avec plus d'attention, mais ne vit toujours aucun signe de Transam.

Au bout d'une semaine, elle se dit que Transam avait sans doute essayé de retourner à Annie Lake par ses propres moyens. Le coup de fil passé à Ian n'éclaircit rien du tout. Il n'avait pas vu la chienne lui non plus. Peut-être qu'elle s'était fait frapper en chemin, comme la belle Trixie de Jim, dans le temps ?

Élisabeth perdit espoir. Cette désertion mettait en péril toute sa saison de courses.

*

Elle finit par acheter un traîneau à Vince Oblonski et, tant qu'à être sur place, elle lui commanda des croquettes pour l'hiver. Elle en demanda une quantité suffisante pour ses onze chiens, ce qui lui mit la puce à l'oreille.

— Tu as l'intention de faire des courses ? s'enquit-il en rédigeant la facture.

Elle ne répondit pas. Il y a des gens, comme ça, avec qui on n'a pas d'atomes crochus et qu'on sent devoir tenir à distance. Vince Oblonski avait peut-être des qualités, mais elle ne les connaissait pas et n'avait pas envie de les connaître. Il mentait comme il respirait et abusait des autres tant qu'il pouvait. Elle savait qu'elle venait de payer son traîneau trop cher, tout comme elle paierait aussi trop cher la nourriture hyper protéinée.

Quand elle revint à la maison avec son nouveau traîneau, Jim lui dit ce qu'elle avait déjà compris.

— C'est une vieille affaire, ce traîneau ! Il ne passera même pas l'hiver.

Elle lui rappela de nouveau qu'elle n'avait pas assez d'argent pour mieux s'équiper, ce sur quoi il lui donna raison avant d'ajouter :

— Tu devrais faire la Copper Bassin 300 à la fin décembre. C'est une belle course, tu sais ! Et elle compte pour les qualifications de la Yukon Quest.

En parlant de la sorte, Jim voulait semer une graine. Le procédé insidieux visait à motiver Élisabeth et à lui donner de l'ambition. Il se voyait déjà comme son handler, son *vrai* handler, pas seulement son esclave de chenil. Il lui répétait qu'elle pouvait compter sur lui.

— Je *sais* ce qu'il faut faire, moi, parce que j'ai déjà participé à chacune de ces courses. J'en connais les difficultés et je te donnerai tous mes trucs. Je ne suis pas comme ces blancs-becs des Vieux Pays qui viennent au Yukon jouer à Jack London.

Il faisait référence aux handlers allemands et français qui travaillaient dans la moitié des chenils des environs. Et comme toujours, il exagérait et généralisait. Élisabeth ne perdit pas de temps à le contredire et se contenta de lui rappeler qu'elle n'avait pas les moyens d'aller faire une course en Alaska. Pas cette année, du moins. Et puis il lui manquait toujours des chiens. Surtout maintenant!

*

Un soir, ils allumèrent un feu à mi-chemin entre les deux cabanes, tout près du premier pan de clôture qu'Élisabeth avait enfin commencé à ériger autour des niches. Même si le mois d'août était bien entamé, le temps n'avait pas encore fraîchi, de sorte qu'on aurait pu croire que l'été essayait de se prolonger. Élisabeth ne se leurrait pas. Bientôt, c'est-à-dire d'ici une semaine ou deux, il lui faudrait gratter une mince couche de givre sur son pare-brise, le matin, avant de se rendre au travail.

La saison était suffisamment avancée pour qu'on voie les premières étoiles la nuit. Et si Élisabeth s'était couchée tard le soir, elle aurait déjà vu les premières aurores boréales. Mais elle était au lit à 22 heures. C'était ça, la vie de musher. C'était ça, la vie qu'elle avait choisie. Et elle ne s'en plaignait pas le moins du monde.

Ce soir-là, donc, il faisait doux. Tellement doux qu'on n'avait pas besoin d'une couverture, assis au bord du feu. Jim racontait comment c'était, dans le temps, quand l'électricité ne se rendait pas hors des limites de la ville. Quand on pouvait aller dans le centre-ville de Whitehorse en traîneau à chiens. Élisabeth l'écoutait, sereine mais distraite, bercée par ses paroles autant que par le hululement des hiboux dans les épinettes maigrichonnes aux alentours.

— On fait encore ça à Dawson City, expliquait Jim, mais plus ici. Ici, maintenant, c'est la grande ville. Il y a des stationnements partout, mais plus une chaîne pour attacher les chiens !

Élisabeth l'imagina longer la Two Mile Hill. La pente était tellement à pic qu'il avait dû courir derrière les chiens tandis qu'ils montaient à côté des voitures. À côté des voitures ? Vraiment ? Elle n'en croyait pas un mot, mais se garda, comme d'habitude, de contredire son handler.

— Dans ce temps-là, on déjeunait au 98.

À ce point-ci de la conversation, Élisabeth réalisa qu'elle avait du mal à le suivre. Depuis quelques minutes, elle regardait les étoiles qui s'allumaient les unes après les autres. S'était-elle endormie ? Chose certaine, elle en avait perdu un bout.

— Le 98 ? demanda-t-elle. Le bar ? Je ne savais pas que ç'avait été un restaurant.

— Ça n'a jamais été restaurant, voyons !

— Mais tu viens de me dire que tu y allais pour déjeuner.

— Comme bien du monde, dans ce temps-là, je déjeunais à la bière…

Et comme chaque fois qu'il racontait une histoire de cuite, il partit d'un grand éclat de rire. Élisabeth rit, elle aussi. Elle commençait à s'habituer à lui, à ses anecdotes extravagantes, à ses exagérations. Elle avait eu beaucoup de chance de faire la connaissance d'un tel personnage. Avec lui, elle ne s'ennuyait jamais. Quand elle rentrait du travail, il s'affairait sur le terrain, à creuser un trou ou à planter un piquet. Il gardait le chenil impeccablement propre et traitait les chiens comme si c'étaient les siens. Stephen, qui venait faire son tour une fois par semaine, n'en revenait pas de voir son père en si grande forme.

— On dirait qu'il a repris goût à la vie.

Élisabeth devait alors se mordre la langue pour ne pas souligner que c'était la proximité des chiens qui redonnait vie au vieux. Elle ne disait rien parce qu'elle était d'avis que ces histoires de famille ne la regardaient pas. L'important, c'était qu'elle avait trouvé en Jim un locataire, un handler et un ami.

*

Un samedi matin, quand Élisabeth sortit pour nourrir les chiens, elle trouva Transam allongée devant le nouveau traîneau abandonné à côté du hangar. La chienne s'était couchée exactement à l'endroit où elle aurait été attelée s'il y avait eu une ligne de trait. Élisabeth s'approcha tout doucement. Précaution inutile, Transam n'essaya pas de se sauver. Même qu'elle posa la tête dans la main qui venait de l'attraper par le collier.

À voir l'appétit avec lequel la chienne dévora ses croquettes, on comprenait qu'elle n'avait pas mangé depuis longtemps. Élisabeth demanda à Jim de lui servir une deuxième ration en milieu de journée.

— J'ai déjà eu un chien fugueur, expliqua-t-il. Je l'avais détaché un été parce qu'il n'arrêtait pas de tirer sur sa chaîne. Je me disais qu'il rôderait aux alentours, qu'il chasserait, et qu'il reviendrait quand il serait lassé de devoir se nourrir lui-même. Figure-toi donc qu'il a passé tout l'été sur le terrain. Il ne s'est jamais éloigné à plus de deux mètres du traîneau. C'est à croire qu'il avait peur que je parte sans lui.

Transam reprit sa place, couchée devant sa niche, heureuse d'être enfin de retour au bercail, mais son regard, habituellement mobile et nerveux, demeurait désormais fixé sur le traîneau. Comme le chien de Jim autrefois, elle avait peur qu'Élisabeth parte sans elle.

CHAPITRE 7

Le traîneau filait sur la glace du fleuve, comme pendant une course – sauf qu'il faisait trop chaud pour une course. Debout sur les patins, les mains agrippées au guidon, Élisabeth portait une tuque, mais aucun foulard ne couvrait son visage, de sorte que l'air tiède du chinook lui caressait les joues. Ce n'était pas l'hiver, mais ce n'était pas l'été non plus. Dans un ciel sans nuages, le soleil dardait de ses rayons la neige et la glace, mais la forêt de conifères semblait étrangement opaque.

De temps en temps, le traîneau frôlait un trou d'eau libre. Élisabeth n'avait pas peur. Elle faisait confiance aux chiens. Ils savaient où ils allaient et connaissaient les pièges à éviter.

Sur la rive, elle aperçut soudain la silhouette trapue de Gabriel. Il ne portait qu'un t-shirt avec ses habituels jeans usés sur les cuisses et fendus aux genoux. Il n'y avait qu'en mai qu'on pouvait sentir autant de chaleur malgré le couvert de neige. Élisabeth sentit son cœur battre plus fort.

— Gee! ordonna-t-elle aux chiens, et l'attelage vira à droite en direction de Gabriel.

Pour arriver jusqu'à lui, cependant, il fallait escalader d'abord un amas de glace compactée, puis une berge abrupte. Élisabeth abandonna les patins et poussa pour aider les chiens. Elle n'avait pas encore atteint la terre ferme quand un craquement retentit. Elle pensa au tonnerre, mais savait très bien que ce qu'elle venait d'entendre n'avait rien à voir avec un orage. Derrière elle, la glace venait de se rompre. Bientôt – très bientôt ! –, les morceaux commenceraient à descendre le fleuve. Devant le danger imminent, les chiens se mirent à aboyer et à tirer plus fort. Élisabeth les aida de toutes ses forces. En vain, car le traîneau ne montait pas. Les chiens jappèrent de plus belle. Du coin de l'œil, elle vit la glace se fragmenter, d'abord lentement, puis de plus en plus vite. Les fissures rejoignirent les deux rives. Quand le sol se mit à trembler sous ses pieds, Élisabeth poussa un cri… et se réveilla.

Dans la pénombre d'une nuit qui n'en était pas tout à fait une, la terre tremblait toujours. Et les chiens, dehors dans leur chenil, jappaient aussi fort que dans son rêve. Élisabeth quitta son lit et descendit au rez-de-chaussée où Ravenne grondait et tremblait devant la porte. Elle avait l'air terrorisée. Élisabeth la caressa pour la rassurer, puis, au moins aussi nerveuse que la chienne, elle écarta un coin du rideau. Elle recula aussitôt. De l'autre côté, un ours brun faisait les cent pas sur la galerie, et comme tous les ours, il était immense. Élisabeth sentit l'adrénaline l'envahir. Au lieu de paniquer, elle se mit à réfléchir avec une lucidité qui l'étonna elle-même. Qu'est-ce qui avait attiré l'ours ? Elle avisa la cuisine et remarqua le fromage qu'elle avait laissé sorti pour le manger tiède au déjeuner. Ce fromage, c'était son petit luxe. Son premier depuis deux mois, tellement elle vivait chichement, toujours à couper chaque sou en quatre afin de pouvoir s'équiper pour l'hiver et nourrir toute la meute adéquatement. À moins que ce soit plutôt la boîte de conserve qui avait contenu le saumon mangé pour souper qui avait attiré l'ours? Ou le pain qu'elle avait fait cuire avant de se coucher et qui avait refroidi sur la cuisinière? Dire qu'elle avait aussi laissé ouvertes les fenêtres du rez-de-chaussée!

Élisabeth pesta contre sa propre bêtise et regarda de nouveau sur la galerie. L'ours n'y était plus. Elle l'entendait qui rôdait autour de la maison. Quand il réapparut devant la grande fenêtre, elle se dit qu'il fallait faire quelque chose avant qu'il défonce la porte. Elle n'avait pas d'arme et, de toute façon, elle n'aurait pas su s'en servir. Jim avait bien un fusil, lui, et s'il avait eu le téléphone, elle l'aurait appelé pour lui dire de venir à son secours. Mais il ne possédait pas de téléphone. De plus, il semblait dormir profondément puisque, malgré les aboiements, il n'y avait pas de signe de vie dans sa cabane.

L'ours commença soudain à frapper sur le mur. Élisabeth sentit Ravenne atterrir sur ses pieds. Cette chienne méritait bel et bien son titre de bouche inutile. Désespérée, Élisabeth parcourut la pièce des yeux en cherchant avec quoi se défendre lorsque les montants de la porte ne tiendraient plus. Elle aperçut soudain le meuble du fond, sur lequel elle avait installé sa chaîne stéréo. Elle attrapa le premier disque qui lui tomba sous la main, le glissa dans le lecteur et tourna au maximum le bouton du volume.

La voix de John Lennon éclata si fort qu'Élisabeth dut se boucher les oreilles. *Twist and Shout* faisait vibrer les vitres. Quand elle se fut accoutumée au bruit, Élisabeth écarta de nouveau le coin du rideau. Sur la galerie, l'ours s'était figé sur place et cherchait d'où pouvait bien venir ce vacarme. Dans le chenil, les aboiements redoublèrent, effrayant enfin la bête, qui prit ses jambes à son cou et s'élança à travers le terrain pour disparaître dans les broussailles. Constatant le départ de l'ours, Ravenne se mit à japper comme les autres.

Élisabeth, que le choc avait ébranlée, sentit un rire incontrôlable lui monter dans la gorge. Son corps se mit à bouger de lui-même, et elle dansa jusqu'à ce que la chanson prenne fin. Elle se rua alors sur l'appareil, l'éteignit et s'affala sur le sol pour pleurer.

CHAPITRE 8

À la fin du mois d'août, Jim acheta un vieux VTT qu'il rafistola tant bien que mal. Gabriel avertit Élisabeth : le moteur n'était pas en bon état et risquait de tomber en panne souvent. Pour cette raison, il entreprit de lui donner un petit cours de mécanique de base, histoire qu'elle sache quoi faire si un problème survenait dans un sentier en pleine forêt.

Il venait souvent, Gabriel, s'arrêtant pour prendre des nouvelles, pour voir où en étaient les travaux. Il semblait toujours surpris quand il voyait qu'elle et Jim s'entendaient bien.

— Moi, disait-il en riant, je ne resterais jamais deux jours dans une *cabin* aussi proche de la sienne.

Élisabeth ne prenait jamais ces commentaires au sérieux. Elle savait qu'il était rassuré qu'elle ne vive pas seule dans une maison aussi isolée. Des histoires d'ours, il en avait entendu des centaines et en avait vécu une bonne douzaine lui-même.

*

Élisabeth avait acheté de la viande congelée qu'elle découpait à la hache et à la scie dans le hangar toutes les fins de semaine.

La tâche était longue et ardue. C'était en plus fort désagréable parce qu'elle ne pouvait pas allumer le poêle à bois pour réchauffer la pièce : ça risquait de gâter la viande. Elle sortait donc les très gros morceaux d'un congélateur d'occasion trouvé sur internet. Elle s'échinait pour en faire des portions individuelles qu'elle rangeait ensuite en «portions familiales» dans des sacs de plastique. Elle faisait de même avec le poisson.

C'est aussi dans le hangar qu'elle rangeait les poches de moulée. Au moment de préparer les repas, elle allumait le poêle à bois, faisait chauffer de l'eau et, avec les ingrédients et les ustensiles à portée de main, elle concoctait une savante recette de «soupe» qu'elle servait aux chiens. Le mélange contenait entre autres des morceaux de viande, des croquettes et de la graisse. Tout cela baignait dans l'eau et ne sentait pas particulièrement bon, mais les chiens en raffolaient.

C'était grâce à Ian si elle connaissait le régime alimentaire des chiens au chenil. Mais c'était à cause de lui si elle ignorait ce qu'ils mangeaient exactement pendant les courses. Elle y allait donc à l'instinct, testant une composition puis une autre, puis une troisième, et faisant les ajustements au gré des entraînements.

La principale difficulté consistait à se procurer du castor pour les collations. Jim insistait :

— C'est les best snacks pour les chiens pendant la course.

Malheureusement, les trappeurs chez qui il s'était approvisionné jadis étaient tous morts.

— Ceux qui ne sont pas morts encore ont donné la trap-line à un autre long ago. Faudra tu demandes à Ian Goyette qui lui vend le castor.

Suivant ce conseil, Élisabeth avait téléphoné à Ian qui avait catégoriquement refusé de lui donner le nom de ses fournisseurs.

— Dis-moi combien tu en veux, et je vais ajouter ça à ma commande.

Comme elle avait protesté, arguant qu'elle ne voulait pas dépendre de lui, il avait déclaré :

— Ça va te revenir bien moins cher si tu commandes avec moi puisque j'en prends déjà beaucoup.

Elle lui avait reproché de se comporter comme le faisait Vince Oblonski avec la moulée hyper protéinée. Elle voyait bien que les deux hommes contrôlaient l'information pour avoir toujours une longueur d'avance sur leurs adversaires.

— Je ne suis pas une adversaire sérieuse, Ian. C'est tout juste si je réussis à finir une course !

La réplique avait été cinglante.

— Tu n'es pas *encore* une adversaire sérieuse, Frenchie.

Il croyait donc en elle malgré tout, et au point de garder secrète sa liste de contacts, juste au cas où.

Elle aurait dû être furieuse, mais c'est le sourire aux lèvres qu'elle avait raccroché. Si Ian y croyait…

Elle téléphona quand même à Mars Arpin. C'était bien connu, Mars n'avait pas les scrupules de Vince Oblonski. Et de fait, la musheuse lui refila le nom de deux trappeurs avec qui elle faisait affaire.

— Mais ne tarde pas, lui avait-elle lancé avant de raccrocher à son tour. Les quantités sont limitées.

*

Quand la température fraîchit au milieu du mois de septembre, Élisabeth reprit l'entraînement grâce au nouveau VTT de Jim. Elle sortait dès son retour du travail, préférant parcourir des sentiers inconnus à la clarté, non seulement parce que cela lui permettrait de mieux voir les ours, mais aussi parce que tout était à refaire. Il fallait découvrir les environs, tracer de nouveaux circuits. Elle voulait aussi éviter, autant que possible, les orignaux et les porcs-épics.

Elle attelait les chiens dans leur position habituelle. Cassandre et Minuk en tête, Transam et Odyssey comme chiens de pointe. Suivaient l'équipe A, formée de Matrix et de Camaro, et l'équipe B, formée de Cavalier et de Corvette. Silverado et Highlander, toujours aussi costauds, servaient de chiens de barre. Comme de raison, Ravenne refusait le harnais, préférant courir librement de chaque côté de l'attelage pour tenter de distraire la meute. Puisque habituer les chiens aux diversions faisait partie de l'entraînement, Élisabeth cédait à son caprice. Ça lui donnait bonne conscience, et elle aurait presque pu dire que Ravenne se rendait enfin utile.

Comme le lui avait montré Ian, le VTT s'avérait pratique pour retenir l'enthousiasme des chiens qui, toujours aussi passionnés, donnaient leur cent pour cent. Élisabeth les forçait à ralentir en utilisant la première vitesse du moteur, en plus de l'inertie du véhicule. Les chiens devaient forcer, tous en même temps et de la même manière. Assez, mais pas trop. On voulait d'abord bâtir des muscles, pas entraîner le cardio – ça, ce serait pour plus tard.

Si elle comprenait leur impatience – parce qu'elle ressentait la même ! –, Élisabeth possédait suffisamment d'expérience pour savoir qu'il ne fallait pas permettre aux chiens de courir tout leur saoul. Ils devaient apprendre – en début de saison, on disait « réapprendre » – à gérer et à contrôler leur énergie. Un entraînement durait quelques heures, une course, plusieurs heures et parfois même plusieurs jours. Il fallait donc se garder des réserves d'énergie, se ménager, s'assurer que tout le monde pourrait tenir le coup jusqu'au bout.

*

C'est Jim qui s'aperçut le premier que quelque chose n'allait pas avec Transam. Elle se fatiguait plus vite que les autres et ses tétines avaient gonflé. Et puis il aurait parié qu'elle avait pris du poids. Du ventre, surtout.

— Tu te rappelles la fugue de Transam ? lança-t-il un matin en venant boire un café avec Élisabeth pendant qu'elle déjeunait.

— Ça serait difficile à oublier étant donné que l'événement a failli mettre en péril ma saison de courses.

— Dans ce cas, j'ai des mauvaises nouvelles pour toi.

Élisabeth blêmit et, incrédule, traversa le terrain pour constater les dégâts. Cinq minutes plus tard, à genoux à côté de Transam, elle voyait de ses yeux le corps de la chienne en pleine transformation.

— C'est pour quand, tu penses ?

Jim lissa sa longue barbe.

— Ça fait un mois, je dirais, depuis la fugue. Alors on devrait voir les nouveaux dans un autre mois. Ça veut dire à la mi-octobre.

Élisabeth se releva en secouant la tête.

— Merde ! Merde ! Merde !

— Fâche-toi pas, ce n'est pas si grave.

— La Quest 300 a lieu au début de février. Transam ne sera jamais assez entraînée pour y participer et…

— Tu peux atteler de huit à douze chiens pour la Quest 300. Tu en mettras neuf, c'est tout. Pour la River Runner, tu pourrais normalement en atteler jusqu'à dix, mais ce n'est pas un de moins qui fera la différence cette année de toute façon.

— Je sais.

Élisabeth ne desserrait pas les dents.

— Dis-toi que ce sera plus simple pour la Percy, poursuivit Jim. La limite est de neuf, et tu n'en auras que neuf de disponibles.

— Je sais ! Bon. J'ai besoin d'un autre café.

Ils abandonnèrent la chienne et retournèrent dans la maison.

— Il faut voir ça de manière positive, lui dit Jim en refermant derrière lui.

— Parce que tu vois du positif là-dedans ?

Elle craqua une allumette et mit le feu à un rond. Pendant que l'eau chauffait, elle versa une cuillère à soupe de café instantané dans deux tasses. L'habitude venait de Jim. Ça n'avait peut-être pas grand charme, mais ç'avait le mérite de ne coûter presque rien.

— Ton chenil va augmenter tout naturellement de cinq ou six chiots.

— Et tu trouves que c'est une bonne chose ? Je ne sais même pas qui est le géniteur ! Si ça se trouve, ce ne seront même pas de bons chiens de course.

— Tu sais, même quand on connaît et le père et la mère et que tous les deux sont des champions, rien ne garantit que les rejetons seront eux aussi des champions.

La bouilloire siffla. Élisabeth se renfrogna et versa de l'eau dans les tasses. Elle n'avait pas le choix. Il fallait accepter la situation puisque, de doute façon, elle ne pourrait pas compter sur Transam pendant un bon moment.

CHAPITRE 9

Elle rentrait du travail ce jour-là en se disant qu'il faisait vraiment trop chaud pour entraîner les chiens. Le soleil de fin de journée, encore fort pour la saison, la forçait à plisser les yeux tandis qu'elle roulait vers l'ouest. Annuler un entraînement n'était, au fond, pas une si mauvaise idée, tant elle avait de choses à faire avant l'arrivée de l'hiver. D'abord, il fallait réparer les harnais brisés lors du dernier entraînement quand, dans un accès d'enthousiasme des chiens, l'attelage s'était enroulé autour d'un arbre et avait presque renversé le VTT. Il fallait aussi réviser le plan d'entraînement pour l'ajuster au retrait de Transam. Et commencer la construction d'une pouponnière – il restait moins d'un mois avant l'arrivée des petits. Et il y avait encore tellement de réparations à faire et tellement de bois à couper et à fendre ! Élisabeth craignait sérieusement de manquer de temps.

L'esprit ailleurs, elle roula sans voir la route et vira par habitude dans le chemin de gravier qui menait chez elle. Quelle surprise ce fut de trouver Pierre-Marc endormi sur la galerie, la tête sur son sac à dos ! Elle s'immobilisa au pied de l'escalier pour le regarder. Il avait beaucoup changé depuis le temps où ils formaient un couple. Le complet-cravate du représentant commercial avait fait place aux jeans, à la chemise à carreaux et aux bottes de sécurité du mineur. Et, ma foi, ça lui allait bien! À voir l'épaisseur et la longueur de sa barbe, on devinait qu'il ne s'était pas rasé de l'été. Ce n'était pas sans charme, ça non plus.

Il devait être crevé parce que le bruit du moteur ne l'avait pas réveillé, pas plus que les aboiements des chiens qui manifestaient, depuis le chenil, la joie de retrouver leur maîtresse. Élisabeth monta les marches en faisant le moins de bruit possible. Dès qu'elle ouvrit la porte, cependant, Ravenne sortit et, d'un bond, se jeta sur Pierre-Marc qui s'éveilla en sursaut.

— Eille, la belle Ravenne! Tu as donc bien grandi!

La chienne lui lécha le visage et les mains en gémissant. Pierre-Marc, ému, la caressa avec vigueur.

— Pis toi, comment ça va? demanda-t-il en levant la tête vers Élisabeth. J'ai appris que tu t'étais acheté une piaule. Et quelle piaule! Un vrai château!

Il la taquinait, et ça la fit rire.

— Arrête! Je n'ai même pas l'eau courante.

Il désigna la pompe au milieu de la cour.

— Tu as un puits, à ce que m'a dit ton voisin.

— Mon voisin? Ah! Tu veux dire Jim. Oui, j'ai un puits, mais il faut aller chercher l'eau. Jim ne l'a jamais raccordé à la maison parce qu'en hiver, les tuyaux éclatent tout le temps.

— C'est ce qu'il m'a dit, oui.

Élisabeth remarqua le vide à l'endroit où se trouvait habituellement la camionnette de Jim.

— Il est parti?

Elle n'en revenait pas. Depuis qu'elle vivait ici, c'était toujours Stephen qui venait chercher son père. Le vieux, lui, n'allait jamais nulle part. Surtout pas seul!

— Il m'a dit qu'il allait faire l'épicerie.

— L'épicerie ?

— Ben… C'est ce qu'il a dit. Qu'est-ce qu'il y a de surprenant là-dedans ?

Élisabeth ne jugea pas à propos de s'expliquer. Après tout, Jim avait bien le droit d'aller et venir à sa guise.

— Comme ça, tu as fini ton contrat à Dawson, dit-elle en revenant à Pierre-Marc. C'était le fun ?

— Payant, surtout. Cet hiver, je vais le passer en Grèce et en Italie. Je pense même me rendre au Maroc si j'ai le temps et s'il me reste de l'argent.

— Wow !

Pendant un très court moment, elle lui envia cette nouvelle vie de grand voyageur, cette vie qu'il avait choisie et qui le rendait heureux. Puis elle se rappela qu'elle aussi avait choisi sa vie. La sienne tournait autour des chiens, et pour rien au monde elle n'y aurait renoncé. Comme pour lui donner raison, Ravenne vint lui quémander des caresses. Une fois les effusions terminées, Élisabeth entraîna Pierre-Marc à l'intérieur.

— Veux-tu un café ? Mais je t'avertis, c'est de l'instant.

— Toi, tu bois du café instant ?

— Question de priorités ; c'est moins cher.

— Dans ce cas, je veux bien. Mais avec du sucre et du lait.

Elle approuva d'un geste de la tête et mit de l'eau à chauffer, tandis qu'il s'asseyait sur un des fauteuils et grattait distraitement les oreilles de Ravenne. S'il ne prêtait que peu d'attention à la chienne, c'était parce qu'il regardait partout autour de lui. Élisabeth réalisa qu'il étudiait la maison. Il la jugeait peut-être médiocre à côté de celle qu'ils avaient achetée ensemble autrefois. Il trouvait sans doute la grande pièce en désordre. Élisabeth avait peut-être baissé dans son estime. Après tout, elle vivait au milieu de nulle part avec onze chiens et un vieillard au bout du terrain. Oui, Pierre-Marc devait la trouver ridicule de consacrer tout son temps et tout son argent à l'entretien d'un chenil et d'une cabane qui tomberait probablement en ruines dans peu de temps.

— Comment tu as fait pour me trouver ? demanda-t-elle pour attirer son attention ailleurs. Je veux dire, tu n'as pas d'auto, et on ne connaît pas le même monde à Whitehorse.

— C'est le mécanicien qui m'a dit où tu vivais.

Élisabeth s'immobilisa, une tasse dans chaque main.

— Gab ? Dis-moi pas que tu t'es rendu jusqu'à Annie Lake…

Pierre-Marc avait passé l'été dans un camp de mineurs à Dawson City. Préoccupée par sa rupture avec Ian et par l'achat de sa propriété, Élisabeth n'avait pas un instant pensé à l'avertir de son déménagement. Elle s'en voulait de cette négligence. Dire qu'il devait être descendu sur le pouce chez Ian…

— Je n'ai pas eu besoin d'aller jusque là-bas, la corrigea Pierre-Marc. J'étais en train de boire un café au Baked quand ton ex débile est entré.

— Ah, non ! Pas encore !

Elle imaginait la scène. Comme elle regrettait le jour où elle avait fait la connaissance de Jean-François ! Quel homme jaloux ! Et quelle plaie il était devenu depuis leur séparation !

— Il s'est fait un malin plaisir de venir m'annoncer que tu ne vivais plus avec ton musher. Quand je lui ai demandé où tu étais rendue, il m'a montré un gars qui faisait la file pour payer un sandwich et il m'a dit que lui saurait où te trouver. Il filait doux, je dirais. Pas mal plus que l'autre fois.

Élisabeth se rappela, comme dans un flash, le jour des funérailles de Bob, son défunt patron. Les mots qu'avait utilisés Gabriel pour décrire sa relation avec Jean-François lui revinrent clairement en mémoire.

« On a déjà jasé dans un bar une couple de fois. »

Elle se souvenait exactement de l'impression que lui avait laissée cette phrase et se rappelait que Gabriel avait prétendu ne jamais s'être battu, ni avec lui ni avec un autre. Évidemment, elle ne l'avait pas cru.

Pierre-Marc coupa court à ce souvenir.

— En tout cas, j'ai demandé au gars s'il te connaissait, et il a dit oui. Alors je lui ai demandé si c'était lui, le mécanicien.

Élisabeth sentit ses joues passer au rouge.

— Tu n'as pas fait ça ?

L'histoire remontait à cette fâcheuse rencontre survenue l'année précédente, au Baked Café. Jean-François avait fait allusion à deux hommes dans la vie d'Élisabeth, un mécanicien et un musher. Élisabeth avait dû expliquer par la suite que c'était faux, qu'elle vivait avec un musher et que le mécanicien n'était qu'un ami. Pour être honnête, elle devait admettre que ce n'était pas tout à fait vrai à l'époque.

Pierre-Marc pouffa de rire en la voyant à ce point sur la défensive.

— Ben, non, voyons ! On a bu un café ensemble, et c'est lui qui m'a dit qu'il s'occupait de ton char. Excuse-moi, de ton pick-up. Parce que, à ce que je vois, tu as remplacé ta petite auto de ville.

— Avec onze chiens, c'est pas mal plus pratique.

— J'avoue.

Pierre-Marc se leva et s'avança vers la grande fenêtre en façade. Au loin, le soleil avait descendu et touchait maintenant le sommet des montagnes. Il jeta un regard à gauche et à droite. Puis ses yeux s'attardèrent sur la cabane de Jim, au fond du terrain. Entre cette cabane et la maison, il y avait le chenil qu'on avait presque fini de clôturer. Et dans un coin de l'enclos devrait bientôt se dresser une pouponnière, selon l'avis de Jim. À moins qu'Élisabeth décide de la construire attenante à la maison. Cette dernière idée venait de Gabriel. C'était selon lui une manière d'utiliser la chaleur irradiant des murs en hiver pour chauffer la pouponnière. Élisabeth n'avait pas encore décidé, mais était fort tentée par la proposition de Gabriel.

— Tu ne t'es pas rapprochée, je dirais.

Tirée de sa réflexion, Élisabeth haussa les sourcils. Elle cherca sur le visage de Pierre-Marc une explication à ce commentaire, mais n'en trouva pas. Il buvait son café à petites gorgées, toujours debout dans le salon, presque à l'aise.

— Rapprochée de quoi? demanda-t-elle.

— Ben, euh… de ton travail.

Elle soupira.

— J'avais d'autres priorités.

Il hocha la tête, et elle se sentit rassurée qu'il ait compris qu'elle parlait des chiens.

— Il m'a l'air d'un bon gars.

— Qui? Jim? Oui, c'est une perle. Je suis super chanceuse de l'avoir pas loin.

— Pas le vieux! Le mécanicien.

Élisabeth rougit de nouveau.

— Oui. C'est une perle, lui aussi.

— En tout cas, il n'est pas jaloux comme l'autre. Je voulais monter sur le pouce, mais il m'a dit que la place serait dure à trouver. Effectivement, s'il n'était pas venu me reconduire, je ne me serais jamais rendu. Pis laisse-moi te dire que je suis bien content d'être là.

Il écarta les bras comme s'il savourait encore une fois la surprise qu'il venait de lui faire en apparaissant sur le pas de sa porte.

Un moteur gronda à côté de la maison. Par la grande fenêtre, on vit la camionnette de Jim qui traversait le terrain pour s'arrêter à sa place habituelle. Élisabeth avisa l'horloge: 18 heures!

— As-tu soupé? demanda-t-elle en réfléchissant à toute vitesse au repas qu'elle pourrait improviser pour deux personnes.

— Pas encore, non. Mais ton voisin, le vieux monsieur, là, a dit qu'il préparait du spaghetti pour tout le monde.

De fait, Jim venait de descendre de sa camionnette, les bras chargés de victuailles.

— Si c'est lui qui cuisine, conclut Élisabeth, ça veut dire qu'on va manger bientôt parce qu'il a l'habitude de souper de bonne heure. Mais prépare-toi à un repas sommaire. La popote, c'est pas son point fort. Et puis il n'est pas très bien équipé dans sa cabane.

— Inquiète-toi pas pour moi. Je te rappelle que j'arrive d'un camp de mineurs.

Ils rirent en chœur. Élisabeth savait qu'on mangeait très bien dans les camps, partout au Yukon. Tout comme elle savait que la paie était généreuse, parce que méritée.

Chapitre 10

Ils avaient finalement mangé dans la maison, Jim préférant préparer ses spaghettis dans son ancienne cuisine plutôt que sur le poêle à bois de sa cabane. Le repas terminé, il s'en était retourné chez lui, leur laissant la vaisselle sale comme si c'était la chose la plus naturelle du monde.

— Je t'ai manquée au printemps.

Pierre-Marc et Élisabeth avaient tout de suite retrouvé leur complicité d'antan et lavaient les assiettes comme autrefois – mis à part qu'il avait fallu faire chauffer l'eau dans un chaudron, sur la cuisinière.

— Quand je suis arrivé, expliqua Pierre-Marc, tu venais de partir pour Montréal.

Élisabeth se rappela que Gabriel lui avait parlé de cette visite.

— Je venais d'être opérée, dit-elle pour éviter d'avoir à donner des explications sur la détérioration de sa relation avec Ian. Je suis allée en convalescence chez ma mère. Tu sais, la vie dans un chenil, c'est loin d'être reposant.

— J'imagine, oui. Comment ça va maintenant ? La santé, je veux dire.

— Ça va bien. J'ai même recommencé l'entraînement des chiens.

— Et les courses ?

— Je me fatigue plus vite qu'avant, mais ça va en s'améliorant. J'ai comme projet de faire trois courses cet hiver, même si ce n'est pas bien réaliste.

Non, ce n'était pas réaliste. Surtout maintenant, avec Transam qui attendait des petits. Élisabeth s'en rendait compte chaque fois qu'elle y pensait, et elle y pensait souvent.

— Pourquoi est-ce que ce n'est pas réaliste ?

— Parce que la première est une course de trois cents milles.

Il approuva, mais il ne comprenait pas bien le problème que cela posait.

— As-tu l'intention de faire la Yukon Quest à un moment donné ?

La question la prit tellement par surprise qu'Élisabeth faillit laisser tomber le chaudron qu'elle avait dans les mains.

— Pourquoi tu me demandes ça ?

— Parce qu'il me semble que tu es bien partie.

Elle hésita. Il y avait ce secret qu'elle gardait pour elle, mais qui la rongeait depuis le début des entraînements. Un projet qu'elle trouvait risible parce que c'était le résultat des plans de Jim.

— Je vais avoir quarante ans l'an prochain. Ben, pas l'an prochain, mais l'année d'après. En 2010.

— Et… ?

— Pour célébrer ça, j'ai l'intention de m'inscrire à la Quest. Je ne sais pas si je la finirai, mais le seul fait d'y participer me semble une belle façon de souligner l'événement.

Elle lui expliqua que, pour se qualifier, il lui fallait réussir au moins une course de 200 milles en deux jours et une autre de 300 milles en trois jours. Tout cela dans les quarante-deux mois qui précédaient la Yukon Quest.

— Avec la Yukon Quest 300 en février, qui fait trois cents milles, et la Percy DeWolfe en mars, qui fait deux cent dix milles, je me qualifie. Sauf que…

— Sauf que… ?

— Sauf que je n'ai pas assez de chiens. Je n'ai pas assez d'argent non plus. Et je manque de temps. Finalement, c'est assez improbable que j'y arrive, mais en rêver me fait plaisir, alors…

Pierre-Marc la regarda longuement avec un sourire énigmatique. Riait-il d'elle ? Elle commençait à regretter de lui avoir confié son secret.

— Tu as l'air d'y avoir beaucoup réfléchi, dit-il au bout d'un moment.

— J'ai beaucoup réfléchi aux problèmes, oui.

— Et aux solutions ?

— Aux solutions aussi. Pour choisir quatorze bons chiens, il m'en faudrait au moins une trentaine. Les jours où je suis le plus optimiste, je me dis que, d'ici 2010, avec l'aide de Mars et de Ian, je devrais pouvoir grossir mon chenil. Et puis Transam va mettre bas dans quelques semaines. Il y aura peut-être quelques bons chiots dans la portée.

Il hocha la tête et esquissa un autre sourire énigmatique.

— Trompe-toi pas, dit-elle, craignant encore une fois qu'il rie d'elle. Je ne vise pas de gagner. Je veux juste participer.

Comme il ne disait toujours rien, elle ajouta :

— Qu'est-ce que tu en penses ?

Il abandonna la vaisselle. Elle le vit s'essuyer les mains, ouvrir le frigo et en ressortir deux bières qu'il décapsula avant de lui en tendre une.

— Je pense que c'est l'idée du siècle.

Il but une grande gorgée avant de lever sa bière bien haut.

— Au succès de tes projets, ma chère ! Et si ça adonne que je ne suis pas trop loin l'hiver où tu décideras de faire la

Quest, je vais venir pour t'encourager. Qui sait? Je pourrai peut-être même te servir de handler.

— Ah, pour ça, il faudra que tu t'entendes avec Jim!

Ils rirent et burent un moment en silence. Élisabeth réalisa qu'elle n'avait plus peur. Si Pierre-Marc trouvait son projet réalisable, il était possible que ses parents ne tentent pas de la décourager quand elle leur annoncerait la chose. Pierre-Marc, après tout, était la personne qui la connaissait le mieux au monde. Si lui l'en jugeait capable…

— Je me demandais si…

Pierre-Marc avait posé sa bouteille sur le comptoir et venait de replonger ses mains dans l'eau.

Il hésitait trop. Élisabeth se sentit obligée de l'encourager.

— … si?

— Est-ce que je peux dormir sur ton divan quelques jours? Je prends l'avion pour Montréal le 22.

Il y a des moments dans la vie où l'on se dit que le chemin qu'on a parcouru jusque-là n'était pas inutile. Elle sourit à cet homme qui, autrefois, avait été son conjoint et chez qui elle trouvait maintenant un complice.

— Si tu veux un jour me servir de handler, dit-elle, ravie, il va falloir que tu connaisses les chiens. Alors aussi bien commencer maintenant.

Elle lui servit une deuxième bière et, la vaisselle terminée, elle l'entraîna dans le chenil, Ravenne sur les talons.

CHAPITRE II

La pouponnière avait finalement été aménagée le long de la maison, adjacente au mur sud. En chauffant régulièrement son poêle à bois, Élisabeth s'assurait de tenir au chaud les petits autant que la mère. Oh, ce n'était pas le grand luxe ! Trois murs de planches, un toit pentu, de la paille en quantité, des couvertures propres et d'autres de rechange, deux lampes chauffantes au cas où...

Transam s'y installa le premier soir de grand froid. Personne ne s'étonna en apercevant les premiers flocons de l'année vers 21 heures, mais on y accorda peu d'attention, car le travail commençait. Cette nuit-là, la chienne donna naissance à sept chiots. Sept mâles tachetés de noir, de blanc, de brun et de gris. Le mélange de couleurs était si surprenant que personne ne sut quel thème choisir pour identifier la portée.

Si Transam tenait d'Escort, sa mère, en ce qu'elle avait tendance à se sauver, elle se montrait cependant beaucoup plus maternelle. Élisabeth n'eut pas besoin d'intervenir. La chienne savait ce qu'il fallait faire. Elle lava elle-même ses petits et les poussa du museau de manière à ce qu'ils trouvent rapidement ses tétines.

Aux petites heures du matin, le vent du nord se leva. Il souffla si fort qu'il gela les étangs de bord en bord. Quand elle se rendit au puits pour chercher de l'eau, Élisabeth constata que là aussi, la glace avait pris, sous l'effet du vent.

Le ciel s'éclaircit en milieu d'avant-midi. On fit du café fort dans lequel on versa deux doigts de whisky pour se réchauffer. On mangea du pain de la veille avec de la confiture et on regarda le soleil passer enfin au-dessus des montagnes. C'est dans la lumière de ce jour naissant que les chiots furent baptisés Chinook, Alizé, Mistral, Nordet, Suroît, Sirocco et Zéphyr.

*

Dans la semaine qui suivit, la neige fondit, et la glace aussi. Jim profita de ce redoux pour construire, non sans ronchonner, un enclos autour de la pouponnière.

— Si j'avais su que sa mère fuguait elle aussi, maugréait-il entre deux coups de marteau, ça fait longtemps que j'aurais ajouté cette clôture.

Jim craignait le jour où Transam en aurait marre de ses petits, jour qui n'arriva jamais. En bonne mère, la chienne consacrait tout son temps à ses chiots, leur donnant beaucoup d'attention et beaucoup d'affection, à tel point qu'Élisabeth l'enviait un peu. Elle était émue de la voir prodiguer à ses petits les soins qu'elle-même avait dû gauchement imiter pour s'occuper de Ravenne dans les semaines qui avaient suivi son adoption, deux ans plus tôt. Elle se rappelait très bien comment elle s'était sentie, à l'époque, dans la cabane de Sandy. Le même élan de tendresse l'envahissait aujourd'hui. Une même envie d'aimer et de protéger. Un même respect de la vie, aussi.

Elle passa tout son temps libre dans la pouponnière à regarder les petits malmener les tétines de leur mère. Transam forçait l'admiration, elle qui restait couchée, satisfaite, plutôt qu'irritée, de la voracité de ses bébés.

*

Le jour où Élisabeth vint chercher les poches de croquettes hyper protéinées qu'elle avait commandées, Vince Oblonski ne se montra pas plus aimable qu'à l'habitude. Il brusqua même les choses et, au lieu de lui faire son brin de conversation habituel – ce qui lui permettait généralement de fourrer son nez partout et de répandre toutes sortes de rumeurs –, il se tint coi et lança les poches dans la caisse de la camionnette en serrant les dents. Il venait tout juste de refermer le panneau quand son handler arriva en panique. Il avait dans une main un chiot tellement petit qu'il tenait en entier dans la paume.

— Il ne veut toujours pas manger, Vince.

Vince se retourna. Quand il aperçut le chiot, il devint rouge de colère.

— On ne sort pas un chiot de trois jours dehors quand il fait aussi froid, imbécile !

Le handler rentra les épaules.

— Mais il ne veut pas manger…

Vince lui jeta un regard mauvais et lui ordonna de rentrer au plus vite. Et de mettre le chiot dans son manteau, évidemment. Élisabeth regarda le pauvre garçon s'en aller, persuadée que la présence d'un témoin lui avait évité des remontrances encore plus virulentes. Une fois le handler disparu, Vince fouilla dans une poche et tendit sa facture à Élisabeth.

— Ta chienne a eu des petits ? demanda-t-elle en comptant les billets de cent dollars qu'elle avait apportés pour le payer.

Elle avait posé la question davantage pour être polie que par réel intérêt. Vince ne perçut pas la nuance et, poussant un soupir de découragement, il expliqua :

— Elle en a eu douze. Douze ! Imagine ! Il a fallu la conduire chez le vétérinaire pour une césarienne samedi après-midi. Deux sont morts à la naissance, et celle-là est tellement petite à côté des autres qu'elle n'arrive pas à trouver une tétine. Il faut la nourrir à la seringue, mais comme tu vois, je n'ai pas beaucoup d'aide.

Il jeta un œil en direction du bâtiment où avait disparu le handler.

— Avec six ou huit chiots, d'habitude, Maïka s'arrange bien. Mais à dix… Moi, je n'ai pas le temps de jouer à la mère, et cet abruti de handler est juste bon pour pelleter de la crotte.

Le coup de cœur fut instantané.

— Si tu me la donnes, je vais la sauver. Une de mes chiennes a eu des petits il y a deux semaines. Il y en a juste sept, alors il lui reste de la place.

Vince la regarda, d'abord surpris puis méfiant.

— Pourquoi est-ce que tu ferais ça ?

— Parce que je sais quoi faire. Quand j'ai sauvé celle-là, elle avait juste deux jours. Je l'ai nourrie moi-même à la seringue.

Elle avait fait un geste pour désigner Ravenne, assise bien tranquille sur le siège du passager.

Vince s'approcha de la camionnette. Quand il ouvrit la portière, la chienne bondit et alla s'asseoir aux pieds d'Élisabeth. Elle n'était pas plus petite que la moyenne, preuve que sa maîtresse avait fait du bon travail. Vince s'accroupit devant elle, lui ouvrit la gueule, lui examina les pattes et la peau en plissant les yeux.

— OK. Mais pour que tout le monde sache qu'elle vient bien de chez moi et qu'il s'agit d'une chienne d'une trop grosse portée, je veux qu'elle porte le nom que je lui ai donné.

— Marché conclu.

Sans rien ajouter, il pivota et disparut au même endroit que son handler. Il en revint avec une boule de poils lovée dans une couverture de laine usée. Il la lui tendit.

— C'est la dernière de la portée Tolstoï. Elle s'appelle Laska.

— Laska, répéta Élisabeth.

— C'est ça. Je vais te préparer les papiers et j'irai te les porter la semaine prochaine.

— Rien ne presse. Même que si tu attends un peu, tu pourras constater par toi-même ses progrès.

Vince hocha la tête. Élisabeth fut tellement surprise de le voir lui ouvrir la portière qu'elle en resta bouche bée, oubliant de le remercier. Ravenne grimpa la première. Élisabeth la suivit et, après avoir déposé le chiot sur la banquette entre elle et sa chienne, elle démarra.

Par le rétroviseur, elle vit que Vince restait sur place, les pieds dans la neige. Il regardait le véhicule s'éloigner, toujours incrédule. Ce n'est pas lui qui aurait fait une telle chose, songea Élisabeth en allongeant le bras pour caresser Ravenne.

Une fois à la maison, elle déposa Laska devant la gueule de Transam. La chienne la renifla, avant de la lécher un bon coup et de la pousser du nez vers une de ses tétines libres. En ce qui la concernait, le processus d'adoption était terminé. Ravenne, cependant, voyait les choses autrement. À partir de ce jour-là, elle cessa de suivre Élisabeth dans ses allées et venues et passa le plus clair de son temps dans la pouponnière. Elle n'avait peut-être pas de lait à offrir à la nouvelle venue, mais elle s'occupa de tout le reste. Non seulement Laska échappa à la mort, mais elle eut même deux mères.

Ainsi se termina l'automne.

CHAPITRE 12

Au début de la dernière semaine d'octobre, il faisait -25 °C, et il était déjà tombé vingt centimètres de neige qui, celle-là, n'avait nullement l'intention de fondre. En novembre, la nuit s'installait pour de bon au milieu de l'après-midi et ne cédait sa place au jour qu'en milieu d'avant-midi le lendemain. Si Élisabeth était habituée aux courtes journées du Yukon, elle n'en appréciait pas moins chaque minute de lumière, et profitait de l'heure du lunch pour prendre du soleil. Il faut dire que c'est à la noirceur qu'elle allait au travail et en revenait. Ça ne l'effrayait pas puisqu'elle connaissait désormais le chemin par cœur.

La mijoteuse électrique était devenue sa meilleure amie. Le soir, elle pigeait un paquet de viande dans le congélateur, au bout du comptoir, et le laissait dégeler dans l'évier pendant la nuit. C'est Katherine, son amie et collègue de travail, qui avait pris l'habitude de rapporter du gibier après chacune de ses expéditions de chasse. Orignal, caribou, bison, chèvre de montagne, ours, lièvre, perdrix, canard et chevreuil constituaient depuis le déménagement la base de l'alimentation d'Élisabeth. Elle y ajoutait des légumes racines et laissait cuire le ragoût toute la journée. De cette manière, le repas était prêt quand elle rentrait de l'entraînement.

Chaque matin, elle allumait le poêle à bois pour réchauffer la cuisine et la pouponnière. Elle faisait ensuite une tournée pour vérifier l'état des petits, allait courir, se lavait, déjeunait, mettait le souper à cuire et partait à la clinique pour la journée. Chaque soir, en revenant du travail, elle rallumait le poêle, si Jim ne l'avait pas fait, et partait avec les chiens. Quand elle rentrait, souvent deux heures plus tard, non seulement la maison embaumait la viande mijotée, mais en plus, il y faisait chaud.

Jim et elle mangeaient ensemble plusieurs fois par semaine. Comme il boulangeait un jour sur deux, il servait à table ce pain au levain qu'on appelait au Yukon *sourdough bread*, le pain des vieux prospecteurs. Ils veillaient ensuite à deux devant un bon feu, ou bien Jim s'en retournait pour laisser Élisabeth travailler sur les entraînements ou lire ses livres sur le développement des chiots. Avant de se coucher, elle rajoutait une ou deux grosses bûches dans le poêle, selon que le mercure frisait les -20 ou les -30 °C.

Le vendredi soir, il arrivait qu'elle confie à Jim la responsabilité du chenil et qu'elle parte en expédition jusqu'au dimanche soir avec ses neuf chiens valides. Elle imitait les courses : elle s'arrêtait toutes les six heures, faisait un feu, nourrissait les chiens, massait des pattes, mangeait, dormait un peu, puis repartait. Les chiens prenaient de bonnes habitudes, et elle aussi.

Finalement, tous les jours de la semaine se ressemblaient, et chaque week-end ressemblait au précédent. La routine seyait à tout le monde, car tout le monde savait toujours à quoi s'attendre. Ça évitait les situations stressantes.

À la fin décembre, quand le brouillard se fit presque quotidien, Élisabeth connaissait les sentiers par cœur et avait conscience de vivre plus simplement que jamais, mais aussi plus intensément.

Si elle ne souffrait pas d'une vie à ce point monotone, c'était parce qu'il s'agissait de son choix, et parce que cette vie la comblait au-delà de ce qu'elle aurait jamais pu imaginer du temps où elle vivait à Montréal.

Mis à part l'épicerie et les comptes liés à la maison, tout son argent allait dans le chenil. Rien de plus naturel puisqu'elle aimait ses chiens comme ses enfants. Et puisque des enfants, elle n'en aurait pas, il s'agissait somme toute d'une manière originale, mais raisonnable, de faire son deuil.

Avec ses chiens, Élisabeth ne se sentait jamais seule. Quand il arrivait à Ravenne de quitter la pouponnière, elle reprenait vite ses habitudes et suivait sa maîtresse partout. Certes, elle ne venait plus courir devant le traîneau et passait la nuit avec les petits, mais Élisabeth savait la chose temporaire. Bientôt, les petits ne seraient plus si petits.

Cassandre et Minuk continuaient de performer. Ils obéissaient et ne se montraient hésitants que lorsque le commandement comportait un danger. Si Élisabeth ordonnait un virage à gee – c'est-à-dire à droite – de nuit, dans un trou d'eau vive, ils tournaient la tête dans sa direction pour manifester leur opposition. Elle savait qu'il était impératif de tenir compte de leur avis parce qu'ils voyaient, sentaient et entendaient beaucoup mieux qu'elle. Mais il fallait quand même faire attention : les chiens aimaient l'odeur des caribous, et il leur arrivait parfois d'entraîner la meute vers une harde qui se trouvait dans les environs.

Odyssey, Matrix, Camaro, Cavalier, Corvette, Silverado et Highlander auraient non seulement suivi les leaders en enfer, mais ils auraient entraîné Élisabeth avec eux pour le seul plaisir de sa compagnie. Il ne fallait pas croire qu'elle exagérait l'affection qu'ils lui portaient. Ils l'aimaient vraiment et d'un amour inconditionnel. Et elle, elle le leur rendait volontiers parce que ses chiens, désormais, c'était sa vie!

À la fin décembre, pour la narguer, Pierre-Marc lui fit parvenir une carte postale de la Grèce où il faisait beau et chaud. Il se doutait bien que sa blague tomberait à plat; Élisabeth ne vivait plus que pour le froid.

*

— Ça fait des mois qu'on attend une invitation! lança Rita en franchissant le seuil devant le regard ébahi d'Élisabeth.

— Euh...

— Alors on s'est dit qu'on n'attendrait plus, renchérit Katherine en déposant trois bouteilles de vin dans les bras d'Élisabeth.

— Paraît qu'une de tes chiennes a eu des bébés, lança Marie-Aurore, toujours debout sur la galerie. On peut les voir?

Rita et Katherine répondirent en chœur:

— Pas avant le souper, quand même!

Visiblement, ce n'était pas la première fois qu'elles en parlaient.

La maison était vide depuis que Ravenne avait élu domicile dans la pouponnière. Les trois invitées s'en aperçurent tout de suite, elles qui aimaient la chienne non seulement parce qu'elle avait fait une mignonne miraculée, mais aussi parce qu'Élisabeth ne s'était épargné aucune peine pour lui sauver la vie. Elle ne fut donc pas surprise quand Rita lui demanda où se trouvait sa «belle Ravenne d'amour» et, au lieu d'attendre après le repas, elle sortit avec ses trois amies pour leur montrer les chiots.

— Oh, ils sont donc bien beaux! s'exclama Marie-Aurore. On dirait des petits loups.

— Va pour les loups, précisa Katherine avec son jugement habituel. Mais pour ce qui est d'être beaux... Étranges, je dirais, bien plus que beaux. Avec toutes ces taches bizarres et toutes ces couleurs…

— Arrête donc, Katherine, la réprimanda Rita en tendant le bras pour saisir l'un des petits. Ils sont tellement mignons! Est-ce que tu leur as déjà donné des noms?

Élisabeth récita la liste des vents.

— Celui que tu as dans les mains s'appelle Zéphyr.

— Zéphyr? Comme ça lui va…

Elle s'interrompit en apercevant, dans le coin le plus sombre de la pouponnière, la silhouette ténébreuse de Ravenne. Entre les pattes de la chienne, une petite boule de poils gris dormait paisiblement.

— Ravenne a eu des petits?

— Non, non, la rassura Élisabeth.

Mais elle songea avec irritation à l'incident qui avait eu lieu cet après-midi-là, lorsqu'elle avait surpris Ravenne et Minuk en pleins ébats. Elle ne pouvait pas blâmer la chienne puisqu'elle l'avait toujours laissée aller et venir sur le terrain. Elle ne l'avait toutefois jamais vue sauter dans l'enclos auparavant. Élisabeth avait tout de suite séparé les amoureux, mais craignait que le mal ne soit déjà fait. Comment savoir? Ce n'était peut-être pas la première fois que Ravenne sautait par-dessus la clôture.

Décidément, ses femelles commençaient à lui donner du fil à retordre. Si elle n'y prenait pas garde, le chenil compterait bientôt trop de chiens à nourrir… et pas assez pour courir!

Parce qu'une telle situation était embarrassante pour un musher, Élisabeth préféra relater sa visite chez Vince Oblonski. C'était, de loin, moins gênant.

— Et il te l'a donnée, juste comme ça?

— Ben…, hésita Élisabeth. Elle serait morte, autrement.

— Quand même, ajouta Marie-Aurore. Le connaissant, on aurait pu s'attendre à ce qu'il la laisse crever plutôt que de faire profiter quelqu'un d'autre de sa prestigieuse lignée de huskies sibériens. Il en est très jaloux, d'habitude.

Katherine poussa soudain sur la porte.

— Bon, ben… Ce n'est pas parce que je m'ennuie avec les chiens, mais on a une lasagne à réchauffer et plusieurs bouteilles à vider.

Celles qui avaient pris des chiots les déposèrent près de la mère et, après un dernier regard vers Ravenne, elles quittèrent la pouponnière.

— Alors, quoi de neuf ? demanda Élisabeth au moment où elles s'installaient dans la cuisine.

— Chez moi, pas grand-chose, mais Rita, elle, a un homme dans sa vie.

Bouche bée, Élisabeth se tourna vers son amie.

— Un homme ? Vraiment ? Comment est-ce qu'il s'appelle ?

Un brin exaspérée, Rita répondit à sa question.

— Il s'appelle Roger. Mais ce n'est pas sérieux. On s'est croisés au Liquor Store…

— … C'est le père d'un de ses anciens élèves, l'interrompit Marie-Aurore.

— Le grand-père, la corrigea Rita.

— C'est vrai, le grand-père. Mais il a l'air jeune pour un grand-père.

Satisfaite d'avoir fait rougir Rita, Marie-Aurore s'adressa à Katherine.

— Ça fait un bout que j'ai vu Jessica.

— Moi aussi.

Cette réponse de Katherine réduisit à néant la bonne humeur qui régnait dans la maison. Personne n'osa poursuivre sur ce sujet et, comme nul ne trouvait autre chose à dire, il y eut tout à coup un silence tendu.

Élisabeth savait que Katherine et Jessica se fréquentaient moins qu'avant. À la clinique, entre deux patients, il arrivait à Katherine de laisser tomber quelques remarques assassines, des allusions qui trahissaient une rupture qu'on n'arrive pas à admettre. Elle ne donnait jamais de détails, mais Élisabeth avait compris que Jessica aurait aimé moins de rigidité de sa part. Pour Katherine, cette demande était injuste puisqu'en aucun cas une végétalienne n'aurait accepté de manger de la viande, alors qu'une carnivore comme elle n'avait pas hésité à «manger mal» pour maintenir l'harmonie dans leur couple. Elle disait tout le temps :

— Avec elle, j'ai mangé du tofu pour toute une vie !

Élisabeth aurait aimé lui donner raison, mais elle connaissait trop bien la précarité du bonheur conjugal. Rita et Marie-Aurore, compte tenu de leur expérience, en étaient arrivées à la même conclusion. Sauf qu'on ne dit pas impunément à une femme en colère qu'elle est en colère pour rien.

Après un moment, Rita lança la conversation sur un nouveau sujet.

— Paraît que tu t'es inscrite pour la Quest 300 ?

Élisabeth entendit des soupirs de soulagement de part et d'autre de la table.

— Pour être précise, je dois dire que Jim m'a inscrite à la Quest 300. J'ai juste signé mon nom au bas de la feuille ; il a fait le reste.

Tout le monde rit, pas dupe pour deux sous. Même s'il lui arrivait d'être effronté, Jim n'aurait jamais pris les devants à ce point.

Élisabeth, verre de vin à la main, expliqua à ses amies comment elle entrevoyait la saison. Elle ne leur dit pas qu'elle participait à la Yukon Quest 300 de 2009 dans le but de se qualifier pour la grande Yukon Quest de 2010. Elle ne leur dit pas non plus qu'elle visait loin et voyait grand. Mais si elle taisait ses véritables motivations, au fond d'elle-même, elle était persuadée qu'elle trouverait le temps, l'argent et les chiens nécessaires pour participer à la «course la plus difficile au monde». Après tout, il y avait toute une portée dans la pouponnière. Plus Laska. Sûrement qu'un ou deux petits se révéleraient doués pour le traîneau. Et puis peut-être que la vie mettrait sur son chemin un autre chien, ou deux, ou trois. Qui pouvait imaginer ce que lui réservait 2009? Il pouvait y avoir tellement de surprises! Le 6 janvier, elle aurait trente-neuf ans. Et dans un an… quarante.

CHAPITRE 13

De tous les chiots, ce fut Laska qui se lia le plus avec Élisabeth. Déjà, à l'âge de deux mois, elle suivait Ravenne, et comme Ravenne suivait sa maîtresse partout, elles formèrent très vite un trio. La rescapée du chenil de Vince Oblonski était en train de devenir un magnifique husky sibérien, au pelage gris et aux yeux bleus. Elle se révéla cependant maladroite au possible. C'est qu'elle en mettait, du temps, à s'enlever du chemin ! Coups de pied accidentels, pattes et queue écrasées, la maison résonnait constamment d'un mélange de gémissements suivis d'excuses. Des accrochages arrivaient tous les jours, au point qu'Élisabeth se demanda si la chienne n'était pas idiote.

À la mi-janvier apparut un renflement autour des tétines de Ravenne. Élisabeth soupira, fataliste, et pria pour que les petits arrivent après la Yukon Quest 300.

*

Il faisait froid ce jour-là. Un bon -30 °C. Jim jurait que c'était le meilleur temps pour courir. Élisabeth ne jugea pas nécessaire de lui dire qu'elle le savait, qu'elle avait déjà participé à d'autres courses auparavant. Jim était tellement fier d'être son handler! Il prenait son travail au sérieux. Quelques jours avant la course, il avait conduit les chiens à Whitehorse pour leur examen de santé obligatoire. Puis, le matin du départ, il avait massé toutes les pattes, enfilé les chaussons et donné de l'eau à profusion, même si les chiens étaient recouverts de givre.

Ces derniers avaient reconnu l'atmosphère des courses et bondissaient de joie, attachés au *dog truck*. Comme d'habitude, la fébrilité et l'énergie des concurrents se communiquaient à toutes les équipes plus efficacement qu'un virus. Ils avaient hâte de s'élancer. Ça jappait et hurlait à qui mieux mieux. Le corps au chaud sous plusieurs couches de vêtements, Élisabeth affichait un sourire figé, à la fois excitée et terrifiée à l'idée de se lancer dans une aventure plus importante que les précédentes. Ce qui la rassurait, c'était qu'elle portait le dossard numéro sept. En partant septième, elle n'aurait pas le temps de se stresser avant de lancer son « Let's go, boys! ».

Elle s'avança machinalement son tour venu, sans trop prêter attention aux paroles de l'animateur. Ce fut en entendant Katherine lui crier dans la foule: «Go Sissi! Go!» qu'elle réalisa que Jim l'avait inscrite sous le nom de Sissi Létourneau. Au moment de signer, elle n'avait même pas pensé à lire ce qu'il avait écrit. Elle jeta un regard surpris à son handler, mais il était trop tard pour protester. Le signal du départ venait d'être donné. Elle s'élança, comme tous les concurrents, entre les deux grandes chaînes humaines, sous les acclamations et les encouragements.

Cinq cents mètres plus loin, elle filait avec son équipe sur un fleuve désert, silencieux et immaculé.

*

Le tracé de la course recouvrait une partie de celui de la River Runner. Élisabeth reconnut le chemin et, rassurée, elle atteignit Braeburn, le premier point de contrôle, en ne s'accordant qu'une seule pause, pour la collation des chiens.

À Braeburn, les vétérinaires examinèrent les pattes, les gencives et la peau des chiens avant de les déclarer tous en excellente condition. Élisabeth attacha son équipe en retrait, distribua de la paille, donna à boire et à manger à tout le monde. Puis elle annonça à Jim, qui venait d'arriver par la route, qu'elle allait dormir ce qu'il restait des quatre heures de pause réglementaires. Elle se dirigea vers le bâtiment qui accueillait les mushers. Elle savait qu'elle y trouverait un bon repas et un bon feu.

Dès qu'elle eut poussé la porte, elle sut qu'elle venait de prendre une mauvaise décision. Le plancher était déjà couvert de mushers épuisés, la plupart endormis. Il ne restait même pas un coin assez grand pour s'allonger. Élisabeth s'assit sur un banc devant une table jonchée d'assiettes vides. Après avoir fait un peu de ménage, elle croisa les bras, les appuya sur la table et y posa la tête. Elle dormit ce qu'elle put, et à la fin du quatre heures, elle reprit la route.

Cette partie du trajet n'était pas de tout repos. Il y avait des montées et des descentes en grand nombre en plus de virages à 90 degrés, souvent au sommet ou tout en bas des pentes. Élisabeth, qui n'avait que peu dormi, commença à ressentir la fatigue. Les chiens aussi, même s'ils ne lâchaient pas. Des équipes les dépassaient de plus en plus souvent. Les chiens – Cassandre et Minuk, surtout – voyaient la chose comme un affront et redoublaient d'ardeur.

Contrairement aux sentiers où Élisabeth entraînait son équipe, cette piste-ci était en très mauvais état. Il n'avait pas neigé depuis novembre, ce qui expliquait le mince couvert de neige. Et puis il y avait tous ces mushers passés avant – ceux de la Yukon Quest et ceux de la Yukon Quest 300 – qui avaient mis au jour un nombre incroyable de souches, de racines et de rochers gisant désormais en plein milieu du sentier. Élisabeth devait rester vigilante pour les éviter : ce type d'obstacles pouvait briser son traîneau.

Elle fit plusieurs pauses. « Plus, c'est mieux que pas assez », avait dit Jim quand il l'avait aidée à préparer son plan de course.

La piste continua de zigzaguer jusqu'à ce qu'elle descende sur le fleuve. Là aussi, ce fut difficile : les berges du Yukon étant abruptes, les monter et les descendre s'avérait pénible.

C'est d'ailleurs là, sur le fleuve, que se produisit le premier accident. Camaro se foula une patte en passant dans un *overflow*[1]. Élisabeth arrêta le traîneau, examina Camaro et, comme elle boitait sérieusement, elle la mit dans le panier avant de reprendre la course.

Elle arriva au deuxième poste de contrôle avec un équipage aussi fatigué qu'elle. Ils avaient parcouru 285 kilomètres depuis le départ, c'est-à-dire un peu plus de la moitié du trajet. Mais ce n'était qu'à moitié encourageant puisque, Camaro ne pouvant continuer, Élisabeth dut la confier aux bons soins de Jim. Il la hissa tout de suite dans sa case habituelle, tout en haut du *dog truck*, pour qu'elle puisse s'y reposer.

Après avoir nourri, abreuvé et massé les chiens, Élisabeth fit une pause bien méritée, puis elle reprit la route pour le troisième segment. Cette étape était plus aisée parce que la piste s'étirait en un long ruban bien droit dans une région déboisée. Ça tombait bien ; Élisabeth avait senti le découragement venir, insidieusement. L'idée d'affronter une étape aussi facile lui redonna du courage.

Même s'il ne comptait désormais que huit chiens, l'attelage tirait bien. Au bout d'un moment, la piste redescendit

---

1. Overflow : Endroit d'un cours d'eau gelé où l'eau passe par-dessus la glace.

sur le fleuve avant de remonter plus loin à la ferme McCabe, au bord du ruisseau du même nom. Là, Élisabeth fit un arrêt pour profiter de l'hospitalité des propriétaires qui offraient aux mushers un endroit pour dormir et un repas chaud. Après quelques heures de sommeil, elle reprit la route à la noirceur, aussi revigorée que ses chiens, et émerveillée par les aurores boréales qui remplissaient le ciel.

Il s'était bien écoulé une heure quand Élisabeth réalisa que les chiens avaient perdu de leur motivation. Elle savait ce qui se passait. C'était la première fois qu'ils participaient à une course aussi longue, et ils s'attendaient constamment à voir surgir la ligne d'arrivée après le prochain virage. Certes, elle les avait déjà entraînés à courir 500 kilomètres en trois jours, mais jamais avec des points de contrôle où il y avait d'autres chiens pour les distraire et les empêcher de se reposer. Jamais non plus ils n'avaient couru aussi longtemps tout en se faisant dépasser continuellement. Élisabeth réalisait la faiblesse de son équipe. Ce n'étaient pas des champions. Ça se voyait, et les chiens, eux, le savaient.

Ils tiraient toujours, cependant. Malgré le découragement et le manque d'entrain. Soudain, dans un virage mal négocié, le traîneau, avec son attelage, s'enroula autour d'un tronc d'arbre calciné et se renversa. Rendue impatiente par le manque de sommeil, Élisabeth pesta contre elle-même pendant une bonne demi-heure, le temps de vider le panier, de le remettre sur ses patins, de le réaligner et de le charger de nouveau.

Elle venait tout juste de ranger le dernier paquet quand un attelage la dépassa. Énergisés par une poussée d'orgueil, les chiens s'élancèrent sur la piste. Élisabeth les rappela, mais c'était peine perdue. Après l'accident, toute à sa colère, elle avait mal enfoncé l'ancre. Le traîneau s'ébranla, et Élisabeth eut tout juste le temps de s'agripper au guidon. Ce réflexe lui évita de perdre le contrôle de ses chiens. Elle se laissa glisser à plat ventre sur une centaine de mètres, avant de basculer de nouveau avec le traîneau, de ralentir et de s'arrêter enfin. Il lui fallut faire un effort surhumain pour se rappeler les enseignements de Ian. Ne jamais crier après les chiens. Ne jamais perdre patience avec eux. Élisabeth n'avait pourtant qu'une envie : les égorger un à un.

Cette fois, elle attacha le traîneau à un arbre avant de l'alléger d'une partie de son contenu pour pouvoir le relever plus facilement. Elle le rechargea ensuite et, alors qu'elle était prête à partir, elle s'aperçut que Cassandre s'était démis une épaule.

*

Dieu seul sait comment elle finit la course. Élisabeth garda le souvenir d'un arrêt prolongé à Pelly Crossing, de Cassandre qui pleurait parce qu'on l'abandonnait dans sa case, d'un interminable labyrinthe de blocs de glace sur la rivière Pelly, de son traîneau renversé pour une troisième fois. C'était sa faute, elle le savait. Elle manquait de sommeil, manquait de concentration, avait mal partout. Les chiens percevaient tout ça et s'emmêlaient dans les commandements quand ce n'était pas dans la ligne de trait. Arrivée à Stepping Stone, elle pensa abandonner, mais après avoir mangé la meilleure lasagne de sa vie, elle changea d'idée, ragaillardie à la pensée qu'il ne restait qu'une cinquantaine de kilomètres à parcourir.

À partir de Stepping Stone, la piste de la Yukon Quest continuait vers le nord-ouest, alors que celle de la Yukon Quest 300 revenait vers le sud jusqu'à Minto. Élisabeth n'eut aucune difficulté à repérer les marquages.

Elle finit bonne dernière avec seulement sept chiens attelés et était persuadée d'avoir vécu les trois jours les plus difficiles de sa vie.

Sur le chemin du retour, devinant son état, Jim déclara que cette course avait sans doute été la plus instructive et la plus importante à ce jour parce qu'Élisabeth savait désormais ce que signifiait retenir sa colère. Il lui dit qu'elle avait appris de force à se contrôler pour ne pas briser le lien de confiance qu'elle avait mis des années à construire avec ses chiens. Il ne la crut pas un instant quand elle lui annonça qu'on ne l'y reprendrait plus.

Pour cette raison, il ne fut pas surpris d'apprendre, dès le lendemain, que les courses faisaient de nouveau partie des projets d'Élisabeth. Et quand Jim inscrivit Sissi Létourneau à la River Runner, quelques jours plus tard, il entraîna ladite Sissi au bar 98 pour célébrer sa force de caractère. C'était sa tournée.

*

Ravenne mit bas le 20 février. On donna aux cinq chiots des noms de villes québécoises : Québec, Gaspé, Candiac, Matane et Montréal. Comme Jim s'avéra incapable de prononcer Montréal en français et puisque, en anglais, le nom était trop long pour être placé devant un commandement, Élisabeth en modifia la graphie. Montréal devint Morial, ce qui fit bien rire les francophones qui s'arrêtèrent au chenil pour admirer la nouvelle portée.

Afin de protéger les nouveau-nés de Ravenne des chiots de la portée des vents, il avait fallu construire, par -20 °C, une séparation solide à l'intérieur de la pouponnière. Un marteau à la main et des clous plein la bouche, Élisabeth s'était consolée en se répétant que Minuk, le père des petits, était issu de l'élevage de son amie Mars. Reproduire un fils de champion donnait parfois de bons résultats.

Elle avait bien le droit de rêver !

Chapitre 14

La River Runner fut une partie de plaisir après ses aventures héroïques à la Yukon Quest 300. Élisabeth avait pris le temps d'analyser la première course avec Jim et elle avait compris ses erreurs, ce qui lui évita de les répéter. C'est ainsi qu'elle réalisa que Jim n'était pas seulement son handler, il était aussi un entraîneur et un mentor. Avec lui pour la soutenir et la guider, elle sentait qu'elle serait capable d'affronter la Yukon Quest de 2010 – surtout qu'il lui restait toute une année pour s'y préparer. Elle s'en tint donc à son plan initial et permit à Jim d'inscrire Sissi Létourneau à la course Percy DeWolfe.

*

Un soir du début de mars, elle rentra à la maison et fut étonnée de ne pas voir de lumière dans la cabane de Jim. Sa camionnette était bien garée devant, à sa place habituelle, mais l'endroit semblait désert. Élisabeth savait qu'il n'était pas parti entraîner les chiens parce qu'il ne manquait personne dans le chenil. Il était peut-être simplement allé marcher…

Ça ne lui ressemblait pas, mais elle n'en était pas à une surprise près, avec lui.

Elle se rendit comme d'habitude à la pouponnière. Dès qu'elle eut ouvert la porte, elle fut bousculée par Ravenne.

— Ravenne, non! s'écria-t-elle. Reviens ici!

Mais la chienne était déjà loin et fonçait droit vers la cabane de Jim. Furieuse, Élisabeth referma la porte de la pouponnière et traversa le terrain.

— Toi, je te jure que si je te mets la main au collet, tu vas regretter le jour où je t'ai adoptée.

Elle venait tout juste de prononcer ces imprécations que Ravenne se mit à aboyer. Élisabeth comprit qu'il se passait quelque chose d'anormal. Elle pressa le pas et découvrit Jim allongé dans la neige derrière sa cabane, tremblant de froid.

— Il était temps! dit-il avec humeur. Aide-moi à me lever.

Élisabeth s'avança et lui tendit une main.

— Qu'est-ce que tu fais là?

— Je cueille des fraises, voyons! C'est évident!

Elle se pencha pour l'aider, mais comme Jim grimaça quand elle le souleva de quelques centimètres, elle renonça à le tirer de là toute seule.

— Veux-tu bien me dire comment tu t'es ramassé dans une position comme celle-là?

— Il a fait trop chaud aujourd'hui. Mon toit coulait, alors je suis monté dessus pour le réparer. J'ai glissé sur une plaque de glace et je suis tombé. C'est tout. Maintenant, redonne-moi ta main.

Elle secoua la tête.

— Ça ne sert à rien, Jim. Tu es blessé, et je ne suis pas assez forte pour te soulever si tu ne t'aides pas.

— Je ne veux pas que tu me soulèves, Sissi! Je veux juste que tu me serves de levier.

Élisabeth le regarda attentivement. La jambe droite de Jim reposait sous lui dans une position inhabituelle. Elle était sans doute cassée.

— Ne bouge pas, dit-elle. Je vais appeler une ambulance.

— Je n'ai pas besoin d'une ambulance ! J'ai besoin de…

Malgré sa contrariété, il ne finit pas sa phrase. Il avait essayé de se soulever de lui-même, mais la douleur l'en avait empêché. Élisabeth remarqua qu'il tremblait, résultat de tout ce temps passé à l'attendre, immobile dans la neige.

— Où est-ce que tu étais, aussi ? maugréa-t-il. Tu as au moins une heure de retard !

— J'ai pris un café au Baked avec Rita.

Jim n'ajouta rien. Élisabeth savait qu'il trouvait Rita à son goût.

Un soir, la semaine précédente, Rita était venue voir les petits et était restée à souper. Pour l'occasion, Jim avait raconté des histoires toutes plus folles les unes que les autres. Il en mettait plus que le client en demandait, et Rita, pas dupe pour cinq sous, avait joué le jeu.

— Tu sais, avait-elle glissé à l'oreille d'Élisabeth au moment de prendre congé, ils sont bien seuls, ces vieillards. Celui-là est chanceux de t'avoir pas loin. Il arrive de temps en temps qu'on en retrouve un mort dans sa cabane. Ça n'arrive pas trop souvent autour de Whitehorse, mais ailleurs au Yukon, comme autour de Dawson, de Mayo ou de Keno, la solitude est impitoyable.

Élisabeth avait répondu qu'elle aussi était chanceuse d'avoir Jim à proximité, lui qui connaissait si bien les chiens et qui était si doué de ses mains. Et maintenant, à le voir allongé, souffrant et transi dans la neige, elle se dit qu'il aurait pu y rester. Si elle avait été partie en voyage… Si elle était restée plus longtemps en ville…

L'ambulance arriva en même temps que Stephen, à qui Élisabeth avait aussi téléphoné. Il s'avéra que Jim s'était cassé le fémur et qu'il resterait longtemps à l'hôpital. Quand il irait mieux, il serait d'abord transféré dans un centre de réadaptation pour ensuite emménager de façon permanente dans un foyer pour personnes âgées. Parce que sur son âge aussi, Jim avait exagéré. Il n'avait pas soixante-dix ans, mais quatre-vingts.

*

Jim parti, les soirées d'Élisabeth lui parurent plus longues, même si le jour durait de plus en plus tard. Le soir, le soleil se couchait à 21 heures, tout juste devant la maison. Quand il faisait doux, Élisabeth s'asseyait sur la galerie, bien emmitouflée, et regardait le paysage. Ses yeux se posaient inévitablement sur la cabane de Jim, que Stephen avait plus ou moins vidée, n'y laissant que le lit, la table, la chaise et une boîte de vaisselle ébréchée.

Élisabeth n'aurait jamais imaginé que le vieillard lui manquerait à ce point. Sans Jim pour lui donner des conseils au départ des entraînements et pour l'accueillir avec des questions à son retour, sa vie avec les chiens avait perdu une dimension. Elle s'ennuyait, même si elle passait souvent le voir pour s'enquérir de son état. Jim faisait des progrès, mais ronchonnait sans arrêt. Il en voulait à son fils, à l'infirmière, au médecin. Il exigeait de rentrer chez lui, menaçant de se laisser mourir si on continuait à lui servir de la nourriture d'hôpital. Élisabeth le quittait chaque fois navrée, le cœur dans un étau.

Désormais, elle devait tout planifier seule. Elle en était capable, elle le savait, mais sans handler, sa participation à la course Percy DeWolfe n'était plus assurée. Et puis il y avait tous ces chiots dont il fallait s'occuper. En admettant qu'elle trouve un autre handler à temps pour la course, qui garderait le chenil pendant ses cinq jours d'absence ?

Elle suspendit ses plans indéfiniment en se disant qu'au pire, elle retirerait son nom de la liste des coureurs une semaine avant le départ.

Chapitre 15

En rentrant chez elle un soir, elle découvrit Gabriel, assis sur la galerie, qui admirait, comme elle le faisait souvent, les collines et la plaine, couvertes de neige et brillantes de soleil.

— J'ai donné à manger et à boire aux chiens, dit-il en se levant pour l'accueillir. Ce soir, c'est ton anniversaire et on va célébrer ça dignement.

— Ah oui?

Elle ignorait comment il avait appris que c'était son anniversaire, mais elle avait vraiment trop de plaisir à le revoir pour le contredire. Ils ne s'étaient vus que trois ou quatre fois depuis décembre, et jamais pendant plus de quinze minutes.

Élisabeth réalisa de nouveau ce que la présence de Gabriel avait de réconfortant, de lumineux. De précieux, aussi.

Il s'était avancé et se trouvait maintenant tout près. Il l'embrassa sur la joue.

— Bonne fête, dit-il, en s'attardant juste un peu plus longtemps que d'habitude avant de reculer. Je t'ai préparé à souper.

De fait, en poussant la porte, Élisabeth découvrit qu'il l'avait précédée dans la maison. Non seulement il y faisait chaud, mais en plus, ça sentait bon la viande mijotée.

— Mais tu n'as même pas de clé !

— Ben oui, j'ai une clé. C'est Jim qui me l'a donnée. Il n'aimait pas ça que tu sois toute seule ici. Si tu avais un accident comme lui, mais dans la maison, qui c'est qui viendrait te sauver ?

Élisabeth rit à cette image.

— Pour me sauver, il faudrait que quelqu'un passe justement dans le coin quand je tombe, dit-elle en refermant derrière elle.

— Évidemment. Est-ce que ça veut dire que tu m'invites à passer plus souvent dans le coin ?

Elle le regarda droit dans les yeux et répondit, le plus sérieusement du monde :

— Tu es toujours le bienvenu, Gab.

Il soutint son regard un moment et, comme il se tenait toujours près, elle pensa qu'il allait l'embrasser. Cette idée la surprit tellement qu'elle recula d'un pas. Gabriel sourit, la contourna et suspendit son manteau derrière la porte.

— C'est ça que je me suis dit, alors c'est pour ça que je suis entré.

Il prit le manteau d'Élisabeth et le posa par-dessus le sien.

— Maintenant, dit-il, fais comme si tu étais chez vous. Je m'occupe du souper.

Et sans rien ajouter, il se dirigea vers la cuisine.

*

Il leur avait fallu trois ans pour en arriver là, assis l'un en face de l'autre à une table qu'Élisabeth trouvait soudain bien grande. Ils étaient seuls, vraiment seuls. Personne ne viendrait les déranger et personne n'interviendrait pour les en empêcher s'ils décidaient de se rapprocher encore. Ce soir, Élisabeth avait évacué de son esprit tous les travers qu'elle connaissait à Gabriel. Ce soir, il n'y avait que l'homme devant elle. L'homme qu'elle avait envie d'étreindre depuis tellement longtemps qu'elle avait l'impression de rêver.

Ils avaient parlé toute la soirée de chiens, du Yukon, du travail de l'un et du travail de l'autre, de la vie aussi, et de ce qu'ils en attendaient.

Élisabeth se demandait si le désir, qui l'avait prise par surprise dès leur première rencontre, existait encore ou bien si elle l'entretenait artificiellement par peur de la solitude. Gabriel, lui, ne semblait pas se poser de questions. Il se montrait charmeur, soutenant son regard plus longtemps que nécessaire. Dès qu'une occasion se présentait, il se plaçait très près d'elle et semblait s'amuser du malaise qu'il pouvait lire sur son visage. Quelle mouche l'avait piqué pour qu'il se montre à ce point audacieux ?

Élisabeth savait qu'elle ne lui dirait pas non. Pas après tout ce temps. Pas après toutes les difficultés qui avaient jalonné leur route.

Ils avaient fini le ragoût préparé par Gabriel et bu les six cannettes de bière qu'il avait apportées. Élisabeth se disait qu'ils passeraient bientôt aux choses sérieuses. C'est donc avec désarroi qu'elle le vit se lever et aller prendre son manteau.

— C'était une bien belle soirée, dit-il. Maintenant, je vais aller chauffer mon poêle. Il doit être éteint à l'heure qu'il est…

Elle bondit vers la porte qu'elle bloqua de son corps.

— Tu as bu autant que moi, veux-tu dormir ici ?

Il rit.

— Ce n'est pas un p'tit trois bières qui va m'empêcher de conduire, Bebette. Je gage que je ne péterais même pas la balloune.

Elle cherchait encore. Puis, lasse de jouer au chat et à la souris, elle leva vers lui un regard suppliant.

— Qu'est-ce que tu attends, Gab ? Une invitation écrite ?

Il se figea, et elle réalisa qu'il avait peur. Peur d'elle ? Voyons donc ! Vraiment ? Il évita son regard pendant un moment, puis, comme s'il avait enfin trouvé les mots qu'il cherchait, il plongea les yeux dans les siens.

— J'attends que tu sois prête et que tu sois sûre de ce que tu veux. Parce que, moi, je n'ai pas envie qu'une femme essaie encore une fois de me changer. Là-dessus, j'ai déjà donné.

Elle comprit tout de suite de quoi il voulait parler. Elle se pendit à son cou en murmurant :

— Je suis prête et je te prends comme tu es.

Elle savait qu'elle ne pensait pas ce qu'elle venait de dire, mais le désir était trop fort.

On réalise qu'on n'a jamais été embrassé correctement le jour où on embrasse une personne qui possède le don du baiser. Gabriel faisait partie des gens doués naturellement pour embrasser. Il agissait d'instinct, avec les lèvres, avec la langue, avec la bouche en entier et même avec le corps qu'il pressait juste ce qu'il fallait pour produire l'effet désiré.

Des lèvres charnues au goût de sel et de bière. Une barbe douce qui caressait les joues à chaque mouvement. L'odeur d'un déodorant d'où émanait malgré tout celle, discrète, de la sueur, et qui rappelait à Élisabeth le parfum des draps dans lesquels elle avait dormi chez lui. Il faisait chaud, soudain, dans la maison, même s'ils se tenaient devant la porte.

Elle pressa ses hanches contre les siennes, fit descendre ses mains dans son dos puis sur ses fesses. Il la laissait faire, mais elle le sentait tendu. Cette idée l'amusa, et elle lui effleura l'entrejambe avant d'entreprendre la série de boutons qui fermaient les jeans. Comme l'un d'eux lui résistait, elle s'écarta un peu en riant.

— C'était quoi, l'idée ? Tu voulais que ça prenne du temps ?

Il ne répondit pas, mais prit sa bouche plus avidement encore. Pendant qu'Élisabeth s'activait avec le dernier bouton, il essaya en vain de dégrafer son soutien-gorge et dut se contenter d'en faire glisser les bretelles. Plus habile, Élisabeth lui ôta son chandail, puis la chemise qu'il portait en dessous et enfin son t-shirt.

— On ne pourra pas t'accuser d'avoir planifié ton coup, dit-elle quand, tous les deux en sous-vêtements longs, elle essaya de l'entraîner vers la mezzanine.

— Attends, murmura-t-il.

Il attrapa une grosse bûche qu'il mit dans le poêle à bois.

— Maintenant, on peut y aller.

Il grimpa à sa suite.

Le lit gisait en morceaux dans un coin, car seul le matelas était utilisé. Les draps n'ayant pas été remontés au matin, ils s'allongèrent dessus. Au diable les couvertures!

Quelque chose, cependant, n'allait pas. Dans le caleçon, le sexe de Gabriel n'était pas assez dur. Élisabeth finit de se déshabiller. Comme elle n'obtenait toujours pas le résultat escompté, elle abaissa le caleçon, prit le sexe de Gabriel dans sa bouche.

L'effet fut immédiat. Il la repoussa doucement, retira son caleçon et s'allongea sur elle. Les essais s'avérant infructueux malgré tout, il renonça à la pénétrer et la caressa jusqu'à l'orgasme.

Chapitre 16

É lisabeth mit un temps à reprendre ses esprits. Elle se tourna alors vers Gabriel.

— Ça doit être la bière, lança-t-elle pour expliquer ce qu'elle ne comprenait pas.

Il était couché sur le dos et parla sans la regarder.

— C'est la bière et le pot et l'âge, Bebette. Un cocktail pas très romantique, je le sais.

Il se tut un moment, humilié. Quand il reprit, sa voix était chargée d'émotion.

— J'aurais dû te le dire, ou t'éviter pour ne pas que ça devienne plus sérieux, notre affaire, mais j'espérais que… Bof! Maintenant, je vais reprendre ma petite vie plate pis ça ne sera pas pire qu'avant que je te connaisse.

— De quoi tu parles?

— Je fume du pot et je bois de la bière tous les jours ou presque depuis que je suis ado.

Il fit une autre pause. Elle se demanda si elle devait l'encourager à parler, mais il reprit de lui-même.

— Pendant longtemps, ça n'avait aucun effet. J'étais comme les autres gars de la gang. Un jour, j'ai pogné trente ans et là, les choses ont commencé à moins bien aller. La dernière fois, j'avais presque quarante ans. Je me suis dit que le bon temps était fini.

Il ferma les yeux, et elle dut se retenir pour ne pas poser une main sur son épaule. Son instinct lui disait qu'il aurait mal pris la chose. Il poursuivit, les yeux clos, le visage tendu.

— Et puis, un jour, tu es arrivée à Annie Lake avec Rita, et j'ai pensé qu'avec toi, ça marcherait peut-être. Faut croire que l'amour ne change pas grand-chose dans ce domaine-là.

— Parce que tu m'aimes ?

Il la regarda dans les yeux, l'air honnêtement surpris.

— Ben voyons, Bebette, niaise-moi pas !

Elle réalisa qu'elle était loin d'avoir tout compris de leur histoire, loin surtout d'avoir saisi l'importance qu'il lui accordait.

— Et puis de toute façon, lança-t-il pour reprendre le fil de ses pensées, comme je vais avoir quarante-cinq ans en juillet, ce n'est pas exagéré de dire que mes meilleures années sont derrière moi.

Il se leva, attrapa son caleçon. Elle écarquilla les yeux, plus perplexe que jamais.

— Qu'est-ce que tu fais ?

— Je m'en vais avant d'aggraver mon cas.

Elle lui saisit sa main.

— Arrête !

Il s'immobilisa. Elle tira sur son bras pour le ramener vers elle.

— Ce n'est pas obligé, dit-elle doucement. Je veux dire, ce n'est pas toujours nécessaire dans un couple de…

Il se défit de sa poigne et prit la direction de l'escalier.

— Moi, c'est ça que je voulais, dit-il avant de descendre les marches.

Quand elle le rejoignit, il venait d'enfiler ses jeans et mettait son t-shirt. Elle s'assit dans l'escalier, toujours nue.

— Pourquoi tu t'en vas ?

— Parce que je suis en maudit.

— Tu n'as pas de raison d'être en maudit, je ne t'ai rien fait.

— Je ne suis pas fâché après toi, Bebette.

Il venait de s'arrêter devant elle et la regardait maintenant avec une telle tendresse qu'elle en eut le cœur serré.

— Oh, Élisabeth…, murmura-t-il en caressant d'une main la rondeur de son épaule.

Elle frissonna et saisit sa main dans la sienne avant de la porter à sa bouche. Il la laissa faire et ferma les yeux.

— J'ai tellement rêvé de ce moment-là…

Mais sa déconfiture lui revint à l'esprit et il se rembrunit.

— Je ne veux pas t'imposer ça.

Il se dégagea, et elle essaya en vain de rattraper sa main.

— Qui t'a dit que ça me dérangeait ?

Elle était sincère. Celui qu'elle voulait, c'était Gabriel. Exactement Gabriel et tel qu'il était. Il secoua la tête.

— Ris pas de moi, s'il vous plaît.

Il attrapa son manteau, qu'à bout de patience elle lui arracha des mains.

— Reviens te coucher avec moi !

Son ton était trop dur, elle le regretta aussitôt.

— S'il te plaît. Je suis sérieuse. Tu me vires à l'envers depuis des années, mais ce n'est pas juste pour le sexe. C'est vrai qu'au début, j'avais tellement envie de toi que ça me rendait malade. Mais maintenant, c'est plus que ça.

Gabriel la dévisagea, incrédule.

Élisabeth prit son ton le plus doux.

— On n'est pas obligés de faire comme dans les films, Gab. Ni même de faire comme les autres. On peut prendre notre temps et accepter que le sexe, entre nous, sera un peu différent.

Il ne bougeait plus et ne semblait plus vouloir partir. Elle continua pour éviter qu'il ne change encore d'avis.

— Je veux juste être avec toi. Il me semble qu'on a perdu tellement de temps…

— Mais si tu te tannes à un moment donné ? Si tu en veux plus ? Si tu veux quelque chose que je ne peux pas te donner ?

— Pourquoi on ne prendrait pas la vie comme elle vient ?

Il ne dit rien, mais elle savait qu'elle venait de gagner.

Elle se leva et défit le bouton qui retenait les jeans sur les hanches de Gabriel.

Plus tard, elle s'endormit dans ses bras, et ça lui sembla la chose la plus naturelle du monde.

Vers 4 heures du matin, elle se réveilla en entendant Gabriel monter l'escalier. Il venait de remettre du bois dans le poêle. Elle ne vit pas ses yeux rougis, mais reconnut l'odeur de cannabis qui imprégnait son haleine et sa peau.

— Tu sais…, commença-t-elle comme il se glissait sous les couvertures.

Elle le sentit se raidir, comme s'il s'attendait à une critique. Elle sourit dans l'obscurité et murmura :

— … tu t'es trompé de date. Ma fête, c'est le 6 janvier.

Il soupira et la serra fort contre lui.

— Je le sais, répondit-il en effleurant sa joue de ses lèvres, mais il me fallait bien une excuse pour venir te faire à souper.

Elle rit et, juste avant de s'endormir, elle lui dit qu'elle l'aimait et elle l'entendit lui murmurer à l'oreille :

— Moi aussi, je t'aime.

Quinze minutes plus tard, le téléphone les réveillait en sursaut. Il y avait eu un accident au Québec. Six membres de la famille d'Élisabeth avaient perdu la vie.

CHAPITRE 17

Descendre de l'avion. Apercevoir celui qu'on aime près du carrousel à bagages et courir pour se pendre à son cou. Retrouver sur ses lèvres le goût de l'amour et de la vie. Élisabeth en avait rêvé chaque jour qu'avait duré son absence, mais c'était encore meilleur que ce qu'elle avait imaginé. Gabriel savait-il à quel point elle avait besoin de se raccrocher à quelque chose – à quelqu'un – pour ne pas se remettre à pleurer ? Il la tenait serré, une main dans le dos, l'autre sur la nuque, et il l'embrassait comme si elle avait été partie une éternité. Et cette semaine avait effectivement semblé durer aussi longtemps que cela : une éternité.

Derrière eux, le convoyeur s'était mis en marche. Ils l'ignoraient, se goûtant du souffle et de l'âme, parce que la mort rend ceux qui restent beaucoup plus importants. L'avion était vide depuis plusieurs minutes. Et l'aéroport se vidait, lui aussi. Eux s'embrassaient encore, sous les regards envieux des rares voyageurs qui attendaient un parent ou un ami. Quand ils reprirent enfin leurs esprits, la valise d'Élisabeth gisait au bout du convoyeur désormais immobile. Gabriel l'attrapa d'une main et, de l'autre, il entraîna Élisabeth vers la sortie.

Il était minuit passé. Dans le ciel, les aurores boréales dansaient comme si elles célébraient, elles aussi, le retour d'Élisabeth. Au milieu d'un stationnement presque désert, la camionnette de Gabriel ressemblait à un refuge. Élisabeth la contourna, ouvrit la portière et reçut aussitôt un extravagant et dégoulinant témoignage d'affection de la part de Laska qui l'attendait, assise jusque-là bien sagement à droite, sur la banquette.

Nouveau coup au cœur. Nouvelles larmes. Élisabeth serra contre elle la chienne de cinq mois dont les effusions ne tarissaient pas.

Ils rentrèrent à la maison, dans la vallée de l'Ibex, où le reste du chenil aboya en chœur dès qu'Élisabeth posa le pied dans la cour. Elle dut faire le tour des niches, une à une. Elle reçut un accueil similaire dans la pouponnière où Ravenne s'était bien occupée des petits, qui avaient beaucoup grandi en une semaine.

Quand elle rentra enfin, Gabriel avait fait du thé, chauffé le poêle et préparé un sandwich au jambon.

— Je me suis dit que tu voudrais manger une bouchée avant d'aller te coucher.

Elle s'assit à table, mais fut incapable de toucher au sandwich. Elle leva soudain un regard suppliant vers Gabriel qui eut tout juste le temps de la prendre dans ses bras avant qu'elle ne s'effondre, foudroyée par le chagrin.

*

L'accident avait eu lieu sur une route secondaire. Son frère, sa sœur, leurs conjoints respectifs et deux des enfants s'en allaient à l'église quand un train routier avait brusquement changé de voie et heurté leur voiture de plein fouet. Ils étaient morts sur le coup. Un face à face d'une violence inouïe, pour le moment inexpliqué.

Seul survivant des deux familles : le filleul d'Élisabeth, qui, en adolescent rebelle, était resté à la maison. Puisqu'ils n'étaient que six, les parents avaient trouvé plus pratique de ne prendre que la minifourgonnette. Personne n'aurait pu anticiper les conséquences d'une telle décision.

Avaient suivi des funérailles, puis une réunion familiale. Qui prendrait David ? Le grand-père et la grand-mère s'étaient tournés vers Élisabeth. Après tout, c'était elle, la marraine. Sauf qu'il fallait l'accord du principal intéressé qui, lui, n'était pas en état de prendre une décision. Il répétait que c'était sa faute, que s'il avait obéi à son père, les familles auraient pris deux voitures, comme d'habitude. L'accident aurait peut-être eu lieu quand même, mais tous ne seraient pas morts. Sûrement pas !

Au bout de quelques jours, David déclara qu'il refusait d'aller vivre chez sa tante au Yukon. Il fallut négocier. On trouva un compromis : il resterait chez sa grand-mère jusqu'à la fin de l'année scolaire, et ensuite, il viendrait passer l'été chez Élisabeth. S'il s'y plaisait – et seulement s'il s'y plaisait ! –, on lui enverrait le reste de ses affaires.

On l'avait donc installé chez sa grand-mère paternelle et, la nuit, Élisabeth avait entendu ses gémissements. Une fois, elle était entrée dans sa chambre. Elle voulait le réconforter, mais s'était rendu compte qu'il pleurait en dormant.

De retour dans sa propre maison, ce fut à son tour de laisser couler ses larmes. Elle avait pour cela l'épaule de Gabriel. Gabriel, qui avait emménagé chez elle pendant son absence pour mieux s'occuper du chenil. Gabriel, qui retournerait chez lui dès le lendemain matin « parce que c'était quand même plus proche pour aller travailler ». Elle savait qu'au fond, ce qu'il voulait, c'était la laisser seule avec ses chiens, seule pour reprendre son rythme de vie naturel. Seule, pour mieux venir la surprendre le soir. « Ça évite la routine », disait-il pour se justifier.

*

Il ne restait désormais que trois semaines avant la course Percy DeWolfe. Même si Gabriel avait accepté de lui servir de handler, Élisabeth hésitait. Les chiens avaient peut-être perdu la forme. Et elle, elle avait peut-être l'esprit ailleurs, trop ailleurs, pour entreprendre deux jours d'aventures sur la glace du fleuve. En même temps, elle devait admettre que rien ne lui faisait plus envie.

Elle recommença l'entraînement dès le lendemain de son retour et découvrit que les chiens ne demandaient pas mieux que de courir de nouveau dans les sentiers yukonnais. Elle s'en tint donc à son plan initial et fit tous les préparatifs nécessaires pour descendre à Dawson City comme prévu avec ses dix chiens. Neuf pour la course, plus un, comme substitut.

CHAPITRE 18

Dans la vie, les choses ne se déroulent pas toujours comme on l'a prévu. Élisabeth était prête à accepter ce principe. Mais dans son cas, il fallait bien l'admettre, depuis quelque temps, la vie exagérait.

D'ailleurs, n'importe qui aurait été renversé à sa place quand, cinq jours avant la course, elle reçut ce coup de fil de sa mère :

— Écoute, Élisabeth. Il faut que tu prennes David. Et que tu le prennes maintenant. Parce que moi, je ne suis absolument pas capable de m'en occuper. Il refuse d'aller à l'école. Il fume en cachette. Il a vidé tout mon bar à boisson. Il fuguerait un soir que ça ne me surprendrait pas. C'est un adolescent bien trop difficile pour une femme de mon âge. Même son père le trouvait dur, il m'en avait parlé une semaine avant l'accident. Mais maintenant, c'est pire ! Je ne sais pas quoi faire avec lui. Il ne m'écoute tout simplement pas !

Élisabeth avait poussé un soupir, à mi-chemin entre l'irritation et la culpabilité, puis elle avait cédé.

Voilà pourquoi, la veille de son départ pour Dawson, elle se trouvait encore une fois à l'aéroport de Whitehorse, tout près du carrousel à bagages. Lorsque arriva celui qu'elle attendait, un grand rouquin aux cheveux teints en noir sous une casquette de baseball rouge, Élisabeth comprit qu'il n'avait pas quitté le Québec de son plein gré. Lui qui n'avait jamais voyagé aurait dû avoir l'air perdu. Il aurait dû au moins la chercher du regard dans la foule venue accueillir les voyageurs. Au lieu de quoi il avançait, tête baissée, comme un animal qu'on aurait conduit à l'abattoir.

Malgré son attitude peu avenante, elle le serra dans ses bras.

— Bienvenue au Yukon! lui dit-elle.

— Ça me fait chier d'être là, marmonna-t-il, avant de jeter un coup d'œil inquiet aux gens qui le bousculaient pour ramasser les premiers bagages.

Élisabeth sentit remonter sa propre peine. Au fond, David n'était qu'un animal blessé qui mordait pour se défendre.

Ils attendirent un moment, puis David désigna du doigt les deux grosses valises qui lui appartenaient et qui devaient contenir tout ce qu'il possédait au monde. Élisabeth les fit basculer en bas du convoyeur.

— Je pensais qu'on allait attendre de voir si tu aimais ça, vivre ici?

— Grand-maman m'a dit que j'étais aussi bien de me forcer pour aimer ça, parce qu'elle ne veut pas que je revienne chez elle.

Élisabeth serra les dents, contrariée, mais triste pour ce grand adolescent à qui on avait fait traverser le pays faute de savoir qu'en faire. Elle passa aux toilettes avant de partir et lui suggéra de faire de même, mais il refusa, arguant qu'il n'avait pas envie. Elle dut ensuite insister pour qu'il enfile un manteau supplémentaire, ce qu'il fit en maugréant. Elle avait beau lui répéter qu'il était dans le Nord et qu'il y faisait plus froid qu'au Québec, il ne la croyait pas. Quand il passa la porte automatique et qu'il se trouva enfin au grand air, il retira le manteau qu'elle l'avait forcé à enfiler et la suivit avec, pour se protéger du froid nocturne, un simple coton ouaté.

Il s'arrêta en apercevant la camionnette.

— C'est quoi, ça?

— Ça, comme tu dis, c'est mon dog truck.

— On dirait des cabanes à oiseaux.

— Ce sont des cabanes, oui, mais pour les chiens. Pour quand il faut que je les amène quelque part, comme à une course, mettons.

— C'est laid.

— Peut-être, mais c'est bien pratique. Et puis c'est juste pour l'hiver. Dès que la saison va être finie, je vais enlever la boîte en bois.

— Pff! C'est laid pareil.

Élisabeth soupira et ouvrit la portière.

Elle avait pensé lui faire plaisir en amenant Laska. Là aussi, elle s'était trompée. Il repoussa la chienne en se plaignant de la bave qu'elle laissait partout.

— Exagère pas! s'exclama Élisabeth, les nerfs à vif. Elle ne bave pas tant que ça.

— Tous les chiens bavent, et ça m'écœure.

Élisabeth retint la réplique acerbe qui lui vint à l'esprit et démarra. Ils filèrent sur la route de l'Alaska.

Dès qu'ils furent sortis de la ville, David se tourna vers elle.

— Dis-moi pas que tu vis en campagne!

— En campagne? Ben non, voyons! Je vis dans le bois.

— Dans le bois? C'est encore pire! Qu'est-ce que je vais faire, moi, dans le bois? Me sculpter un totem dans un arbre?

Élisabeth ne dit rien. Qu'y avait-il à dire, de toute façon? David était venu au Yukon contre son gré, ils devraient s'y faire tous les deux.

*

Arrivée à Ibex Valley, elle gara sa camionnette à côté de la maison.

— C'est pas une maison, ça! s'écria David. C'est un shack! Si tu penses que je vais vivre là-dedans…

Au lieu de répondre, Élisabeth éteignit le moteur et descendit. Elle attrapa une des deux valises, lui laissant la plus lourde, et, comme il n'avait toujours pas bougé, elle l'abandonna pour monter sur la galerie avec Laska. Dans le chenil, les chiens aboyaient. Elle les fit taire d'un «Silence!» autoritaire, poussa la porte et referma derrière elle.

Elle ajouta du bois dans le poêle, déroula un sac de couchage sur le divan, prépara du thé et trouva une boîte de biscuits dans une armoire. David entra au moment où elle lui sortait une couverture supplémentaire et un oreiller.

— Ça pue chez vous!

Élisabeth se tourna vers lui, interloquée. Ça puait? Vraiment? Gabriel n'avait pourtant jamais rien dit. Jim non plus.

— Qu'est-ce que ça sent?

— La marde.

Elle leva les yeux au ciel.

— Wow! Tu as le nez fin! Ce sont les vêtements que je mets pour travailler dans le chenil, mais ils ne sentent pas tant que ça, quand même!

— Moi, je trouve que ça pue en masse.

Élisabeth abandonna la literie et se dirigea vers les crochets. Elle attrapa son manteau et ses bottes de travail et les sortit sur la galerie.

— Ça devrait moins sentir, déclara-t-elle en refermant.

Elle lui montra où suspendre son manteau – celui qu'il n'avait pas enfilé – et où ranger ses bottes. Puis elle se dirigea vers le divan.

— Tu dors là, dit-elle. À ta place, je ne tarderais pas trop avant de me coucher parce qu'on part de bonne heure demain matin.

— On va où?

— À Dawson City, dans le Nord. On part quelques jours pour une course à laquelle je suis inscrite depuis longtemps.

Il semblait abasourdi.

— Ben là! Je viens juste d'arriver! On ne peut pas attendre un peu pour repartir? Et puis, on n'y est pas déjà, dans le Nord?

Elle finit d'installer la couverture et se tourna vers lui sans cacher son irritation.

— Écoute. Je suis inscrite à cette course-là et j'en ai besoin pour me qualifier pour la Yukon Quest. Alors on va aller à Dawson, je vais faire ma course et, après ça, on prendra le temps de t'installer.

— Oublie ça, je n'y vais pas.

— Toi, tu n'as pas le choix de venir parce que je ne peux pas te laisser ici tout seul.

Il croisa les bras et s'écrasa sur une chaise.

— Je suis capable de rester tout seul.

— Sais-tu chauffer un poêle à bois?

Il ne répondit pas.

— Sais-tu comment prendre de l'eau dans un puits en hiver?

Toujours ce silence.

— Sais-tu comment te faire chauffer de l'eau pour te laver? Sais-tu au moins comment allumer un rond sur un poêle au gaz?

Il finit par secouer la tête.

— C'est ça que je dis. Je vais commencer par faire ma course parce que c'était prévu depuis longtemps. Et quand on va revenir, je vais te montrer tout ce qu'il faut que tu saches pour que tu puisses rester ici tout seul.

Il acquiesça en grognant et passa sa frustration sur Laska qui quémandait des caresses.

— Tasse-toi! ragea-t-il en la repoussant violemment.

— Woah! Vas-y doucement avec le chien. C'est juste un bébé.

— Je veux qu'il me laisse tranquille.

— Pour ça, ça va prendre un petit bout parce que tu viens d'arriver et qu'elle ne te connaît pas.

— Ben, moi, je n'ai pas envie de la connaître. Tasse-toi, le chien!

— Elle s'appelle Laska.

— Je m'en crisse de savoir comment elle s'appelle.

Élisabeth soupira. Elle n'en tirerait rien de bon ce soir, aussi bien changer de tactique.

Elle rappela la chienne qu'elle retint par le collier.

— Bon. Maintenant que tu es hors de danger, écoute-moi bien, je vais t'expliquer comment ça marche.

Elle sortit d'un tiroir une lampe frontale et la lampe de poche.

— Si tu veux aller aux toilettes avant de te coucher, tu vas avoir besoin de lumière. Sais-tu te servir d'une lampe frontale?

Elle actionna le bouton pour lui montrer comment faire, mais il secoua la tête.

— Je n'ai pas besoin de ça.

Elle haussa les épaules, déposa la lampe frontale et la lampe de poche sur la table.

— Fais comme tu veux. La bécosse se trouve dans les buissons à côté du pick-up.

— Il faut chier dehors?

— Je t'ai proposé d'y aller à l'aéroport, mais tu m'as dit que tu n'avais pas envie.

— Mais je ne pensais pas que…

— Regarde autour de toi. Vois-tu une salle de bain? Non. Tu n'en vois pas parce qu'il n'y en a pas. J'ai une douche, juste là, en dessous de l'escalier, en arrière du rideau. Mais avant de s'en servir, il faut aller chercher de l'eau, la faire chauffer et remplir le bidon qui est en haut des marches. Pour le reste, il y a la bécosse. Ici, on appelle ça une *out house*. Je te le dis au cas où tu aurais besoin d'y aller quand tu seras chez quelqu'un d'autre.

Elle s'engagea dans l'escalier, mais s'arrêta à la première marche.

— Ah, oui! Quand tu sortiras pour y aller, fais du bruit en masse. Juste au cas où il y aurait un ours ou un loup dans le coin.

Avant d'atteindre la mezzanine, elle jeta un œil vers le bas. David étudiait avec désarroi les lampes posées sur la table.

Chapitre 19

Katherine ayant promis de passer s'occuper de Ravenne et de ses petits, Élisabeth s'en alla à Dawson l'esprit en paix. Ils partirent tôt le matin. Gabriel conduisait, Élisabeth se préparait mentalement pour la course et David râlait sans arrêt. Il n'y avait pas suffisamment de place à son goût sur la banquette. Il n'y avait pas assez à manger dans la glacière. Quand il fallut s'arrêter quatre heures plus tard pour que les chiens se dégourdissent les pattes et fassent leurs besoins, il se plaignit que la pause s'éternisait.

Ils atteignirent Dawson en fin d'après-midi. Ça leur donna le temps de passer au motel avant la rencontre des mushers où Élisabeth et Gabriel se rendirent seuls ; David préférait rester à la chambre et regarder la télévision.

— Inquiète-toi pas, dit Gabriel au moment où ils traversaient le village. Je vais m'en occuper, de ton neveu.

— Merci. Je ne sais pas quoi faire avec lui. Je ne comprends pas comment il faut s'y prendre. Il était tellement gentil quand il était petit.

— Ben oui ! Pis là, il n'est plus petit, c'est tout. Lui pis moi, on a plein de points en commun, je te dis qu'on va bien s'entendre.

— Des points en commun?

Sa surprise était sincère, ce qui fit rire Gabriel.

— On vient tous les deux d'une famille qu'on aimait, mais qu'on n'aimait pas trop. Rien qu'avec ça, je peux faire du millage en masse pendant deux jours. Alors, toi, concentre-toi sur les chiens. Je m'occupe du reste.

À demi rassurée, Élisabeth écouta les instructions données aux concurrents. Ils revinrent ensuite au motel pour récupérer David.

— Ce soir, lança Gabriel en reprenant la route du village, je vous sors dans le meilleur restaurant du Yukon. Pis c'est moi qui paye alors pas de chialage, compris?

Il stationna devant le Drunken Goat, un restaurant grec, un des rares établissements ouverts en hiver à Dawson City. Il connaissait bien Tony, le propriétaire, avec qui il discuta un moment près des cuisines avant de venir les rejoindre, elle et David, à la table qu'on leur avait assignée.

— Je ne sais pas vous autres, mais moi, une journée de route, ça me donne faim. Je suggère qu'on commande la plus grosse assiette et qu'on pige dedans à trois. Qu'est-ce que tu en dis, Dave? As-tu assez faim pour ça?

Il montrait du doigt une photo du menu. David grimaça et sembla sur le point de dire qu'il voulait commander sa propre assiette, mais Gabriel fit comme s'il n'avait rien remarqué.

— Mais c'est pas tout! s'exclama-t-il, en revenant au menu. Ça nous prend une entrée.

Il avisa les plats des deux côtés de la carte, avant de poser les mains sur la table.

— Bon, dit-il avec autorité. C'est décidé. On partage la plus grosse entrée et la plus grosse assiette. Ça te va, Dave?

David voulait encore une fois protester, mais Gabriel avait déjà fait signe au propriétaire. Ce dernier s'avança et leur adressa la parole en anglais.

— Gabriel, ici, me dit que c'est ton anniversaire, Dave. Est-ce que tu sais comment on célèbre un anniversaire à Dawson?

David s'apprêta à le corriger, mais Élisabeth lui mit une main sur la cuisse et lui fit un clin d'œil. Soudain ravi de faire partie d'une sorte de complot, David répondit aussi en anglais, mais avec un air innocent et un gros accent québécois.

— Non, je ne sais pas.

Tony lui sourit, complice.

— On t'offre un verre gratis dans chaque bar de la ville.

David écarquilla les yeux, hésitant entre la surprise et l'inquiétude, mais se réjouissant à la perspective d'aller là où c'était interdit.

— Bon, reprit Tony. À ce que je vois, tu n'as pas l'âge d'entrer dans un bar, mais ça ne veut pas dire qu'on ne peut pas fêter ton anniversaire à la yukonnaise. Alors tu choisis ce que tu veux boire – tant qu'il n'y a pas d'alcool dedans –, et moi, je remplis ton verre toute la soirée. Ça te va?

Un peu désemparé, David hocha la tête, regarda ce qu'on offrait sur le menu et opta pour une boisson gazeuse.

Leur première assiette n'était pas encore arrivée quand Gabriel s'excusa pour se rendre aux toilettes. David attendit qu'il soit assez loin pour ne pas l'entendre et se pencha vers Élisabeth.

— Je ne veux pas lui laisser croire que c'est ma fête. Bon, peut-être que pour le boss, ce n'est pas grave, mais Gab, il est trop fin. Je ne veux pas lui faire ça.

Élisabeth dut se retenir pour ne pas sourire. Tant de candeur l'émouvait. Elle lui dit de ne pas s'en faire, qu'on réglerait ça dimanche, sur le chemin du retour.

— Mais c'est trop loin, dimanche. Je n'ai pas envie de lui mentir jusque-là.

Quand Gabriel revint, David entreprit tout de suite de rectifier la situation. Gabriel lui offrit un de ses clins d'œil malicieux.

— Merci de me le dire, Dave, mais on va garder ça pour nous autres, OK? De toute façon, Tony va faire en masse d'argent à soir, on peut bien lui voler un peu de Pepsi.

*

La chambre comptait deux lits doubles. Gabriel et Élisabeth occupaient le premier, David, le deuxième. Il avait fallu frapper plusieurs fois à la porte de la salle de bain pour que David consente à sortir. Puis Élisabeth avait dû insister pour qu'il éteigne la télévision, arguant qu'elle avait besoin de sommeil parce qu'elle entreprenait une course importante le lendemain. David avait ronchonné et avait appuyé à contrecœur sur le bouton de la télécommande. Il s'était ensuite couché, contrarié.

— Chez vous, il n'y a pas de toilette et pas de télévision. Tu pourrais au moins me laisser en profiter ici.

Élisabeth prit le ton qu'elle utilisait avec les chiens, ferme, mais calme.

— Tu en profiteras tant que tu veux, mais demain, quand je serai partie. Ce soir, il faut que je dorme.

— Gab, lui, il va être là, demain.

Gabriel intervint pour la première fois depuis qu'ils étaient revenus au motel.

— Ah tu sais, moi, je ne déteste pas ça, la télé! Même que j'en ai une. Je ne suis pas comme Bebette, moi. Il n'y a pas que les chiens dans ma vie.

Ce dernier commentaire amusa David qui se coucha quand même sur le côté pour leur tourner le dos. Sans doute souriait-il, persuadé d'avoir trouvé un allié. Une heure plus tard, quand on l'entendit ronfler, Gabriel se leva, s'habilla et sortit. Pendant son absence, Élisabeth essaya en vain de dormir et, quand il rentra, imprégné de la même odeur que tous les soirs, elle ne dit rien. Elle se demandait comment elle ferait

pour expliquer la chose à David lorsqu'il s'en rendrait compte.
C'est à ce moment qu'elle réalisa que le lendemain soir, les
deux gars seraient seuls. Elle pria pour que l'idée ne vienne
pas à Gabriel de faire fumer son neveu.

*

Longtemps Élisabeth se souviendrait de cette course comme
de la pire de sa carrière de musheuse. Elle lui parut d'ailleurs
plus longue que la Yukon Quest 300, alors qu'elle comptait
90 milles de moins. Pendant ces quarante-huit heures d'enfer, Élisabeth réalisa ce qu'elle n'avait jamais réalisé auparavant, c'est-à-dire que le mental y était pour beaucoup dans le
succès d'un musher.

Son traîneau bascula sur le côté à deux reprises. La deuxième fois, elle fut traînée par les chiens sur une dizaine de
mètres. Si elle s'en tira avec seulement quelques bleus, ce
fut uniquement parce que l'accident s'était produit dans un
espace dégagé et couvert de neige. N'importe où ailleurs,
elle se serait cassé un bras ou une jambe en heurtant un
arbre, une souche ou un bloc de glace. C'est Cassandre qui,
trouvant que le traîneau avançait mal, avait fini par jeter un
regard en arrière. Elle avait ensuite ralenti juste ce qu'il fallait pour qu'Élisabeth se redresse et enfonce l'ancre du bout
du pied.

Deux fois, aussi, le traîneau passa dans un *overflow* tellement profond qu'elle en eut les bottes remplies d'eau. La
dernière fois, elle dut même passer devant et tirer le traîneau
comme un leader parce que les chiens refusaient d'avancer.

Tout ça parce qu'elle avait la tête ailleurs. Elle était préoccupée par ce qui se passait à Dawson entre Gabriel et David.
Nerveuse aussi à l'idée de devenir mère substitut d'un garçon
de presque quinze ans en pleine crise d'adolescence et en
deuil de toute sa famille. Elle craignait ses propres faiblesses

et redoutait les conséquences de son inexpérience de la maternité. Elle se tracassait avec tout ce qu'il faudrait faire la semaine suivante ; inscription à l'école – avait-elle tous les papiers ? –, achat de vêtements plus chauds… Ça aussi, ç'avait été un problème le matin du départ parce qu'il faisait -27 °C. David était tellement mal habillé qu'il avait dû rester dans le pick-up. Son manteau convenait peut-être aux hivers de Montréal – et encore, elle en doutait ! –, mais il ne valait rien pour affronter un hiver yukonnais. Et comme l'hiver n'était pas encore fini…

Et il y avait l'argent ! Elle savait qu'elle toucherait un certain montant pour combler les dépenses relatives à David, mais la succession ne se réglerait pas avant des mois ! Comment y arriverait-elle d'ici là ? Une chance que la saison achevait et qu'elle n'avait plus ni inscription à payer, ni déplacement à effectuer, ni nourriture hyper protéinée à commander ! Elle pouvait aussi attendre la saison prochaine pour remplacer l'équipement qui était trop usé.

Cependant, une chose la dérangeait au plus haut point, plus que l'argent, même : c'était l'attitude de David. Comment diable allait-elle s'y prendre pour l'amadouer ? Pour lui faire voir qu'elle n'était pas son ennemie ? Pour lui montrer qu'elle l'aimait et qu'elle ferait de son mieux pour remplacer ses parents jusqu'à sa majorité ? Certes, sa maison n'était pas très grande et n'avait ni eau courante ni télévision. Mais elle possédait les avantages de la vie en plein air, au milieu de la nature et avec une meute de chiens. Cela devait bien valoir quelque chose, dans l'esprit d'un adolescent !

En repensant à l'étroitesse de sa maison – son *shack*, comme l'avait qualifié David –, elle se demanda comment mieux aménager les lieux. Elle pensa à monter deux murs de manière à isoler un coin. Ça ne ferait pas une très grande chambre, mais David aurait dix-huit ans dans quatre ans. Pourrait-il s'en accommoder pour si peu de temps ?

Le moins que l'on puisse dire, c'était que l'esprit d'Élisabeth résistait à la course. Il refusait d'être là, totalement présent, avec son équipe de neuf chiens.

Elle ne cessa de lutter contre les éléments et les circonstances que dans le dernier quart de la course, après être repassée à Fortymile. Les derniers 24 kilomètres furent mieux coordonnés, et donc plus faciles à parcourir. Et les chiens, qui sentaient que leur maîtresse était de retour dans la course, travaillèrent beaucoup mieux. Elle termina avant-dernière, mais avec tous ses chiens, un miracle vu l'état d'esprit qui l'avait habitée pendant 210 milles.

CHAPITRE 20

La semaine suivante fut éprouvante pour Élisabeth. Le matin, il fallait partir plus tôt pour conduire David à l'école. Il avait cru pouvoir se la couler douce, parce qu'il imaginait qu'on l'inscrirait à l'école anglaise pour la fin de l'année scolaire. Ainsi, il aurait eu une bonne excuse pour échouer. Mais voilà! Élisabeth l'avait inscrit à l'Académie Parhélie, l'école secondaire française de Whitehorse. On attendrait donc de lui le même genre de résultats qu'au Québec.

Le soir, en finissant de travailler, Élisabeth passait le chercher et filait à la maison. Elle bourrait le poêle, nettoyait l'enclos, ramassait souvent le double de crottes parce qu'elle avait manqué de temps le matin. Après le nettoyage du chenil, elle rentrait et préparait à souper. Le soir, elle fendait du bois. David dormait au rez-de-chaussée, où il faisait moins chaud que sur la mezzanine. Élisabeth brûlait donc deux fois plus de bois qu'avant afin qu'on soit confortable partout dans la maison.

Si elle s'occupait seule de toutes ces corvées, c'est qu'elle estimait que David avait besoin de ce temps pour faire ses devoirs. Elle n'était pas dupe cependant; elle savait bien qu'il passait des heures sur son jeu électronique, mais elle espérait qu'il étudiait quand même un peu. Et puis elle ne voulait pas le brusquer, lui qui avait perdu d'un coup sa famille entière.

Une nuit, elle fut réveillée par ses cris. Elle descendit et le trouva assis sur le divan, en larmes, mais endormi. Il s'éveilla quand elle s'assit à côté de lui.

— C'est de ma faute, dit-il, la voix entrecoupée de sanglots. C'est moi qui les ai tués.

Élisabeth le prit dans ses bras.

— Ben non, voyons. Ce n'est pas toi. Tu n'étais même pas là !

— Tu ne comprends pas, ma tante.

Il recula un peu pour la regarder dans les yeux.

— J'ai prié Dieu pour que mon père meure.

Il attendait sa réaction, mais elle n'en eut aucune. Comment expliquer à un garçon élevé dans une religion stricte qu'on ne croit pas en Dieu ? David poursuivit :

— Je ne m'attendais pas à ce qu'il m'enlève ma mère et mes sœurs avec.

Il fondit en larmes de plus belle, et Élisabeth, bouleversée, le serra de nouveau dans ses bras. Il pleura longtemps sur son épaule, et tout ce qu'elle pouvait faire, c'était lui caresser les cheveux, comme quand il était enfant. Lorsqu'il fut calmé, elle s'écarta, le laissa se recoucher et lui remonta les couvertures jusqu'au menton. Elle ajouta ensuite du bois dans le poêle et, juste avant de s'en aller, elle s'immobilisa près du divan.

— Tu sais, David… À mon avis, Dieu n'a rien eu à voir là-dedans. C'était un accident. Dieu ne peut pas être responsable de tous les accidents qu'on voit chaque année sur les routes, sinon ce serait un dieu bien trop cruel. Alors si lui n'est pas responsable, ça veut dire que toi non plus, tu ne l'es pas.

— Mais ma prière…

— Lui as-tu déjà demandé autre chose, au bon Dieu ?

— Oui.

— Est-ce que tu as été exaucé ?

Il secoua la tête.

— Pourquoi est-ce que, cette fois-là, tu l'aurais été ?

Il haussa les épaules.

— Je vais te le dire, moi. Tu n'as pas été exaucé, pas plus cette fois-là que les autres, parce que Dieu, s'il existe, doit être bien plus occupé avec les guerres qu'avec nos petits problèmes à nous autres.

Elle soupira.

— C'était juste un accident, David.

*

Ça faisait maintenant deux semaines qu'il vivait avec elle. Pas une fois, elle n'était sortie en traîneau depuis son arrivée. Elle était bien trop occupée ! Les chiens étaient passés d'une vie de grande activité en préparation des courses à une vie de sédentaires, enchaînés chacun à sa niche. Ça grondait dans le chenil. Et ça aboyait pour tout et pour rien. Élisabeth savait qu'ils débordaient d'énergie et que ce repos forcé ne pourrait durer. Pendant plusieurs jours, elle pensa les emmener pour une promenade de cinq ou six kilomètres, histoire de les laisser se défouler. Sauf qu'en voyant l'air abattu de David quand elle rentrait avec lui le soir, elle changeait chaque fois d'avis.

La maison lui semblait désormais bien petite, et l'attitude de David n'aidait pas. Il ne faisait absolument rien, à part s'activer sur son jeu vidéo. Il mangeait quand c'était prêt et critiquait parce que ce n'était pas à son goût. Il n'aimait pas ses professeurs, disait qu'il ne comprenait rien à ce qu'on lui enseignait et déclarait déjà qu'il échouerait son année scolaire. Quand elle lui demandait de couper du bois, il lui répondait que ce n'était pas sa maison et que ce n'était donc pas à lui de la chauffer.

— Tu as juste à mettre des calorifères si tu es tannée de couper du bois.

Élisabeth vivait un supplice à regarder ses chiens s'exciter au bout de leurs chaînes. Elle avait autant envie qu'eux de changer d'air.

Un soir, après le souper, David lui annonça qu'il avait une retenue le lendemain après l'école. Élisabeth n'en croyait pas ses oreilles. Si lui devait rester en ville, ça voulait dire qu'elle aussi devrait rester en ville. Avec ses corvées, elle irait au lit bien trop tard !

— C'est à cause de mon prof. Il n'a pas aimé mes réponses à l'examen.

— Quel examen ?

— Celui qu'on a fait avant-hier.

Il lui tendit sa copie d'examen qu'elle lut avec curiosité. Ses épaules s'affaissèrent. David n'avait fait aucun effort et avait donné des réponses toutes plus farfelues les unes que les autres. À la fin, elle réprima un sourire. Ce gamin n'était pas sans humour. Il fallait peut-être simplement lui donner le temps de s'adapter.

— Je trouve qu'une retenue, c'est un peu exagéré. Veux-tu que j'écrive à ton prof ?

— Tu ferais ça ?

Pour la première fois depuis qu'il était arrivé, Élisabeth sentit un rapprochement possible entre eux. Elle prit une tablette de papier et un stylo.

— Comment s'appelle ton prof ?

— Jean-François Lemarquand.

Le stylo fit un bruit sec en tombant sur le plancher. Élisabeth leva la tête, incrédule.

— C'est une joke ?

— Pourquoi, une joke ?

— Pour rien.

Elle reprit le crayon et décrocha le téléphone. Quand elle entendit la voix de Jean-François au bout du fil, elle alla droit au but.

— Depuis quand on donne des retenues pour des niaiseries ?

— Bonsoir, Élisabeth. Comment ça va ?

— Laisse faire les « Comment ça va ». Et puis qu'est-ce que tu fais au secondaire ? Tu n'étais pas prof au primaire ?

— Oui, mais j'ai demandé un poste avec les plus vieux cette année parce que mes enfants sont rendus au primaire. Ce n'est jamais bon pour des enfants d'avoir un de leurs parents comme enseignant.

— Et la retenue ?

— Quelle retenue ?

— La retenue que tu as donnée à David Létourneau, le nouvel élève dans ta classe. Tu ne trouves pas que c'est un peu exagéré comme conséquence ? Ce garçon-là vient de perdre son père, sa mère et ses deux sœurs. Donne-lui une chance !

— Ah, cette retenue-là ! C'était juste une menace pour qu'il prenne l'école au sérieux.

Élisabeth ne répondit pas. Elle cherchait, comme d'habitude, le piège sous-jacent.

— En tout cas, je suis bien content que tu m'appelles.

Voilà donc ce qu'il avait eu en tête dès le départ.

— Comment tu savais que c'était mon neveu ?

Il rit.

— Tu sais, des Létourneau, il n'en pleut pas à Whitehorse. Et puis j'ai appris par Rita que des membres de ta famille avaient eu un accident. Disons que j'ai fait deux plus deux.

Elle raccrocha sans lui dire au revoir.

— Tu n'auras pas de retenue demain soir, lança-t-elle à David. Mais je ne veux plus jamais te voir écrire des niaiseries comme ça sur un examen.

— Promis.

Il fit un geste vers elle, mais se ravisa. Elle aurait juré que, s'il avait suivi son élan, il serait venu l'embrasser.

Au même moment, les chiens se mirent à aboyer. Quelqu'un virait dans l'entrée. En entendant le bruit du moteur, Élisabeth su qu'il s'agissait d'une camionnette. Son cœur bondit dans sa cage thoracique à l'idée que ce soit Gabriel. Ils ne s'étaient pas vus depuis la dernière course. Et malgré toutes ses occupations, elle n'avait cessé d'attendre sa visite. Elle attrapa un manteau, sauta dans ses bottes de travail et sortit sur la galerie.

Ce n'était pas le pick-up de Gabriel qui se trouvait derrière le sien, mais celui de Katherine, qui en descendit, une bouteille de vin dans chaque main, sa casquette enfoncée bien bas sur son crâne, comme à l'habitude pendant la belle saison.

— Salut, la championne !

D'un bond, elle atterrit sur la galerie. Élisabeth lui ouvrit grand les bras.

— Je vois que l'été est arrivé, dit-elle en secouant la palette de sa casquette.

— C'est du wishful thinking. Il paraît qu'il va neiger encore cette nuit.

Un mouvement attira son attention. David les regardait par la grande fenêtre.

— C'est lui, le chanceux qui va vivre ici avec toi ?

— C'est lui !

Élisabeth poussa la porte et suivit Katherine à l'intérieur.

— Wow ! Il est donc bien beau.

Elle se tourna vers Élisabeth.

— Tu ne m'avais pas dit que ton neveu était beau de même ! Avoir su, je serais venue vous rendre visite bien avant !

Comme David reculait, soudain méfiant, Katherine éclata de rire.

— Pis farouche, avec ça. Oh, je l'aime déjà, celui-là !

David rougit et, ne sachant plus où se mettre, il alluma son jeu vidéo.

— Stresse pas, mon gars, lui lança Katherine en lui arrachant son jouet, j'aime mieux les filles.

Elle déposa le jeu plus loin sur le comptoir et, après un moment d'hésitation, elle dit:

— Parlant de fille, Jess est partie.

Elle n'attendait pas de réponse, mais voyant David qui essayait de reprendre son jeu, elle le tança:

— Tu ne sais pas que c'est malpoli de pitonner là-dessus quand il y a de la visite?

Elle le lui redonna néanmoins et attrapa deux verres sur une tablette.

— Il faut que je te parle, dit-elle à Élisabeth. Est-ce qu'on peut aller dans la cabane du vieux Jim?

Dix minutes plus tard, elle avait allumé un feu dans le poêle à bois de la cabane et, laissant l'unique chaise à Élisabeth, elle s'assit sur le lit et répéta:

— Jess est partie.

Ce soir-là, elle raconta comment la belle Jessica, l'artiste végétalienne qui était, selon ses dires, la femme de sa vie, était retournée dans sa Colombie-Britannique natale, emportant avec elle le cœur de Katherine.

— Quand elle a commencé à me dire tout ce qu'elle n'aimait pas du Yukon, je n'ai pas voulu l'écouter. Et quand elle a commencé à me parler de s'en retourner au B.C., je lui ai dit de s'en aller, que je n'avais pas besoin d'elle, que je vivais très bien avant son arrivée et que je ne mourrais pas quand elle serait partie.

Elle s'étouffa. Des larmes roulaient sur ses joues.

— Je ne pensais jamais que ça me ferait mal de même!

Elle éclata en sanglots. Élisabeth, qui n'avait bu qu'un verre, réalisa que la première bouteille était vide.

À la fin de la deuxième bouteille, Katherine se roula en boule sur le lit. Elle pleurait toujours, et Élisabeth n'osait plus rien dire. Qu'y avait-il à dire, de toute façon ? Quand on vit une peine d'amour, il n'y a rien d'autre à faire qu'attendre que ça passe.

Elle retourna à la maison et en revint avec une cruche d'eau, un verre vide et une couverture. Elle déposa la cruche et le verre sur la table et couvrit son amie, qui dormait déjà. Elle ajouta suffisamment de bois dans le poêle pour qu'il chauffe toute la nuit et s'en alla sans faire de bruit.

CHAPITRE 21

Il y avait trois semaines que David vivait à Ibex Valley quand il demanda à Élisabeth s'ils pouvaient s'arrêter à la pharmacie avant de sortir de la ville.

— J'ai besoin de teinture noire.

Elle avait remarqué, sur son crâne, la repousse d'un roux cuivré.

— Tu sais, David, ce n'est pas nécessaire de te teindre les cheveux ici. Au Yukon, on aime les gens au naturel.

— Je n'ai pas besoin qu'on m'aime.

Élisabeth haussa les épaules et fit un détour par la pharmacie. Ça lui avait donné l'idée d'exiger une faveur en retour. Ce soir, elle entraînerait les chiens. Et elle exigerait qu'il profite de son absence pour faire du ménage. Depuis que David occupait le rez-de-chaussée, l'endroit avait des airs de soue à cochons.

C'est exactement ce qu'elle lui dit quand ils franchirent la porte de la maison.

— Tu comprends, il faut que je sorte les chiens, sans ça, ils vont virer fous. Il reste juste assez de neige pour qu'ils dépensent leur énergie. Bientôt, ça va fondre et il va faire trop chaud.

Elle lui dressa ensuite une liste des choses à faire. Éplucher des patates, aller chercher assez d'eau pour remplir le gros seau, en faire chauffer un peu et laver la vaisselle du déjeuner, plier les couvertures pour qu'on puisse voir la couleur du divan et ranger les vêtements qu'il avait laissé traîner sur les meubles.

Avant de se rendre dans le chenil, elle sortit avec lui et, au pied de la galerie, lui montra une pile de bois qu'elle avait mis de côté.

— Je veux que tu fendes ce bois-là avant mon retour, compris ?

— Je ne sais pas comment faire.

— Ce n'est pas compliqué. Je vais te le montrer.

Et elle lui montra comment fendre une bûche pour obtenir des morceaux assez petits pour le poêle. Quand elle fut certaine qu'il maîtrisait suffisamment la hache, elle rentra, enfila ses vêtements de travail et ressortit.

— Tu pourrais faire réparer ton manteau, lui lança-t-il comme elle descendait de la galerie, Laska sur les talons. Ce serait plus beau que de mettre du scotch tape partout.

Élisabeth se tourna vers lui.

— Tu parles de ça ?

Elle désignait les déchirures qu'elle avait effectivement réparées avec les moyens du bord.

— Ce n'est pas du scotch tape, mais du duct tape. Ça répare tout. Et tu sauras que tu ne seras pas un vrai Yukonnais tant que tu n'auras pas ton propre manteau réparé au duct tape.

Elle alla chercher le traîneau dans la remise et revint avec tout ce qu'il lui fallait. Parce que Laska la suivait pas à pas, Élisabeth jugea plus prudent de l'attacher dans l'enclos. La petite n'avait pas l'habitude, au contraire de Ravenne, de courir de part et d'autre de l'attelage. Elle pourrait causer un accident ou même être blessée – surtout que les chiens seraient surexcités. Et puis Laska était encore jeune pour ce genre de jeu.

Dans le chenil, les chiens, qui avaient compris ce qui se passait, se mirent à aboyer. Très vite, le bruit devint assourdissant. Le sourire aux lèvres, Élisabeth les attela l'un après l'autre, même Transam, qui avait fini de jouer à la mère.

David la regarda faire. Pour la première fois, il manifestait de l'intérêt pour autre chose que lui-même ou son jeu électronique. Elle songea un instant à l'inviter à prendre place dans le panier, mais elle avait vraiment besoin d'être seule. Et rien qu'à sentir l'énergie qui se dégageait du chenil, elle savait que la balade s'annonçait sportive.

Quand le dernier des chiens fut attelé, elle murmura son «Let's go boys!» habituel. Le silence se fit d'un coup, et l'équipe bondit comme une seule bête. Élisabeth ne jeta pas un regard en arrière, heureuse de fuir, l'espace d'une heure ou deux, les nouvelles responsabilités qui lui incombaient.

Très vite, elle retrouva le sentiment qui l'habitait chaque fois qu'elle prenait la piste avec ses chiens. Une émotion située quelque part entre l'extase et la grâce. Un bonheur indicible, une paix de l'âme, du corps et de l'esprit. Plus rien n'existait que cet être particulier qu'elle formait avec les chiens. Et ce silence brisé uniquement par leurs pas feutrés sur la neige. Et le vent qui lui caressait le visage. Et le soleil toujours très haut dans le ciel, même s'il était 17 heures passées.

Les chiens aussi jubilaient. Ça se voyait dans la régularité de la course. Élisabeth ne disait pas un mot et ne faisait pas un geste pour les faire ralentir. Ils étaient trop heureux! Et elle se sentait trop bien! Et le printemps qui s'annonçait si clair, si sec et si beau complétait ce moment magique.

S'il n'y avait eu ces ombres au fond de son cœur, elle aurait pu hurler qu'elle était heureuse. Mais les ombres, qu'elle avait beau chasser, continuaient de grandir et de la hanter.

Elles étaient apparues quinze jours plus tôt, quand Élisabeth avait réalisé que Gabriel ne venait plus. Qu'il n'appelait pas non plus. Elle lui avait bien téléphoné, mais il n'avait pas répondu. Avait-il été déçu de sa performance à la course ? Ou bien lui avait-il trouvé un travers pendant les quelques semaines où ils avaient formé un couple ? À moins qu'il n'ait décidé qu'il ne voulait pas s'embarrasser d'un enfant… C'est vrai qu'elle-même trouvait David difficile à aimer. Par moments. Et pendant le voyage à Dawson, il s'était montré particulièrement détestable. Normal, au fond, que Gabriel n'ait pas eu envie de traîner dans les environs.

Élisabeth devait quand même avouer qu'entre son travail à temps plein, les heures qu'elle consacrait aux chiens et celles qu'exigeait son neveu, il ne restait plus beaucoup de place pour un amoureux. Mais quand même ! Il y avait les nuits, il y avait les repas et il y aurait l'été, qui s'en venait. C'était décidé. Il fallait qu'elle aille lui rendre visite pour en avoir le cœur net. Après tout, s'il avait rompu, il fallait qu'elle le sache. Elle ne pouvait pas continuer à l'attendre soir après soir si lui considérait qu'il y avait eu rupture.

Elle rentra à la maison au bout de deux heures de solitude qui lui avaient fait grand bien. Comme d'habitude, elle arrêta le traîneau devant la porte de l'enclos. Elle détacha Cassandre et Minuk qui s'en retournèrent à leur niche. Elle détacha Odyssey qui fit de même. Mais quand elle défit la ligne de queue de Transam, elle sentit la chienne gigoter.

— Tout doux, Transam. Deux heures de course, c'est assez pour aujourd'hui.

Mais Transam, manifestement, n'était pas de cet avis. Dès qu'elle sentit se détacher la ligne de cou, elle s'agita plus fortement. Élisabeth la tenait par le collier, mais à force d'avoir le poignet tordu, elle finit par lâcher prise. La chienne fila.

— Transam ! Viens ! ordonna-t-elle, furieuse.

Mais Transam avait déjà disparu.

— Tabarnak! Pas encore!

Élisabeth détacha les autres avec un calme feint. Les chiens, qui lisaient en elle comme dans un livre ouvert, sentirent quand même la soupe chaude et filèrent jusqu'à leurs niches sans s'exciter. Elle les rattacha chacun à sa chaîne, leur donna à boire et à manger, ramassa les crottes et se dirigea, fourbue, vers la maison. Elle s'arrêta net au pied de la galerie où la pile de bois était intacte. Serrant les dents, elle poussa la porte. Sur le comptoir, la vaisselle sale traînait toujours. Les vêtements n'avaient pas été ramassés, et le divan était toujours aussi encombré. Assis dans un fauteuil, David jouait à son jeu électronique.

— That's it! lança-t-elle, à bout de patience. Ramasse tes affaires pis sors d'ici!

David leva la tête, incrédule.

— Tu veux que j'aille où?

— Dehors, je t'ai dit!

Elle attrapa sa valise et la lança sur la galerie.

— Ramasse-toi, mon p'tit crisse, avant que je te botte le cul! Allez!

David, qui voyait sa tante sous un jour nouveau, attrapa ses vêtements qu'il serra en une boule informe contre sa poitrine. L'inquiétude se lisait sur son visage.

— Prends le sac de couchage, aussi!

Il obéit et saisit même l'oreiller, au cas où.

— Maintenant, dit-elle en dardant sur lui le regard sévère qu'elle réservait habituellement aux chiens rebelles, suis-moi!

Elle sortit et se dirigea vers la cabane de Jim dont elle ouvrit tout grand la porte. Elle laissa passer David et le suivit à l'intérieur.

— À partir d'aujourd'hui, tu vis ici.

Il la regarda, plus perplexe que jamais. Puis il sourit, convaincu que c'était une blague.

— Efface-moi ce sourire-là. Je suis sérieuse. En arrière de toi, il y a un lit. Oui, oui ! La plateforme surélevée, c'est ton lit à partir d'aujourd'hui. Ici, il y a une table pour faire tes devoirs pis prendre tes repas si je décide que tu chiales trop à mon goût. Tu vas trouver une assiette, un couteau, une fourchette et une tasse dans la boîte qui traîne le long du mur. Si tu veux manger dans de la vaisselle propre, il va falloir que tu les laves au fur et à mesure.

Elle jeta un coup d'œil à l'extérieur où l'obscurité gagnait du terrain.

— Si j'étais toi, je profiterais de la lumière qui reste pour aller pisser. Mais avant, il faut que tu saches que…

Elle tapa du bout du pied sur le poêle à bois.

— … ça, c'est ton nouveau système de chauffage. Si tu ne veux pas mourir gelé la nuit prochaine, je te suggère d'apprendre tout de suite comment ça marche.

Elle lui montra, par la fenêtre, la pile de bois qu'il n'avait pas fendu.

— Comme tu peux le remarquer, ces bûches-là sont trop grosses pour fitter là-dedans.

Elle sentit qu'il allait protester, alors elle lança sa dernière salve :

— Compte-toi chanceux de ne pas avoir, en plus, à cuisiner sur ton poêle à bois. Ça prend ben du temps pis ça cuit ben mal.

Sur ce, elle pivota et l'abandonna dans son nouveau logis. Ce n'est qu'en marchant vers la maison qu'elle laissa apparaître le sourire de satisfaction qui tentait de s'afficher depuis tout à l'heure. Maintenant, elle le savait, David la prendrait au sérieux. Au fond, elle venait d'agir exactement comme Ian le jour où il avait cassé Cassandre. Sauf qu'au lieu de pincer une babine à son neveu, elle venait de le rendre responsable de lui-même. Elle savait bien qu'en avril, il ne risquait pas de mourir gelé la nuit. Mais David, lui, ne le savait pas.

Cette nuit-là, on entendit les loups hurler dans la montagne derrière. Éveillée en sursaut, Élisabeth sourit. Ils étaient trop loin pour être dangereux, mais ça non plus, David ne le savait pas.

CHAPITRE 22

Le lendemain, dès son réveil, Élisabeth sortit explorer les environs, mais ne vit pas de trace de Transam. Avant de rentrer pour déjeuner, elle remplit une gamelle de croquettes et un bol d'eau et laissa le tout à côté du traîneau qu'elle n'avait pas pris le temps de ranger la veille. Elle enferma ensuite Ravenne dans la pouponnière pour s'assurer qu'il resterait quelque chose à manger pour Transam quand elle reviendrait. Parce qu'elle reviendrait, Élisabeth n'en doutait pas un instant. Transam aimait la liberté plus que n'importe quel autre de ses chiens, mais chaque fois qu'elle avait pris la poudre d'escampette, son amour du traîneau l'avait ramenée au bercail. L'explication était simple : Transam avait peur de rater une sortie.

Élisabeth savait que la chienne connaissait bien les environs et qu'elle ne pouvait pas se perdre. Quand elle serait lasse de courir, elle rentrerait, affamée et assoiffée. Ce qui l'inquiétait davantage, c'était la possibilité qu'elle revienne pleine encore une fois.

Les corvées de chenil terminées, Élisabeth se rendit à la cabane de David. Avant de frapper, elle remarqua une grande tache jaune dans la neige, preuve qu'il n'était pas allé uriner bien loin. Elle sourit, malicieuse, mais ce sourire s'effaça quand David apparut derrière la porte et qu'elle remarqua les cernes qu'il avait sous les yeux. Il avait vraiment mal dormi, imaginant sans doute qu'un ours ou un loup rôdait dans les environs. Il n'avait pas tort, évidemment.

Il monta dans la camionnette sans se plaindre.

—J'aurais voulu me laver, dit-il simplement quand ils atteignirent l'autoroute.

—Tu feras ça en arrivant ce soir. Ou bien tu te lèveras de bonne heure demain matin.

—OK.

Ce soir-là, les choses se passèrent beaucoup plus harmonieusement dans la maison. David participa même à la corvée de crottes sans qu'Élisabeth le lui ait demandé.

L'écuelle et le bol laissés pour Transam étaient vides. Même s'il était impossible de savoir avec certitude qui s'était restauré de la sorte, Élisabeth décida de remplir les deux bols, au cas où. Un peu avant de rentrer, cependant, elle aperçut la chienne qui tournait autour du chenil. Elle fit signe à David de l'aider, mais même à deux, ils ne parvinrent pas à l'attraper. Élisabeth remarqua néanmoins que Transam surveillait le traîneau. Elle sortit donc un harnais qu'elle laissa pendre du panier comme un hameçon.

Avant d'aller se coucher dans sa cabane, David emprunta la lampe frontale qu'Élisabeth laissait désormais au milieu de la table. Sur un ton très poli, il lui dit qu'il aurait aimé en avoir une pour lui tout seul.

—Pour quand il faut que je sorte, la nuit.

Elle lui promit d'en acheter une deuxième dès le lendemain après le travail, mais eut le cœur assez sensible pour le rassurer.

—Tu n'en auras pas besoin longtemps. Il va faire clair de plus en plus tard, et le jour va se lever de plus en plus de bonne heure. Dans un mois, tu vas même pouvoir lire dehors vingt-quatre heures sur vingt-quatre. Mais tu auras ta propre lampe frontale pour l'automne, ce qui est une bonne chose parce que j'ai besoin de la mienne.

Ces propos semblèrent rassurer David, qui prit le chemin de sa cabane, non sans jeter des coups d'œil inquiets à gauche et à droite.

*

Il fallait tout gérer. Le chenil, le travail, David, l'école de David et Transam qui rôdait autour de la maison, mais qui, rusée, ne se laissait pas attraper. Élisabeth pestait, elle aurait dû se montrer plus prudente. Si elle avait observé Transam attentivement, elle n'aurait pas manqué de voir des signes de chaleurs. Mais elle faisait tout à la hâte depuis l'arrivée de David ! Maintenant, il était trop tard, et les conséquences risquaient de lui coûter cher.

Ses voisins n'étant pas encore venus se plaindre, Élisabeth avait conclu que Transam ne rôdait pas très loin. Elle continuait donc de laisser, chaque matin, de la nourriture à côté du traîneau et se trouvait rassurée de découvrir le bol vide à son retour du travail.

La portée aux noms de villes québécoises avait quitté la pouponnière, et les chiots vivaient maintenant chacun dans sa niche. Élisabeth les avait construites à la hâte, ces niches, parce que ça pressait. Ravenne, elle, avait repris ses habitudes. Elle et Laska formaient avec Élisabeth une seconde meute. David, lui, hésitait encore à choisir son camp.

Avec tous ces tracas et ces occupations, les journées d'Élisabeth passaient vite. Pas assez vite, cependant, pour lui permettre d'oublier Gabriel.

À la fin du mois d'avril, un midi, elle décida de ne pas se joindre à Katherine et à ses autres collègues de travail pour dîner. Elle monta plutôt dans sa camionnette avec son sandwich, sortit de la ville et fila vers le sud sur la route de l'Alaska. Elle n'en pouvait plus. Il fallait qu'elle comprenne ce qui se passait, qu'elle sache où elle en était avec Gabriel.

Elle vit de très loin que la porte du garage était fermée. L'angoisse la prit d'un coup. Et s'il était parti, lui aussi, comme Jessica? Comme Sandy. Comme tant d'autres! L'en aurait-il avertie? Aurait-il pris le temps? En aurait-il eu le courage? Elle s'arrêta devant la station-service. Le pompiste la reconnut. Pas surprenant, elle était venue ici tellement souvent pendant les deux dernières années.

— Tu viens voir Gab?

— Oui, mais on dirait bien qu'il n'est pas là.

Il rit.

— Ça fait un bout qu'il est parti…

Le choc fut tel qu'Élisabeth dut s'appuyer à la portière. Des larmes lui piquèrent les yeux. Le scénario défila dans son esprit à la vitesse de l'éclair. Un scénario terrible, que le pompiste fit voler en éclats aussi vite qu'il l'avait fait naître.

— Son père est malade.

Le soulagement fut proportionnel à la douleur qui l'avait précédé.

— Lui aussi? fut tout ce qu'elle trouva à dire.

Le pompiste ne comprit pas la question, mais elle ne perdit pas de temps à la répéter.

Il y avait une raison. Une vraie raison. Une raison qui ne faisait pas mal. Oh, bien sûr, elle avait de la peine pour Gabriel et pour son père, mais de savoir qu'il n'avait pas quitté totalement le Yukon la réjouissait au-delà du raisonnable.

— On m'a dit qu'il était revenu… Hier, je pense.

— Ah oui?

— C'est ça qu'un client m'a dit.

— OK. Merci.

Elle remonta dans sa camionnette et reprit la route en direction de Whitehorse. Elle n'avait pas le temps de se rendre à Annie Lake et d'en revenir, mais elle pouvait toujours téléphoner.

Arrivée en ville, elle se gara à sa place habituelle, mais au lieu de rentrer au travail, elle se rendit sur la promenade du bord du fleuve. Là, elle s'assit sur un banc et appela Gabriel. Il décrocha à la première sonnerie.

— Je suis tellement contente de te parler. Comment ça va ? On m'a dit que ton père avait été malade.

Gabriel s'éclaircit la voix.

— Ouais. Il a fait une crise cardiaque. Mais il va mieux maintenant. Enfin, je pense. Tu sais, il n'était déjà pas très jasant, ça fait que… Disons que c'est juste pire.

— Et toi ?

— Moi aussi, je vais mieux.

Ces mots prirent un moment pour atteindre le cerveau d'Élisabeth.

— Tu as été malade, toi aussi ?

— Si on veut. Est-ce que je peux passer te voir, ce soir ?

— Tu pourrais venir souper.

Il prit plus de temps que nécessaire pour répondre.

— OK. Je serai là à 6 heures. Est-ce que ça irait ?

Elle acquiesça et lui dit qu'elle avait très hâte de le revoir, qu'il lui avait manqué.

— J'ai du nouveau, conclut-elle, en pensant au déménagement de David.

— Moi aussi.

Et avant qu'elle ait pu lui demander une explication, il lui dit au revoir et raccrocha. Elle faillit rappeler, mais se ravisa. S'il avait voulu parler au téléphone, Gabriel l'aurait fait. Ce n'était pas le genre à tourner comme ça autour du pot. Quoique…

L'heure du lunch achevait ; il était temps de reprendre le boulot.

Elle avala son sandwich, le fit descendre avec deux gorgées de jus de légumes et fila à la clinique.

CHAPITRE 23

Le pick-up de Gabriel apparut dans l'entrée à 18 heures pile, ce qui ne fut pas sans surprendre Élisabeth. Il y avait longtemps qu'elle avait vu quelqu'un d'aussi ponctuel. Les gens qu'elle fréquentait pratiquaient le *Yukon time*, c'est-à-dire qu'ils arrivaient la plupart du temps avec une demi-heure de retard. Une demi-heure au moins !

D'un bref coup d'œil dans l'unique miroir de la maison, elle s'assura qu'elle n'avait pas de farine dans le visage. Elle s'empressa de se laver les mains, de mettre dans l'évier les ustensiles dont elle n'aurait plus besoin pour dégager un peu le comptoir.

Assis à table, David la taquina.

— Arrête de stresser. Tu me déranges.

Elle lui tira la langue, mais jeta de nouveau un coup d'œil à son reflet.

Même s'il avait élu domicile dans la cabane de Jim, David préférait faire ses devoirs sur la table de cuisine de manière à pouvoir poser des questions quand il ne comprenait pas ce qu'il devait faire. Élisabeth avait conscience qu'il s'agissait d'un moyen d'attirer son attention, mais elle ne s'opposait pas à sa présence, tant qu'il étudiait. Le soir, cependant, il devait regagner son logis, ce qu'il faisait en rechignant quand même. Pour la forme.

Preuve qu'il avait compris qu'Élisabeth ne tolérerait plus sa fainéantise, il ramassa ses livres, ses crayons et sa calculatrice et glissa le tout dans son sac à dos.

Élisabeth se dirigea vers la porte. Avant d'ouvrir, elle désigna la table d'un geste du menton. David comprit ce que ça voulait dire.

Comme d'habitude, Ravenne et Laska la précédèrent à l'extérieur. Il faisait chaud pour une fin d'avril. Sans les quinze centimètres de neige qui couvraient encore le sol, on se serait cru en juin. Le soleil y était pour beaucoup. Il avait dépassé l'ouest et se couchait désormais un peu plus au nord.

— Salut, Laska! lança Gabriel en refermant la portière de son pick-up. Tu as donc bien grandi! Salut, Ravenne! Tu as l'air en forme!

Elles se levèrent sur deux pattes et lui sautèrent dessus.

— Laska! Ravenne! Non! s'écria Élisabeth, gênée.

Pour rejoindre Gabriel, les chiennes étaient passées dans une flaque de boue. Elles laissèrent donc sur son manteau de belles grandes taches brunes.

— Excuse-les, dit Élisabeth en les attrapant toutes deux par le collier. Elles sont trop excitées de te voir.

Élisabeth savait qu'elle aurait pu se décrire elle-même en ces termes, et ça l'amusa.

Elle le regarda secouer sa veste pour essayer de réparer les dégâts. Le voir après tout ce temps lui faisait mal, mais elle n'aurait su dire pourquoi. Elle aurait dû être heureuse. Elle aurait dû lui sauter au cou. Quelque chose, cependant, l'en empêchait.

Elle attendit donc, debout sur la galerie, priant pour qu'il la prenne dans ses bras et l'embrasse comme il l'avait fait quand elle était rentrée du Québec après les funérailles. Elle devait avoir le regard suppliant. Ses mains s'agitaient ; elle les glissait tantôt dans les poches arrière de ses jeans, tantôt dans celles de devant. Elle vit Gabriel monter les marches. L'instant d'après, il l'enlaçait comme elle en avait rêvé. Ses lèvres goûtaient bon la gomme à la menthe. Ses bras la tenaient solidement, même quand il la poussa avec douceur contre le chambranle pour l'embrasser à sa guise sans craindre de perdre l'équilibre. Élisabeth ne put s'empêcher de laisser ses doigts errer dans sa barbe.

Quand il la lâcha enfin, il soupira :

— That feels good !

Elle rit, un peu gênée, parce qu'elle avait un millier de questions à lui poser et qu'elle se demandait combien de bières il lui faudrait pour trouver le courage de parler.

Elle poussa la porte et trouva la table mise et la vaisselle lavée. David était en train de remplir les assiettes.

— Il était temps que vous vous lâchiez un peu, dit-il. Franchement ! Il y a des enfants ici.

— Des enfants ? répéta Gabriel, railleur.

— Bon, il y en a un. Moi. Maintenant, installez-vous. J'ai presque fini.

Élisabeth resta sans bouger pendant quelques secondes. David avait pris l'initiative de servir le souper. David avait lavé la vaisselle qui gisait dans l'évier. Et David leur disait de s'asseoir devant la table qu'il avait mise – impeccablement, d'ailleurs, preuve que sa mère lui avait enseigné l'étiquette.

La première heure se déroula dans une bonhomie qui faisait du bien. David badinait en imitant ses professeurs. Élisabeth racontait des histoires de chiens et Gabriel, des histoires de pêche.

— … et là, je ferre une truite. J'étais bien fier de mon coup, je vous le dis, surtout devant mon père ! Je l'ai ramenée tout doucement, et là, j'ai vu que l'hameçon lui sortait par un œil. Elle était ben petite. Trop petite à mon goût, alors j'ai décidé de la remettre à l'eau. Ce que j'ai fait. Mais une fois libre, elle s'est éloignée en tournant en rond à la surface. J'ai dit à mon père qu'il fallait aller la chercher, qu'on ne pouvait pas la laisser comme ça, qu'elle allait mourir de toute façon. Mon père n'était pas d'accord. Il disait qu'il fallait lui laisser une chance. On continuait de s'obstiner en s'approchant de la truite qui, elle, continuait de tourner. Quand on a été rendus à deux pieds, j'ai voulu la prendre parce qu'elle s'en venait vers moi, mais là, un aigle est arrivé par derrière nous. Il l'a attrapée et s'est enfui avec!

Assis devant Gabriel, David était sous le choc.

— Il est parti avec votre poisson? Comme ça, en dessous de votre nez?

— En dessous de notre nez, comme tu dis. Et tu imagines bien qu'on était tellement surpris qu'on a passé le reste de la journée à parler de ça!

— J'imagine, oui! Wow! Je n'ai jamais été à la pêche.

Gabriel ouvrit grand les yeux.

— Jamais?

— Jamais. Je vivais en ville.

— Oui, je sais ça, mais l'été? Vous deviez bien aller en vacances, l'été?

— Non. L'été, mes parents travaillaient alors on restait chez nous.

— Eh bien! Un jour, mon gars, je vais te cuisiner des joues de doré comme mon père le faisait dans le temps. J'en ai rapporté une dizaine de sacs justement. Ça fait que quand tu vas venir à la maison, on va en dégeler deux ou trois – pour en avoir assez, tu comprends, parce que ce n'est pas bien gros, une joue de doré. Ça en prend quelques-unes pour faire un souper. Et ce souper-là, c'est moi qui vais vous le préparer.

Puis il répéta, comme si la chose lui paraissait inconcevable:

— Jamais été à la pêche. Je n'en reviens pas!

Son désarroi était sincère, ce qui émut Élisabeth. Gabriel devait avoir passé sa vie dans le bois. Il pêchait, il chassait. Il apprêtait ses poissons, cuisinait son gibier. La vie d'un garçon de la ville devait effectivement lui sembler invraisemblable.

Elle avisa le cadran de la cuisinière.

— Dix heures et demie ! Il est temps d'aller te coucher, David. Tu as de l'école demain.

David s'apprêta à protester, mais Gabriel intervint.

— Avant de te coucher, j'aimerais bien ça que tu me montres comment tu es installé. Comme ça, s'il te manque des affaires, je pourrai t'en apporter quand je reviendrai.

Ravi, David attrapa son manteau et entraîna Gabriel jusqu'à sa cabane.

Restée seule avec les chiennes, Élisabeth les suivit des yeux par la fenêtre. La nuit n'était pas encore tout à faire noire. On voyait les ombres qui bougeaient sur la neige. Elle soupira. Gabriel avait l'intention de revenir. À cette idée, son cœur se remplit de joie. Ce n'était pas fini entre eux. Ce long baiser échangé sur le seuil avait donc un sens.

Chapitre 24

—Il n'y a jamais personne dans ma vie qui m'a fait cet effet-là.

Assise sur le divan, les pieds repliés sous elle, Élisabeth n'arrivait pas à croire qu'elle venait de prononcer ces mots. Tout de suite après, les phrases se bousculèrent dans sa tête sans qu'un mot ne franchisse ses lèvres. Elle aurait voulu lui dire qu'elle n'avait jamais aimé avec un tel abandon ni avec un tel détachement de la vie pratique. Ni aussi loin de l'amour *raisonnable*. Tout cela était absolument vrai, sauf qu'elle imaginait que Gabriel le prendrait mal, qu'il serait insulté qu'elle le trouve «si loin de la vie pratique».

—Je te veux exactement comme tu es, fut tout ce qu'elle réussit à dire.

Gabriel ne répondit pas. Il l'écoutait avec son attention habituelle. Et comme d'habitude, elle n'arrivait pas à deviner ce qu'il pensait ni ce qu'il ressentait.

—C'est tellement humiliant de t'avouer tout ça, conclut-elle en regardant ailleurs.

—Ben, non. Il n'y a rien d'humiliant là-dedans.

Elle aurait voulu le croire, mais au fond d'elle-même, elle ne comprenait toujours pas pourquoi, avec lui, elle perdait ses moyens. Elle lui pardonnait tout. Son silence de tout un mois comme le reste. Elle n'en aurait jamais été capable avant dans sa vie. Et sans doute n'en aurait-elle pas été capable avec un autre homme non plus. Mais quelque chose en elle avait changé. Était-ce la faute du Yukon ? Ou celle des chiens avec qui elle apprenait à distinguer ce qui était essentiel de ce qui ne l'était pas ? Était-ce sa faute à lui, Gabriel, parce qu'il avait su patienter tout ce temps alors qu'elle essayait par tous les moyens de rester loin ? Elle était allée jusqu'à se donner à un autre, mais ça n'avait pas marché. Elle se retrouvait maintenant à ses pieds – façon de parler. Un peu plus et elle lui demandait pardon pour cet amour dont elle ne savait que faire et qui, pourtant, refusait de la quitter.

— Merci d'être revenu, dit-elle enfin. J'ai eu peur de ne plus jamais te revoir.

— Comment ça ? J'étais juste parti voir mon père.

— Oui, mais comme tu ne m'as pas avertie…

— Je le sais, je m'excuse. C'est arrivé vite. Et après, je n'étais plus en état.

Voilà qu'il redevenait énigmatique. Elle décida qu'elle ne le laisserait pas tisser un voile de plus entre eux.

— De quoi tu parles ? Pourquoi tu n'étais pas en état ?

Il avala une gorgée de bière, se pinça les lèvres et renifla. Ce qu'il avait à dire semblait tellement sérieux et tellement pénible qu'elle regretta de lui avoir posé la question.

— Ce n'est pas grave, Gab. Tu n'es pas obligé de m'en parler. Je t'aime comme tu es, avec ton passé et tes secrets.

Il émit un petit rire cynique. Elle voulut protester, mais il l'en empêcha en secouant la tête.

— J'ai profité de mon voyage chez mon père pour arrêter de fumer.

Elle mit un moment à saisir de quoi il parlait. Puis son visage trahit l'interrogation qu'elle n'osait formuler.

— J'ai arrêté le pot. Complètement, je veux dire. Ça m'a pris plusieurs jours. En tout cas, plus qu'une semaine. La nuit, je suais tellement qu'il fallait que je change de t-shirt deux ou trois fois parce qu'il était mouillé bord en bord. Quand je ne dormais pas, j'angoissais. Quand je dormais, je faisais des cauchemars de fou. Pis un matin, je me suis levé, et c'était fini.

Élisabeth en resta bouche bée, ce qui le fit rire, mais pour de vrai, cette fois.

— C'est pour Dave que j'ai fait ça. J'aimerais ça venir vous voir plus souvent. Rester peut-être aussi, la nuit. De temps en temps. Quand tu vas vouloir. Mais je me disais que je n'étais pas un bon exemple à suivre. Pour lui, je veux dire.

Élisabeth le fixait, les yeux ronds, toujours incapable de prononcer un mot.

— Depuis qu'il vit ici, tu es devenue sa mère. En tout cas, tu joues le rôle de sa mère. Je me disais que si on continue un bout ensemble, toi et moi, ben, je deviendrais une sorte de père pour lui. Et je trouvais que je n'étais pas vraiment le père idéal avec mes joints pis tout le reste. Et comme je ne peux pas changer le reste, ben je me suis dit que j'étais aussi bien de régler le pot une fois pour toutes.

Il leva les bras, comme s'il allait déclarer une évidence.

— Si les autres sont heureux sans ça, je dois bien être capable moi aussi.

Cette fois, elle prit sa main et glissa ses doigts entre les siens.

— Tu sais, Bebette…

Il s'éclaircit la voix, mal à l'aise.

— … ça ne changera pas grand-chose dans le lit. Ou, si c'est pour changer de quoi, ça va prendre du temps.

Ce fut elle qui rit cette fois.

— Je te prenais comme tu venais, Gab, mais je pense que ce sera plus facile encore comme ça entre nous deux.

— Je le sais. C'est pour ça que j'ai autre chose à te demander.

Elle haussa les sourcils. Il aurait pu lui demander la lune, elle la lui aurait décrochée. Et diable qu'elle se trouvait pathétique pour ça !

— Pour éviter que je m'ennuie trop chez nous et que je rechute, je me disais que je pourrais peut-être venir vivre ici. Oh, peut-être pas dans ta maison. Parce que j'avoue que c'est un peu petit pour trois personnes. Surtout avec un ado. Mais comme l'été s'en vient et qu'on va être beaucoup dehors, on ne devrait pas trop se taper sur les nerfs. Pis je me disais que je pourrais profiter des prochains mois pour me construire un coin à moi quelque part sur ton terrain. Assez loin, mais pas trop. Parce que tu sais, moi, je suis bien dans le désordre. Je me sentirais même un peu perdu si je devais vivre tout le temps dans une belle maison propre. J'ai une manière bien à moi d'organiser mes affaires et je n'aime pas trop que les autres s'en mêlent.

Comme elle ne parlait pas, il s'empressa d'ajouter :

— Comme ça, on pourrait dormir ensemble quand ça nous tenterait, mais aussi dormir séparés quand ça ne nous tenterait pas. Et puis ça me ferait moins de voyageage. D'ici au garage, c'est pas mal moins long que d'ici à Annie Lake. Pis inquiète-toi pas. Je louerais ma maison. Ça ne serait pas difficile ; il y a encore une pénurie de logements. Avec cet argent-là, je te paierais un loyer. Pis comme je ne vendrais pas la maison, mais que je ferais juste la louer, ben si jamais ça ne marche pas entre nous deux, je pourrais toujours mettre mes locataires dehors et retourner chez nous.

Il avait parlé presque sans respirer, et son discours avait ramené dans l'esprit d'Élisabeth une réplique entendue dans un film des années plus tôt. Des mots qui l'avaient bouleversée parce qu'elle y avait cru sans vraiment en comprendre toute la portée. Elle entendit de nouveau la voix Meryl Streep, dans *Souvenirs d'Afrique* : «Quand les dieux veulent nous punir, ils exaucent nos prières.» À ce moment précis de sa vie, cette phrase prenait tout son sens.

— Tu n'as pas peur que ça se passe mal si on vit ensemble? demanda-t-elle. Je veux dire… C'est ça que je voulais, au fond, mais… On ne sait pas comment ça va se passer. On pourrait tous les deux le regretter. Pis après, il ne nous resterait plus rien.

— Si on ne prend pas la chance, Bebette, on ne le saura jamais.

Elle le regarda dans les yeux. Il n'y avait rien au monde qu'elle désirait davantage que de dormir, soir après soir, dans les bras de Gabriel. Sentir toutes les nuits son corps contre le sien. Rire à ses blagues. Écouter ses histoires. S'émerveiller de ses mystères. Sentir la vie, la vraie, à travers lui.

— Tu as un drôle de sourire dans la face. Est-ce que ça veut dire oui?

Elle n'avait même pas réalisé qu'elle souriait, alors elle hocha simplement la tête. Gabriel se leva pour la faire basculer avec lui sur le divan. Sa bouche prit la sienne, et Élisabeth se dit que ce baiser, c'était la vie elle-même qui venait de lui faire une promesse.

Il la déshabilla lentement, l'effleurant partout de ses lèvres, la caressant par endroits précis du bout de la langue.

Dans le poêle, une bûche s'effondra.

Dans la *cabin* au fond du terrain, David dormait.

Et dans le corps d'Élisabeth, le cosmos se réchauffa jusqu'à l'explosion. Un big bang qu'elle n'aurait échangé contre rien au monde. Parce que c'était le sien. Et parce que c'était Gabriel qui l'avait provoqué. À sa manière.

CHAPITRE 25

Le lendemain étant un samedi, Gabriel retourna à Annie Lake chercher ses vêtements, quelques effets personnels et quelques outils. Tout ce dont il pensait avoir besoin pour une première étape. Il laissa David au garage ; il fallait de l'eau courante pour se teindre les cheveux, et le garage était pourvu d'une salle de bain avec douche, toilette et évier.

Pendant leur absence, Élisabeth fit du ménage pour libérer deux tiroirs de sa commode et rangea ce qu'elle pouvait ranger pour laisser deux crochets vides près de la porte. Ça lui faisait tout drôle de réaménager sa maison pour un homme.

Quand elle eut fini de faire de la place, elle sortit nettoyer l'enclos et donner à manger et à boire aux chiens.

Elle avait fait le tour de toutes les niches et avait nourri et abreuvé tout le monde quand elle aperçut Transam dans les buissons qui bordaient le chenil. Comme elle avait maigri ! Elle devait s'être battue – s'être fait battre, pour être plus juste –, parce que son poil était couvert de taches brunes. Élisabeth se rendit dans le congélateur du hangar, en revint très vite et se dirigea vers la chienne. Pour éviter de l'effaroucher, elle s'agenouilla quand elle fut à une dizaine de mètres.

Elle l'appela doucement et lui tendit un morceau de viande congelée. Affamée, Transam s'approcha et se laissa capturer. Elle avait cavalé pendant presque deux semaines.

*

Au début juin, Transam donna naissance à six petits, résultat de ses jours d'errance. Élisabeth laissa David choisir le thème de la portée. Ce n'est pas sans malice qu'il leur donna des noms de sucreries. Fudge, Caramel, Jujube, Chipit, Réglisse et Guimauve arboraient une robe aussi colorée que leurs prédécesseurs, un mélange de brun, de blanc, de noir et de gris sans motif particulier.

Mais cette descendance malvenue, et qui plus est d'un père inconnu, ne faisait pas du tout l'affaire d'Élisabeth. C'était du travail supplémentaire, une autre tâche de nettoyage et d'éducation qui s'ajouterait aux corvées quotidiennes. Sans parler des coûts qui, une fois les chiots sevrés, viendraient drainer le budget du chenil.

Comme elle s'en plaignait un soir à table, David lui suggéra de vendre quelques-uns des chiots.

— Je ne vois pas pourquoi tu les garderais tous de toute façon. Il y en a bien trop. Si tu en vendais quelques-uns, ça ferait ça de moins à nourrir et ça te rapporterait de l'argent.

— Es-tu malade!?! Je ne peux pas vendre un des chiots. Tout d'un coup que c'est un champion?

— OK. Dans ce cas-là, attends de voir ceux qui sont des champions. Pis comme ça, tu vendras juste ceux qui ne le sont pas.

Élisabeth s'étouffa presque de rire.

— Quoi? demanda David. J'ai dit quelque chose de drôle?

Incapable de répondre, elle se leva et sortit sur la galerie. Elle riait tellement que des larmes roulaient sur ses joues. C'est sa propre naïveté qu'elle reconnaissait chez David, ses illusions d'autrefois, sa propre ignorance aussi. Que de chemin elle avait parcouru depuis! Son regard se posa sur le chenil où tout le monde dormait bien tranquillement. Vendre des chiots! Il n'en était pas question! Et elle éclata de rire, encore une fois.

Dans la maison, Gabriel expliquait à David pourquoi sa solution, qui semblait évidente, serait bien difficile à réaliser.

— Vois-tu, mon gars, ta tante ne saura pas qui est bon et qui n'est pas bon avant d'avoir commencé à entraîner les chiots. Et ça, ça n'ira pas avant l'automne pour la portée des vents et celle des villes. Pour les bonbons, ça va aller dans un an! Et jusque-là, il va falloir nourrir tout le monde, tu comprends.

— Oui, mais après? Elle pourrait les vendre après.

— C'est justement ça, l'autre problème. Ceux qui achètent des chiens de traîneau ne sont pas niaiseux. Ils comprendront très vite qu'Élisabeth vendra ses moins bons.

— Elle aura juste à les vendre à des gens qui ne font pas de traîneau, dans ce cas-là. Du monde ordinaire qui veut un chien de maison.

— C'est une bonne idée, mais il faut que tu comprennes que ces chiens-là auront passé au moins un an dans un chenil. Quand le nouveau propriétaire va en rentrer un dans sa maison, le chien va pisser partout pour faire son territoire.

David soupira.

— Qu'est-ce qu'on peut faire, dans ce cas-là?

— Rien. À part surveiller les femelles pour ne pas qu'elles se fassent monter. Pis toujours dételer Transam le plus proche possible de la porte de l'enclos.

Sur la galerie, Élisabeth approuva d'un hochement de tête.

Dès le lendemain, elle entreprit de hausser la hauteur des clôtures qui cernaient le chenil. Juste au cas où Ravenne déciderait de rendre visite à Minuk – ou à un autre mâle – la prochaine fois qu'elle serait en chaleurs.

*

Montréalaise d'origine italienne, madame Beltrano n'avait jamais envisagé de devenir directrice d'école. Elle était venue dans le Nord pour suivre son mari quand il avait été embauché par le ministère de l'Éducation du Yukon, dix ans plus tôt. Elle avait gravi les échelons par défaut; il n'y avait personne d'assez compétent pour occuper ce poste. Élisabeth la connaissait parce qu'elle emmenait ses enfants chez le dentiste une fois par année. Elle l'avait toujours trouvée bien sympathique, mais ne s'était jamais imaginé qu'elle se retrouverait assise dans son bureau en tant que parent d'élève.

— J'aurais préféré qu'on le fasse passer, et c'est ce qui serait arrivé s'il n'y avait eu que ses notes d'avril, mai et juin. Mais…

L'air sincèrement navré, elle tendit à Élisabeth les résultats de David aux examens finaux, une liste catastrophique où la note la plus élevée était de 50 %.

Élisabeth s'y était attendue. En recevant le précédent bulletin, envoyé par la poste depuis l'ancienne école de David, elle avait ressenti tout un choc. Son frère n'avait pas exagéré en affirmant que David était difficile. Il avait manqué plusieurs jours de classe, et n'avait pas toujours remis les travaux demandés. Et même si elle l'avait forcé à davantage d'assiduité depuis qu'il était au Yukon, et qu'il y avait en effet mis plus de cœur depuis quelques semaines, c'était insuffisant.

— Ça ne serait pas lui rendre service que de l'inscrire en dixième année parce qu'il ne sera jamais capable de suivre le programme.

— Ça veut dire qu'il va doubler ?

Madame Beltrano fit un petit geste de la tête, les lèvres pincées.

Sur le chemin du retour, Élisabeth annonça la mauvaise nouvelle à David. Elle s'attendait à des protestations, mais n'eut droit qu'à un haussement d'épaules fataliste.

— J'aurais coulé au Québec aussi.

Elle aurait aimé trouver quelque chose d'encourageant à dire, mais rien ne lui vint à l'esprit. David reprendrait sa troisième secondaire. Point. Il n'y avait rien à ajouter. Aucune autre explication n'était nécessaire, même pas pour lui.

Elle se concentra donc sur le souper qu'elle allait préparer en arrivant et conduisit en silence, admirant le paysage qu'elle connaissait par cœur. David, lui, étudiait le ciel.

— C'est drôle, dit-il. Au Québec, quand le soleil est haut comme ça, c'est parce qu'il est midi.

Élisabeth sourit. Si David était encore capable de s'émerveiller pour quelque chose d'aussi naturel et familier que le soleil, tout n'était pas perdu.

*

Même si elle était fort occupée, Élisabeth essayait de passer voir Jim au foyer une fois par semaine. Elle en revenait toujours le cœur brisé. Il avait maigri et paraissait avoir dix ans de plus.

— Je veux reprendre mon poste de handler.

Élisabeth lui répondait chaque fois qu'il était trop âgé et trop mal en point.

— Pour être mal en point, c'est vrai. Mais ça ne durera pas. Pour ce qui est d'être vieux, tu ne pensais pas que je l'étais avant de connaître mon âge, alors lâche-moi avec ça.

Élisabeth changeait de sujet, mais Jim, inlassablement, revenait à la charge.

— Je veux retourner dans ma *cabin*. On ne voit même pas les montagnes ici ! Le ciel non plus !

Et il concluait que si on le forçait à passer l'hiver au foyer, il en mourrait.

Élisabeth le comprenait sans doute mieux que quiconque, mais elle savait qu'elle n'y pouvait rien. Jim se déplaçait maintenant avec une marchette. Impossible de l'imaginer au milieu des chiens ! Et puis, c'était David qui vivait désormais dans la cabane du fond. Mais cela, elle ne le lui avait pas encore avoué, évidemment. Son cœur, pensait-elle, ne l'aurait pas supporté.

Belleville Public Library
Date Due Slip
- - - - - - - - - - - - -

User ID: 21000001208268

Title: ILLO interlibrary loan
Belleville
Call number: illo Une
deuxieme vie: tome II
Item ID: 31000003570309
Checkout Date: 23
November 2021 13:00
Due Date: 14 December
2021 23:59

Total checkouts for session:
1
Total checkouts:1

- - - - - - - - - - - - -

Thank-you for using
Belleville Public Library
613-968-6731 ext. 2021
- - - - - - - - - - - - -

Visit the Parrott Gallery
and Shop 3rd Floor

CHAPITRE 26

— Cette année-là, j'ai connu mon pire hiver au Yukon. Il paraît que c'était encore plus froid à Dawson, mais je vous jure qu'ici, c'était l'enfer. La nuit, les arbres éclataient. BOUM! On aurait dit un coup de tonnerre.

Comme pour se réchauffer du froid qui régnait dans ses souvenirs, Gabriel jeta un bout de bois dans le feu. Les flammes crépitèrent un moment, s'élevèrent un peu plus haut, avant de recommencer à brûler normalement. Il était presque minuit, mais sous le ciel clair typique des nuits de juin, on veillait tard. Gabriel avait rapporté de chez lui deux chaises de parterre défoncées, mais encore utilisables. Tous les trois avaient pris place autour de la demi-cuve de laveuse qui servait de foyer.

Depuis la fin de l'année scolaire, ils avaient pris l'habitude, le soir après le souper, de faire un feu et de se raconter des histoires. C'était l'idée qu'avait trouvée Élisabeth quand elle avait réalisé que David souffrait de nouveau de l'absence de ses parents. Pendant les nuits les plus chaudes, il laissait la fenêtre ouverte, et elle l'entendait encore pleurer, tout seul dans sa cabane. Dans ces moments-là, elle regrettait un peu la dureté avec laquelle elle l'avait mis à la porte. Le matin, cependant, quand il venait déjeuner et qu'il caressait Ravenne avec affection, elle se rassurait. La maison était trop petite pour la partager avec un adolescent. Et, avec le temps, elle comprit qu'il aimait bien avoir son petit coin à lui, même s'il lui arrivait de s'ennuyer la nuit de la famille qu'il avait perdue.

Les meilleures histoires, c'était Gabriel qui les racontait. Élisabeth se rendait compte que, comme Jim, il n'aimait rien tant qu'un auditoire captif.

— Ça faisait une semaine qu'il faisait -40 °C le jour et -43 °C la nuit. À cette température-là, les moteurs ne partent pas, tu sais bien. Mais moi, il fallait que je retourne en ville parce que je n'avais plus rien à manger. Les réserves, ce n'est pas éternel! Et quand le froid dure depuis une semaine, on finit par voir le blanc des armoires.

Il but une gorgée de bière pour créer du suspense et, satisfait du résultat, il reprit.

— Mon pick-up, donc, ne partait pas. Je l'avais branché la veille, évidemment, mais, comme ça arrive souvent au Yukon quand il fait ben frette, on manquait d'électricité.

Il soupira exagérément en levant les yeux au ciel.

— Dans le pire de l'hiver, j'aide tout le temps le poêle à bois de la cuisine avec une chaufferette de construction qui marche au kérosène. Pour la partir, j'utilise un générateur de trois mille watts que je garde dehors. À 11 heures ce matin-là, je sors avec la chaufferette. Je voulais m'en servir pour réchauffer le moteur de mon pick-up. Je branche la chaufferette dans le générateur et, lui, j'essaie de le démarrer. Il n'y avait rien à faire! Le maudit générateur ne partait pas. Frustré, je rentre le générateur et la chaufferette dans la maison. Au bout de quarante-cinq minutes, je les ressors tous les deux. Cette fois-là, le générateur a démarré. J'ai branché la chaufferette et j'ai eu de la chaleur pendant une demi-heure… et là, tout s'est arrêté. Là, mes amis, je vous le dis, je parlais arabe.

David émit un petit rire, sans quitter Gabriel des yeux.

— J'ai donc rentré le générateur dans la maison pour le réchauffer. Au début de l'après-midi, je l'ai ressorti, mais cette fois, c'est la maudite chaufferette qui faisait la grève de la faim. À ce moment-là de la journée, mon cas s'était aggravé : je parlais mandarin.

David rit encore une fois, et Élisabeth, qui écoutait avec autant d'intérêt, fut émue de voir la fascination dans les yeux de son neveu. Gabriel avait bien compris le rôle qu'il allait jouer auprès de lui. Et il le jouait à fond.

— Aux grands maux, les grands moyens, poursuivit-il. J'ai sorti une rôtisserie de cuisine, je l'ai remplie de charbon de bois et je l'ai allumée. J'ai attendu une petite heure pour que les flammes descendent et qu'il me reste juste de la belle braise. Là, j'ai glissé la rôtisserie en dessous la panne à l'huile et j'ai attendu une autre heure. Vous imaginez bien que j'étais à bout de nerfs. Il était 5 heures du soir, et il faisait encore plus froid depuis que la noirceur était tombée. Quand j'ai fini par tourner la clé, je me suis dit que c'était ma dernière chance. Si je manquais mon coup, je tuais la batterie.

— Et ça a fonctionné ?

— Évidemment que ça a fonctionné ! À quoi tu penses ? Tu parles à un mécanicien, quand même !

Gabriel bomba le torse, avala une gorgée de bière et sourit. L'admiration que lui vouait David flattait son ego.

— Ça fait que je suis descendu en ville faire mon épicerie, pis je suis remonté à la maison. Je venais juste de mettre le pied dans la cuisine quand l'électricité est revenue. Je n'ai même pas eu besoin de mon générateur pour me faire à souper.

— Wow ! J'aimerais ça, connaître la mécanique comme toi !

— C'est vrai ?

David hocha la tête avec vigueur.

— Ben je vais faire un deal avec toi, lança Gabriel après avoir fait un clin d'œil discret à Élisabeth. Je vais te montrer tout ce que je sais.

— Sérieux ?

David devint tout excité, comme quand il était petit et qu'on lui tendait un cadeau de Noël. Il venait de se passer quelque chose, ce soir, autour du feu.

— Évidemment que je suis sérieux, poursuivit Gabriel. Mais en échange, tu devras nettoyer le chenil soir et matin pendant tout l'été.

Élisabeth s'était attendue à quelque chose du genre, mais comme elle connaissait son neveu, elle s'attendait aussi à ce qu'il rejette l'offre. L'adolescent qu'il était devenu ne tomberait pas dans un piège aussi grossier. David, d'ailleurs, avait la mine songeuse. Il évaluait la sincérité de Gabriel. Puis, dans un élan qui le surprit au moins autant qu'il surprit Élisabeth, il lança :

— C'est un deal !

Se tournant ensuite vers elle, il demanda :

— Est-ce que Ravenne et Laska peuvent dormir avec moi dans la cabane ?

Il avait passé la soirée à caresser les chiennes qui ne demandaient pas mieux. Élisabeth acquiesça, heureuse de ce rapprochement. Après tout, vivre dans un chenil et ne pas aimer les chiens, c'était s'assurer de trouver le temps long.

Comme convenu, dès le lendemain, David ramassa les crottes des chiens deux fois par jour. À partir de ce moment-là, les tâches quotidiennes d'Élisabeth furent beaucoup plus légères.

Chapitre 27

— D'habitude, ça mord dans cette rivière-là.

Gabriel lança sa ligne à l'eau pour ce qui devait être la centième fois de la journée.

En ce dimanche de la mi-juillet, on célébrait l'anniversaire de David en pleine nature. Gabriel avait organisé cette partie de pêche afin de combler les manques évidents dans l'éducation du jeune homme.

Comme toujours au Yukon, l'été, il faisait beau. Un vent sec balayait le cours d'eau et apportait un peu de fraîcheur à ceux qui se tenaient sur la rive. Le soleil brillait tellement fort qu'Élisabeth portait ses verres fumés. Gabriel, qui n'en portait jamais, la traitait de touriste. La veille, il avait expliqué à David qu'un vrai pêcheur n'avait pas besoin de lunettes de soleil; il pouvait endurer sans se plaindre la lumière la plus crue. Comme il fallait s'y attendre, au matin, David avait refusé les verres fumés qu'Élisabeth lui avait achetés. Il voulait pêcher comme un vrai pêcheur yukonnais. Pas comme un touriste!

Ils avaient quitté la maison un peu après le déjeuner et, depuis, avaient sillonné la région, passant d'une rivière à l'autre.

Ils n'avaient attrapé qu'un poisson, autour de midi, dans la deuxième rivière qu'ils avaient visitée. La prise attendait encore dans la glacière. Inutile d'allumer un feu si on n'avait pas de quoi festoyer.

— Ici, j'en ai déjà pogné un gros. Quinze pouces au moins, qu'il mesurait!

— Ouais, ouais, railla Élisabeth, ils disent tous ça.

Au dîner, elle leur avait servi des sandwichs avec un brin de moquerie.

— Au Yukon, David, il faut toujours être prêt, avait-elle dit. Et il faut prévoir les accidents et les bad lucks. Préfères-tu aux œufs ou au poulet, Gab?

Gabriel ne désespérait pas. À 20 heures, il les avait conduits à son *spot* secret et tentait maintenant de prouver qu'il était un grand pêcheur, tout en corrigeant les maladresses de David qui tendait sa ligne à côté de la sienne.

— C'est ça. Tu lances comme ça. Fais attention quand tu marches. Le bruit fait peur aux poissons.

Concentré, David acquiesçait et s'assurait que le prochain pas serait aussi discret que possible.

Élisabeth ne pêchait plus. Si elle avait tendu sa ligne avec eux pendant la première partie de la journée, elle avait fini par se lasser de la retirer de l'eau et de l'y remettre en vain. Elle avait donc sorti un livre et, tout en gardant un œil sur Ravenne et Laska qui exploraient les environs, elle lisait dans l'ombre de la camionnette. Elle en était maintenant à étudier la génétique des chiens. Si elle voulait des champions, il lui fallait comprendre le fonctionnement de la nature. Elle n'était pas sotte, elle savait bien qu'il ne suffisait pas de croiser deux champions pour en obtenir un troisième. Parce que si on reproduisait des qualités, on reproduisait aussi des défauts. Il fallait donc savoir exactement ce qu'on voulait et être en mesure d'évaluer ses chances de l'obtenir.

De temps en temps, elle levait les yeux de son livre et profitait de l'avantage que lui procuraient ses verres fumés pour regarder David et Gabriel, et se réjouir de leur complicité. Comme son neveu avait changé depuis l'arrivée de Gabriel à la maison, deux mois plus tôt! Certes, il continuait de se teindre les cheveux en noir et il était évident que sa famille lui manquait. Mais pour le reste, ça relevait du miracle. Il aidait à faire la vaisselle. Il tenait sa cabane propre. Il participait à la corvée de bois pour l'hiver. Et il ramassait, deux fois par jour, comme il l'avait promis, les crottes du chenil. Élisabeth percevait toutefois chez lui une autre transformation. Ou plutôt, une transformation à un autre niveau.

Il n'était plus en colère.

Cette colère, qui, d'ailleurs, ne datait pas de l'accident, avait fait de lui pendant des années un adolescent détestable. Il en voulait à la terre entière, apparemment sans raison. C'était en tout cas la version qu'Élisabeth avait obtenue de son frère lorsqu'ils s'étaient parlé pour la dernière fois, quelque temps avant l'accident. Or, voilà que le ressentiment avait fait place à une curiosité et à une joie de vivre jusque-là inconnues. Enfin, pas exactement : quand il était petit, David avait su faire preuve de curiosité. Et il avait souvent manifesté de la joie, du contentement et même de l'exubérance dans l'expression de son bonheur. Ces aptitudes semblaient refaire surface, grâce à l'attention que lui portait Gabriel. Pour ces raisons, on n'aurait pu imaginer un meilleur cadeau d'anniversaire que cette partie de pêche.

Le regard d'Élisabeth s'attarda sur la silhouette de Gabriel. Quand il portait un t-shirt, comme aujourd'hui, on mesurait pleinement la carrure de ses épaules, mais aussi la grosseur de ses avant-bras. Les muscles saillaient sous la peau, bien découpés. Un peu comme le Popeye des dessins animés, songea Élisabeth en rigolant.

Réalisant soudain qu'elle n'avait pas vu les chiennes depuis un moment, elle se redressa et les appela. Contrairement aux rivières précédentes, celle-ci était bordée de buissons et d'arbres de petite taille. Les chiennes sortirent tout à coup de sous les branches. Un lièvre désarticulé pendait dans la gueule de Laska. Ravenne venait de lui apprendre à chasser.

Élisabeth dut forcer les mâchoires de Laska pour lui enlever sa proie, qu'elle jeta dans une autre glacière. Gabriel saurait bien quoi faire avec ça.

— Ravenne, viens! ordonna-t-elle ensuite en se dirigeant vers un endroit où elle pourrait se soulager en toute intimité.

La chienne bondit et la devança, comme à son habitude, pour ouvrir la voie. Laska la suivit. Élisabeth jugeait prudent de se faire précéder des chiens au cas où un ours serait en train de cueillir des baies à proximité.

Elle venait de s'installer pour uriner quand Gabriel la héla:

— Bebette!

— Quoi?

— Tu es où?

— Dans le bois.

— Viens voir!

Élisabeth remonta son pantalon et gagna la rive. Elle s'immobilisa quand elle aperçut David et Gabriel, les bras tendus, un poisson accroché à chacune de leur ligne. Ils paraissaient aussi fiers l'un que l'autre, mais ce qui la frappa, c'était ce qui se dégageait d'eux. Quand il était question de son neveu, Élisabeth admettait volontiers qu'elle le trouvait beau. Ça avait toujours été le cas, même maintenant, même avec ses cheveux noirs. Mais la beauté qui se dégageait de Gabriel avait une tout autre qualité. Ça dépassait la beauté physique. Ça dépassait la joie de vivre aussi. C'était comme une lumière supplémentaire dans la lumière du jour. Comme un rayon plus intense encore que les rayons du soleil. On aurait dit que

Gabriel montrait son âme. Et cette âme semblait dire à Élisabeth, avec humilité : « Aime-moi. »

Elle chercha ses mots pendant quelques secondes. Elle avait l'impression que la boule qui s'était formée dans sa gorge l'avait frappée d'aphasie. Quand elle retrouva enfin sa capacité à s'exprimer, elle leur sourit, s'approcha et inspecta les prises.

— Wow ! dit-elle simplement. On va enfin pouvoir souper !

Il y avait beaucoup d'amour sous la moquerie. Elle espérait que Gabriel s'en était aperçu.

Chapitre 28

— Ça m'énerve un peu parce que j'avais prévu de faire la Quest pour fêter mes quarante ans.

Assise sur la galerie, les pieds dans le vide, Élisabeth expliquait à Jim sa plus grande déception de l'année : elle n'avait pas assez d'argent pour réaliser ses plans. Elle hébergeait trop de chiens, plusieurs d'entre eux n'étaient pas en âge de tirer ou commençaient tout juste. Et l'ensemble du chenil lui coûtait tellement cher qu'elle n'avait pas les moyens d'acheter cinq ou six bons chiens de course.

— Et même si je pouvais les acheter, poursuivit-elle, je n'aurais pas de quoi les nourrir. Et c'est sans parler des vaccins et du vétérinaire.

Jim tira sur sa cigarette, retint la fumée un moment et la souffla ensuite loin devant lui. Il ne parlait pas, mais Élisabeth savait que les mots lui brûlaient la langue.

C'était lui qui l'avait appelée ce matin-là. Il s'ennuyait de sa cabane, des chiens, des montagnes.

— On ne voit même pas le soleil se coucher, d'ici, s'était-il plaint au téléphone.

Elle était allée le chercher au milieu de l'après-midi pour qu'il soupe avec eux. Il n'avait pas encore rencontré David, mais s'était montré un brin de mauvaise humeur en apprenant que l'adolescent habitait sa cabane. Il connaissait l'histoire de David et en avait un peu pitié, c'était vrai. Mais pas au point de se réjouir de le voir prendre sa place!

— Où est le corbeau? avait-il demandé tout de suite en arrivant.

Il avait l'habitude de voir Ravenne lui sauter dessus dès qu'il posait le pied sur le terrain. Étrangement, l'accueil que lui avait réservé Laska, pourtant similaire, l'avait laissé de glace.

— Elle est à la chasse avec David et Gabriel.

— À la chasse? Ravenne? Pff! Elle est juste bonne pour faire fuir les oiseaux, cette chienne-là.

Élisabeth n'avait pas besoin de lui rappeler que c'était Ravenne qui l'avait trouvé dans la neige derrière sa cabane, le jour où il s'était blessé. Il ne le savait que trop bien.

Il avait néanmoins continué de ronchonner pendant quinze minutes, puis il était allé faire un tour dans le chenil, avait caressé les chiens l'un après l'autre, en s'attardant davantage sur les chiots dont il essayait d'évaluer le potentiel. Il était ensuite venu la rejoindre sur la galerie en lui lançant:

— Si c'est tout ce que tu as de bois pour l'hiver, tu vas en manquer.

Il s'était assis, s'était roulé une cigarette et n'avait plus dit un mot au sujet de la cabane. Ils regardaient maintenant le soleil qui descendait derrière les montagnes, un peu plus au sud que la semaine précédente. De temps en temps, l'estomac de Jim émettait un borborygme que tous deux ignoraient. Par politesse, ils attendaient les autres pour manger.

Jim fumait tranquillement. Le souper sentait bon jusque sur la galerie. Un poulet rôti avec des patates pilées, une salade et pour dessert, un gâteau Boston. C'était ce qu'avait exigé Jim avant d'accepter l'invitation.

— Je vais te raconter quelque chose. Tu me diras ensuite ce que tu en penses.

Il tira de nouveau sur sa cigarette.

— La première fois que j'ai fait la Quest, j'ai pigé le dossard numéro dix.

Pause. Bouffée de fumée.

— Cette année-là, j'ai fini dixième.

Élisabeth hocha la tête, perplexe.

— Et?

— La deuxième fois, c'était quelques années plus tard, j'ai pigé le dossard numéro trois.

Il s'arrêta et regarda Élisabeth dans les yeux. Comme d'habitude, il savourait l'intérêt qu'on lui prêtait.

— J'ai fini douzième.

Nouvelle pause. Nouvelle bouffée de fumée. Le soleil descendait tout doucement, colorant le ciel de rose et d'orangé.

— La troisième fois, j'ai pigé le dossard numéro quatorze.

Il laissa s'écouler presque une minute et pendant ce temps, il contempla l'horizon.

— J'ai fini cinquième. Est-ce que tu vois où je veux en venir?

Élisabeth secoua la tête.

Jim avait plissé les yeux à cause du soleil. Il lui offrit un sourire qui ressemblait davantage à une grimace.

— C'est exactement ça. Il n'y a que les humains pour donner de l'importance aux chiffres. Mes chiens, eux, ils s'en fichaient bien du numéro sur mon dossard. Ils couraient de leur mieux, peu importe le numéro de l'équipe.

— Pourquoi est-ce que tu me racontes ça? Ça n'a pas de rapport avec moi.

— Pas de rapport? Mais justement! Tes chiens, ils s'en fichent bien de courir pour ton quarantième anniversaire ou pour le suivant. À la limite, ils se fichent même de courir dans une course ou une autre, pourvu qu'ils courent assez souvent et assez longtemps.

— Tu veux dire que ce n'est pas grave si je ne fais pas la Quest cet hiver ?

Il se leva, écrasa sa cigarette par terre avant de frotter la semelle de sa botte sur le tabac pour s'assurer de bien l'éteindre.

— Ce que je veux dire, surtout, c'est qu'il faut que les étoiles soient alignées. Cette année, manifestement, ce n'est pas la bonne année. Tu as eu plein de bouleversements dans ta vie. Tu manques d'argent, tu manques de chiens et tu as trop de bouches à nourrir. C'est certain qu'ils ne seront pas inutiles bien longtemps, ces chiots-là. Si tu prenais un an de plus, disons, ça leur donnerait le temps de vieillir et de devenir bons. Et puis tu pourrais t'équiper correctement.

Il désigna du menton le traîneau qui gisait près du chenil. Il en désapprouvait toujours l'achat.

— Tu ne finiras jamais une course de mille six cents kilomètres avec un rafiot comme celui-là. Et puis dis-moi pourquoi il traîne dans le milieu de la place, ce traîneau-là. Le hangar n'est pas assez grand ?

Élisabeth lui raconta la fugue de Transam.

— J'ai découvert que ça la rassurait de voir le traîneau.

Jim avisa la chienne qui fixait justement le traîneau pendant que ses petits, d'un mois à peine, s'agitaient en tous sens dans l'enclos de la pouponnière.

— Il y aura peut-être un bon chien parmi ceux-là.

— Je l'espère. Je ne sais même pas qui est le père. Le plus gros… Oui, oui, le gris qui se tient au bord de la clôture. Ben il a la queue qui roule. Je me dis qu'il tient ça du malamute. Mais comme je ne sais pas si Transam a aussi du malamute, je ne suis pas plus avancée.

— Ben, tu vois. Si tu attends encore un an pour faire la Quest, ces petits-là aussi seront en âge de courir. Il y en a combien ? Cinq ?

— Six.

— Sur six, on peut espérer qu'il s'en trouvera au moins un qui aime tirer. Peut-être même deux, si on pense que la mère te sert parfois de leader. Même chose dans les deux autres portées.

À ce moment-là, la camionnette de Gabriel apparut dans l'entrée. Élisabeth le vit descendre, suivi de David. Ils paraissaient aussi excités l'un que l'autre. Ravenne bondit sur la galerie. Elle vint d'abord se blottir contre Élisabeth avant d'aller quémander des caresses à Jim qui, tout en disant que la chienne le dérangeait, se plia néanmoins à ses caprices.

Gabriel sauta sur la galerie sans toucher aux marches.

— J'ai l'honneur de t'apprendre qu'à partir d'aujourd'hui, Ravenne mérite sa pitance comme les autres.

Élisabeth haussa les sourcils.

— Ah oui ? Pourquoi ?

Il se tourna vers David qui, tout heureux, entreprit de raconter ce qui s'était passé.

— Tu aurais dû voir ça ! On était dans le bois, en train de chercher un orignal ou un caribou ou quelque chose en tout cas. Ravenne trottait autour de nous comme si de rien n'était. Moi, j'étais en arrière. Je regardais un aigle dans le ciel. Et puis tout à coup, j'ai entendu un grognement. J'ai vu Gab, qui était penché pour attacher ses bottes un peu plus loin en avant de moi. Et puis j'ai vu l'ours à côté. Et j'ai vu Ravenne sauter par-dessus Gab pour aller mordre l'ours à la gorge. C'était juste le petit délai qu'il fallait pour que Gab lève son fusil pis BANG ! Il a tiré l'ours qui voulait le manger. Je te le dis, ma tante. Si Ravenne n'avait pas été là, Gabriel était mort. Pis moi aussi, parce que je n'avais pas de fusil pis que même si j'en avais eu un, je n'aurais jamais pensé à tirer.

Une vive douleur traversa la poitrine d'Élisabeth. Elle n'avait qu'une image en tête : ses deux hommes gisant par terre, au milieu de la forêt, leurs corps découpés en morceaux, d'abord par un ours, puis par les loups, puis par les oiseaux charognards. Son regard s'embua, et elle se pencha pour caresser la chienne.

— On dirait bien, marmonna Jim sur un ton faussement bourru, que le corbeau va enfin servir à quelque chose.

Élisabeth pensa tout à coup à la cabane de Sandy, à Grubberville. Elle se revit choisir la petite boule noire qui gigotait. Ce jour-là, sans le savoir, elle avait sauvé la vie de l'animal qui, quelques années plus tard, allait sauver celle des deux êtres qu'elle aimait le plus au monde.

Chapitre 29

Ils n'avaient pas été partis longtemps, trois heures tout au plus, mais ces trois heures avaient dû sembler une éternité à Transam. Et l'éternité durerait encore si Élisabeth ne s'était rappelé, au milieu d'une allée, poussant un panier d'épicerie plein à ras bord, qu'elle devait appeler sa mère ce jour-là et qu'elle voulait profiter de l'absence des deux autres pour jaser tranquillement au téléphone. Ils travaillaient au garage, ses hommes, Gabriel s'étant transformé en professeur de mécanique et David, en élève studieux.

Pendant ces trois heures d'absence, on avait eu le temps de perdre quatre petits. Les coupables – des loups – ne devaient pas être loin, à se régaler de chiots volés.

Debout dans la pouponnière, Élisabeth constatait les dégâts. Un pan de la clôture avait été presque arraché, preuve que les loups s'étaient crus plus agiles qu'ils ne l'étaient et avaient tenté de sauter par-dessus. Il est évidemment plus aisé de bondir allège que chargé. Il faudrait la reconstruire, cette clôture. Plus haute et plus solide.

Recroquevillée dans un coin, ses deux miraculés endormis entre les pattes, Transam léchait ses plaies. Comment avait-elle réussi à les sauver ? Élisabeth imaginait la scène et en frémissait. Il y avait du sang dans la paille, preuve que la bataille avait été rude. Le poil de Transam laissait voir une morsure au cou, juste au-dessus de l'épaule. Il fallait l'emmener chez le vétérinaire, mais Élisabeth jugeait plus prudent de laisser passer l'état de choc avant de l'éloigner de Réglisse et de Guimauve, les deux petits qui lui restaient.

Dans le chenil, la tension était toujours palpable, les loups ayant fui tout récemment. Minuk, surtout, semblait agité. Il tournait autour de sa niche, la chaîne tellement tendue qu'elle en faisait grincer l'attache. Évidemment, les loups ne s'étaient pas aventurés dans le chenil ; Jim avait construit l'enclos solide, et on en avait, depuis, surélevé le pourtour. Même Ravenne n'arrivait plus à y entrer. Mais parce qu'on n'avait pensé qu'à Ravenne, Élisabeth n'avait pas jugé essentiel d'offrir la même protection à la pouponnière. Ce matin, elle s'en mordait les doigts.

*

Par un samedi de la fin août, Gabriel se rendit au dépotoir avec David. Ils en revinrent avec deux fenêtres et une porte qu'ils installèrent le jour même. Après avoir posé la dernière vis, Gabriel fouilla dans sa glacière et ouvrit deux bières.

— Tu l'as mérité, dit-il en tendant à David une bouteille bien froide.

Un peu gêné, mais assoiffé, David avala une grande gorgée en tentant de reproduire dans son geste la désinvolture de Gabriel.

Ils s'étaient échinés tout l'été sur cette cabane, profitant des longues heures de clarté pour travailler au plancher, à la charpente, aux murs, au plafond et à l'isolation. Ils s'arrêtaient pour manger et reprenaient souvent en soirée. Et quand, enfin, Gabriel déclarait que c'était assez pour la journée, David affirmait qu'il n'avait jamais été aussi fatigué de sa vie, mais qu'il n'avait jamais non plus autant appris.

Dans un coin de la cabane, le poêle à bois gisait, bancal et sans cheminée. Il restait encore à l'installer. Il fallait aussi construire un lit surélevé et une armoire et un coin cuisine – au cas où il se querellerait avec Élisabeth, disait Gabriel en riant. David riait avec lui et n'hésitait jamais à raconter comment Élisabeth l'avait mis à la porte de sa maison.

— On n'est jamais trop prudent, lançait-il à la blague.

Quand Élisabeth revint de la ville où elle était allée chercher Jim pour souper, elle les trouva un peu ivres, assis au bord du feu, les pieds posés sur le bord de la cuve. Devant eux, dans les flammes, des pommes de terre cuisaient, emballées dans du papier d'aluminium.

— Vous m'avez enfin construit ma cabane! lança Jim en apercevant la nouvelle construction.

Tant Élisabeth que Gabriel se tournèrent vers lui, étonnés. David, qui ne comprenait pas ce qui se passait, n'osa poser de question. Il était bien trop occupé à essayer d'avoir l'air sobre.

— Depuis le temps que je vous dis que je m'ennuyais au foyer! Je ne pensais pas que vous aviez compris. Mais là, à voir cette belle cabane toute neuve… Un gros merci, les enfants! Je suis vraiment content. Si vous saviez à quel point cette place-là me manquait!

Élisabeth s'apprêta à le corriger, mais elle se retint en sentant dans son dos la main de Gabriel. D'un bref coup d'œil, il lui fit comprendre que le vieux Jim ne méritait pas de finir ses jours dans un foyer, lui qui avait vécu au grand air toute sa vie.

Ce soir-là, Jim leur expliqua comment aménager l'intérieur de son nouveau chez-lui. C'était aussi bien ainsi. Élisabeth voulait faire la Yukon Quest et elle avait besoin de quelqu'un qui l'avait déjà faite, qui connaissait la piste et qui pourrait l'aider dans sa préparation. Et puis Jim, qui se déplaçait maintenant sans marchette, n'était pas bien dérangeant. En plus, il pourrait aider David quand l'école recommencerait. Le chenil n'en serait que plus propre. Sans compter que l'argent, versé par Stephen pour le loyer, ne serait pas de trop.

C'est donc l'esprit fixé sur la Quest qu'Élisabeth reconduisit Jim au foyer pour la dernière fois.

— Ramasse tes affaires, lui lança-t-elle au moment où il descendait de la camionnette. Je viens te chercher demain matin.

— Ça dépend… Qu'est-ce qu'il y aura pour dîner ?

Il feignait bien mal l'indifférence. Élisabeth lui répondit :

— Des sloppy joes.

Et elle démarra, amusée.

Chapitre 30

L'accident avait eu lieu à la fin septembre. Le VTT, tiré par des chiens débordant d'énergie, s'était renversé dans une côte et avait entraîné dans sa chute l'attelage au complet en plus du musher. Il avait suffi d'une seconde d'inattention... pire, d'une fraction de seconde d'inattention. Une branche qu'on avait repoussée de la main. Un rayon de soleil qui avait momentanément pénétré sous la visière de la casquette, provoquant un bref éblouissement.

— C'était de ma faute! répétait Ian toutes les cinq minutes. Je savais qu'ils étaient énervés. J'aurais dû faire plus attention. Ne pas mettre Jaguar en avant en même temps que London. C'était trop risqué, je le savais. London n'était pas sortie depuis une semaine. Jaguar sentait qu'elle était sur le point d'être en chaleurs.

Ils étaient assis sur la galerie, face au chenil de Ian. Élisabeth, qui avait eu vent de l'accident, était venue aux nouvelles. Et en constatant le pied dans le plâtre sur lequel Ian s'efforçait de ne pas marcher, elle avait été bouleversée.

— Mais la Quest? avait-elle lancé, avec une inquiétude sincère.

— Oublie la Quest, Frenchie. La mienne, en tout cas. Même si le médecin dit que je pourrai marcher sans canne avant Noël, il sera trop tard pour entraîner les chiens correctement. Non. C'est Vic, mon handler, qui va être content : je lui laisse entraîner qui il veut. Dans mon cas, ça ne changera plus rien. Ma course est finie.

Ils buvaient de la bière même s'il faisait un peu frais. Ian prétendait que l'alcool l'aidait à supporter la douleur. Élisabeth jugeait que c'était probablement plus efficace pour supporter surtout la blessure qu'avait subie son orgueil.

La fracture de la cheville s'était produite quand le VTT avait roulé sur le pied de Ian, un peu avant d'atteindre le bas de la côte. Il se comptait chanceux. L'engin aurait pu lui briser le dos s'il n'avait réussi à s'en dégager à temps.

— Et les chiens ? avait demandé Élisabeth en apprenant les détails de l'accident.

— Les chiens sont corrects. Ah, il y a bien eu quelques foulures et quelques morsures, mais en général, ils se portent pas mal mieux que moi ! Et puis ils pourront courir, eux !

Ils burent un moment en silence, et quand Élisabeth réalisa ce que sa présence avait d'humiliant pour Ian, elle vida sa bouteille et se redressa.

— Si tu as besoin de quelque chose…, dit-elle en se dirigeant vers sa camionnette.

Elle était venue tout de suite après le travail de sorte que ni Laska ni Ravenne ne l'accompagnaient. Elle le regrettait un peu ; elle aurait aimé montrer à Ian ce qu'était devenu le rejeton de Vince Oblonski. Et l'autre, celle qu'il avait toujours appelée *Raven*, le corbeau.

— Dis-moi, Frenchie…

Élisabeth se retourna, une main sur la poignée.

— Oui ?

— As-tu l'intention de faire la Quest cet hiver ?

Elle hésita, craignant qu'il la trouve ridicule. Elle se rappela toutefois que si quelqu'un avait cru en elle dès le début, c'était bien Ian. N'était-ce pas pour cette raison qu'il avait hésité à lui dévoiler ses secrets de musher?

— J'aimerais bien, mais je n'ai pas assez de chiens. Ben, euh, j'en aurais assez, mais ils sont trop jeunes. Je pense que je vais me contenter de la...

— Veux-tu m'en emprunter quelques-uns?

Elle écarquilla les yeux, incrédule.

— Quoi?

— Il t'en manque combien?

Elle réfléchit, comprenant soudain où il voulait en venir.

— Pour bien faire, il m'en faudrait sept ou huit. Tu sais, pour que j'aie des remplaçants si quelqu'un tombe malade...

Elle désigna le pied immobilisé dans le plâtre.

— ... ou si quelqu'un se blesse.

Ian lui fit signe de le suivre dans le chenil.

— OK. Écoute-moi bien. Je sais que tu penses que Cassandre et Minuk sont de bons leaders, mais... Voici ce que je te propose...

Il s'éclaircit la voix et ouvrit le portail d'un des enclos.

— Tu prends Jaguar et London comme leads. Tu mets Cassandre et Minuk en arrière. Tu ajoutes quatre des miens comme équipe...

— Cassandre court beaucoup moins bien quand elle n'est pas en avant.

— Est-ce qu'elle est si bonne que ça?

— C'est la meilleure que j'ai formée.

— Je comprends, mais fais quand même comme je te le dis. Si ça ne marche pas, tu mettras Jaguar et Cassandre en avant, London et Minuk en arrière. Les autres, tu les arrangeras comme tu veux. Jaguar est vraiment bon. Et puis il va t'écouter puisque c'est toi qui l'as entraîné.

Une demi-heure plus tard, tandis qu'elle roulait sur la

route de l'Alaska en direction d'Ibex Valley, Élisabeth dressait des plans. En fin de semaine, elle construirait huit niches supplémentaires. Il fallait aussi téléphoner à Vince Oblonski pour lui commander davantage de nourriture pour l'hiver.

En virant dans la cour devant chez elle, elle jubilait. Comme l'avait si bien dit Jim, pour réussir comme musher, il fallait attendre que les étoiles s'alignent d'elles-mêmes. Et elles venaient de s'aligner au-delà de toute espérance, ces étoiles! Surtout qu'avant de la laisser partir, Ian lui avait remis une grande quantité de rations déshydratées.

— Tu as juste à rajouter de l'eau, avait-il dit en déposant la caisse sur la banquette. Ce n'est peut-être pas meilleur au goût que les conserves, mais c'est pas mal plus léger. Pendant la course, chaque gramme va compter.

Élisabeth avait eu le sourire fendu jusqu'aux oreilles, et ce sourire-là ne s'effaçait pas. Comme elle l'avait tant souhaité, Sissi Létourneau participerait à la Yukon Quest pour ses quarante ans.

Chapitre 31

Pour la première fois depuis qu'elle possédait le chenil, Élisabeth arrivait à boucler son budget. Certes, elle jouait serré, mais comme dès le mois de septembre elle commença à recevoir une allocation pour s'occuper de David, elle eut enfin l'impression de respirer un peu mieux. Le loyer payé pour la cabane de Jim et l'argent versé par Gabriel allaient directement dans le chenil. C'est qu'une participation à la Yukon Quest supposait tout un lot de dépenses. Il fallait, entre autres, se procurer des cordes de trait et des harnais neufs, en plus d'un traîneau Gatt.

— Avec ça, Sissi, tu n'auras plus de problèmes, avait déclaré Jim en la voyant se garer, chargée de son nouveau jouet.

— Plus de problèmes de traîneau, tu veux dire.

— Tu sauras que du bon équipement, ça n'a pas de prix et ça sauve du temps et de l'énergie.

— Je te crois. Mais sans les chiens…

— Évidemment, sans les chiens…

Ils avaient déchargé le matériel et, après avoir rangé les harnais et les cordes et déposé le traîneau neuf à côté de l'ancien dans le hangar, ils entrèrent se faire du café. Il faisait froid. On était samedi. Gabriel et David étaient partis à la chasse.

— Il va neiger bientôt, lança Jim en ajoutant une bûche dans le poêle.

Il avait tout de suite repris ses habitudes et se sentait chez lui dans la maison d'Élisabeth. Comme s'il n'en était jamais parti. Il avait aussi repris son poste de handler, mais avait dû promettre à son fils de ne pas prendre de risques inutiles.

— Je connais mes limites, lui avait-il déclaré, outré que Stephen le pense invalide. Et ces limites se situent probablement bien plus loin que les tiennes.

Il interdisait à quiconque de faire référence à son âge pour justifier quoi que ce soit. Il avait toujours vécu comme un musher et, s'il n'en tenait qu'à lui, il mourrait comme un musher.

— Vous êtes chanceux que je ne tolère plus la vitesse parce que je vous jure que je les entraînerais, moi, les petits derniers.

Sur la table était déployé le plan d'entraînement qu'ils avaient élaboré ensemble. Il fallait désormais alterner les équipes. Élisabeth avait entre les mains dix-huit chiens en état de courir, dont neuf champions. Il fallait utiliser ces derniers à leur plein potentiel, ce qui plaçait au second rang les dix « anciens rejets » qu'Élisabeth avait formés et avec qui elle courait depuis des années.

Jim était arrivé à la même conclusion que Ian : mieux valait mettre les deux meilleurs leaders, Jaguar et London, à l'avant, quitte à les remplacer en cas de blessure, de maladie ou de fatigue.

— Mais Cassandre ne courra pas s'il y a quelqu'un devant !

— Ben oui, elle va courir ! Faut juste lui donner le temps de s'habituer.

Élisabeth s'était rendue à ses arguments parce qu'il s'agissait aussi de ceux de Ian, en qui elle avait confiance. Sur la table, on trouvait donc le plan de la nouvelle formation et les positions que pourraient occuper les remplaçants qui, eux, sortaient un jour sur trois.

Il n'y avait pas encore de neige, alors on s'entraînait avec le VTT. Malgré cela, au bout d'une semaine, les chiens avaient compris ce qui se passait. Quand Élisabeth entrait dans le chenil, les anciens aboyaient plus fort dans l'espoir d'attirer l'attention. Le cœur brisé, elle s'en tenait à son plan et attelait Jaguar et London en tête, Cassandre et Minuk comme chiens de pointe, Escort et Mustang venaient derrière, puis Beetle et Charger, Transam et Odyssey, et enfin Matrix et Camaro. Elle plaçait juste devant le traîneau les chiens de barre de Ian, Jetta et Tundra. Ainsi, elle utilisait les huit chiens de Ian et seulement six des siens. Les jours où elle laissait Jaguar et London se reposer, elle plaçait Cassandre et Minuk devant et attelait Cavalier, Corvette, Silverado et Highlander. Personne n'était dupe, surtout pas les chiens ! Ces quatre derniers ne participeraient pas à la Yukon Quest. Après avoir donné leur cent pour cent pendant deux ans, ils étaient redevenus des rejets, sélection oblige.

Tout allait quand même pour le mieux, du point de vue d'Élisabeth. Elle avait assez de chiens et suffisamment d'argent pour payer la nourriture hyper protéinée à toute son équipe de coureurs, et même à la portée des vents qu'elle avait l'intention d'atteler par intermittence – une fois le couvert de neige suffisant pour sortir avec le traîneau.

La Yukon Quest était enfin envisageable !

Chapitre 32

É lisabeth sortait tous les soirs avec le VTT, et dès l'hiver installé, elle attela le traîneau le soir et les week-ends. Elle partait en expédition, parfois quelques heures, parfois plus longtemps. Comme les années précédentes, elle imitait la course.

Si elle avait senti que les choses étaient devenues plus sérieuses sur le VTT pendant l'automne, dès qu'elle fut en traîneau et que l'attelage prit de la vitesse, elle comprit que sa manière de travailler devait changer. Elle avait eu l'habitude jusque-là d'atteler dix chiens, ce qui créait une distance de six mètres environ entre elle et le nez des leaders. C'était considérable, certes, mais Élisabeth jugeait qu'elle voyait quand même assez loin pour anticiper les obstacles. En décidant d'en atteler quatorze, cette distance avait dépassé les dix mètres, et là, elle voyait beaucoup moins bien.

Plus question de rêvasser, donc, il fallait de la concentration. Plus question non plus de tolérer les moments d'agitation de la part des chiens. Quatorze bêtes de cinquante livres qui tirent un traîneau vers un arbre, ça peut tuer le musher qui se trouve sur les patins. Ça peut, à tout le moins, sérieusement endommager l'armature du panier, sinon ce qui se trouve dedans. Et si, par malheur, il y avait de la glace droit devant, les freins seraient beaucoup moins efficaces. Élisabeth s'était d'ailleurs aperçue du pouvoir qu'elle avait perdu sur les chiens à cause de la distance. Il fallait désormais les entraîner plus fermement, pour qu'ils obéissent tout de suite lorsqu'elle donnait un ordre. Il ne s'agissait plus seulement de course, mais de sécurité. De vie et de mort, en quelque sorte.

Forte de cette résolution, elle consacra tout son temps libre à améliorer sa performance et celle des chiens. Elle faisait son jogging le matin, entraînait son équipe en rentrant du travail et, après le souper, elle remplissait les tableaux et complétait son journal de course. Elle partait en expédition le vendredi soir et ne rentrait que le dimanche soir. Il arrivait même qu'elle prenne congé le vendredi et disparaisse dès le jeudi soir pour étirer l'entraînement et imiter les plus longs segments de la Yukon Quest. Elle testait son équipement, l'endurance des chiens et ses propres compétences. Et tout cela l'enchantait.

Au début de décembre, elle rentra d'un entraînement et trouva la maison vide. Comme il n'y avait pas de note sur la table, elle sortit voir si Gabriel se trouvait chez Jim ou chez David. Il n'y était pas, et personne ne savait où il était parti. Élisabeth revint à la maison, se lava et se coucha. Elle s'endormit tout de suite parce qu'elle était, comme d'habitude, épuisée.

Le lendemain matin, Gabriel n'étant toujours pas rentré, elle lui téléphona. En guise d'explication, il affirma avoir tellement de travail qu'il avait dû dormir au garage. Elle lui dit qu'elle le verrait au souper et s'en alla à la clinique, laissant au passage David à l'école.

Ce soir-là, après l'entraînement quotidien, Élisabeth réalisa que Gabriel n'était toujours pas revenu. Elle se coucha, convaincue que quelque chose n'allait pas. Le lendemain matin, elle déposa David plus tôt à l'école et traversa la ville en direction sud pour se rendre au garage.

Elle trouva Gabriel occupé avec un changement d'huile.

— Qu'est-ce qui se passe ? s'enquit-elle, à moitié soulagée.

— Qu'est-ce que tu veux dire ?

Il feignait la surprise, ce qui fit sortir Élisabeth de ses gonds.

— Ça fait deux fois que tu découches. Ça ne devrait pas m'inquiéter ?

Il émit un petit rire cynique, mais se glissa davantage sous la voiture, de sorte qu'Élisabeth ne pouvait lire l'expression sur son visage.

— Je ne comprends pas, Gab. Qu'est-ce qui ne va pas ?

— Ce qui ne va pas ?

Cette fois, il sortit de sa cachette, se redressa et s'essuya les mains sur une guenille déjà sale.

— Je vais te le dire, ce qui ne va pas. Ça fait deux mois que je ne t'ai pas vue !

— Voyons donc ! Tu dors dans mon lit depuis le mois de mai.

— Je ne parle pas de ça.

— De quoi tu parles, d'abord ?

— Je te parle d'une vie de couple. De conversations, de caresses, de présence. Depuis deux mois, il y a juste les chiens dans ta vie. Les chiens, pis la Quest, évidemment !

Le reproche surprit tellement Élisabeth qu'elle demeura sans voix.

— Tu entraînes tes chiens tous les soirs, poursuivit Gabriel. Tous les soirs. Sans exception. Et depuis que tu as sorti ton nouveau traîneau, tu pars le vendredi soir pis tu reviens le dimanche soir.

— Ben… Euh… C'est ça, un entraînement, Gab. Tu devais bien le savoir quand tu es venu vivre à la maison.

Il la regarda droit dans les yeux.

— Je pensais qu'on aurait une couple de soirs par semaine. Au moins un! Pis une fin de semaine de temps en temps. Comme tu es partie là, je vais passer l'hiver tout seul. Ça fait que je suis aussi bien de retourner vivre à Annie Lake. Ça va me faire moins loin de voyageage.

Élisabeth hésita entre la peur de perdre Gabriel et la colère de se voir reprocher le mode de vie qu'elle avait choisi et qui la passionnait. Elle était une musheuse jusqu'au bout des doigts. Gabriel l'avait toujours su, comme il aurait dû savoir qu'un musher fait passer ses chiens avant le reste.

— Notre vie manque d'équilibre, Bebette.

— C'est pour ça que tu n'es pas rentré coucher?

Il rit.

— Je ne suis pas rentré pour attirer ton attention. Pis figure-toi que je suis déçu de voir que ça t'a pris deux jours à te rendre compte qu'il se passait quelque chose.

— Ça ne m'a pas pris deux jours, voyons! Je t'ai appelé le premier matin!

— Et après?

— Et après? Tu m'as dit que tu avais trop d'ouvrage.

— Tu m'as déjà vu travailler en pleine nuit?

— Non.

Elle réalisa tout à coup ce que l'explication de Gabriel avait eu d'incohérent. Il n'y avait pas de place pour dormir au garage. Il avait probablement passé la nuit sur la banquette de son pick-up. Mais surtout, il n'avait jamais eu tellement de travail. Jamais autant que ce qu'il avait affirmé. Et elle, prise comme elle l'était avec ses chiens, elle n'avait pas réfléchi à ce qu'il lui avait dit. Elle n'avait pas perçu son insatisfaction.

Elle s'excusa.

— Je comprends que tu sois blessé, ajouta-t-elle, penaude. S'il te plaît, Gab, reviens à la maison. On va se faire un horaire, quelque chose qui nous conviendrait à tous les deux.

— Ça serait le fun que tu n'oublies pas David, là-dedans.

David! Gabriel disait vrai. À part les conversations du matin quand ils se rendaient en ville et quand ils en revenaient, elle et David n'avaient pas échangé un mot depuis des semaines. Il participait aux corvées du chenil, fendait du bois, ramassait des crottes et lavait la vaisselle. Il allait à l'école et remettait sans doute ses travaux comme prévu puisque madame Beltrano, la directrice, n'avait pas rappelé.

— Des fois, murmura Gabriel, on a tendance à oublier les enfants tranquilles…

Il referma le capot de la voiture.

— … jusqu'à ce qu'ils arrêtent d'être tranquilles pour qu'on s'occupe d'eux autres.

Élisabeth se rappela les paroles de sa mère, sa détresse au printemps dernier, quand David séchait ses cours, qu'il buvait et fumait.

Une chance qu'elle avait Gabriel pour la rappeler à l'ordre!

Ce soir-là, on établit à trois une liste de règles:

1. Les soupers devraient se prendre en famille après l'entraînement du soir, c'est-à-dire à 20 heures. Aucune excuse acceptée.
2. Gabriel et David s'occuperaient des repas, aidés de Jim quand ça lui conviendrait.
3. La première fin de semaine du mois serait consacrée à la vie de famille. On choisirait les activités à tour de rôle.
4. Interdit de dormir dans la camionnette, que ce soit quand on se rendait en ville ou quand on en revenait, afin de faciliter le dialogue.

Ce dernier point fut abandonné au bout d'une semaine à peine, David n'arrivant jamais à rester éveillé pendant le trajet du matin.

Et la semaine suivante, Élisabeth faisait déjà sauter trois soupers sur sept. Elle partait avec une boîte de conserve et du café et souhaitait à Gabriel et à David une belle soirée. Elle leur avait donné une excuse en béton: jamais la nouvelle équipe ne serait prête pour la Yukon Quest si les entraînements n'étaient pas plus longs.

— Si je pouvais travailler moins d'heures à la clinique, je le ferais.

Et Gabriel, déchiré entre son besoin de la voir et son admiration devant tant de ténacité et de passion, n'osa lui reprocher cette nouvelle désertion. Ce n'était qu'un mauvais moment à passer. La course aurait lieu en février. Après, la vie reprendrait son cours normal. Du moins, l'espérait-il.

CHAPITRE 33

David n'avait pas la constitution robuste d'Élisabeth. En tout cas, il n'était pas, comme elle, une force de la nature. C'est ce qu'elle réalisa quand elle s'aperçut que l'absence de lumière affectait son humeur.

Depuis le début de novembre, il ronchonnait le matin lorsque Élisabeth le conduisait à l'école. Et ça, c'est quand il ne dormait pas sur la banquette parce que souvent, il se levait à la dernière minute et la rejoignait dans la camionnette sans même avoir déjeuné. Il profitait alors des quarante minutes de route pour s'assoupir de nouveau. Le soir, au retour, il ne parlait que pour se plaindre de tel professeur, de tel compagnon de classe. Il trouvait qu'il faisait trop froid. Il trouvait qu'on mangeait mal. Un soir, au souper, il déclara qu'il avait envie de fréquenter des gens normaux.

— Comment ça, normaux ?

Élisabeth ne voyait absolument rien d'anormal dans leur mode de vie. Ils vivaient exactement de la même manière que tous les mushers du Yukon et de l'Alaska, c'est-à-dire en fonction des chiens.

— C'est ça que je veux dire. J'aimerais ça parler avec du monde qui a d'autres sujets de conversation.

— De quoi tu voudrais parler ? s'enquit Gabriel.

— Ben, euh… Je ne le sais pas. De Noël, mettons.

— Qu'est-ce que tu veux dire au sujet de Noël ? s'enquit Jim. Tu aimerais qu'on change la date ?

David n'apprécia pas la plaisanterie et se rembrunit. Gabriel intervint :

— Arrête de le taquiner, Jim. Tu vois bien qu'il manque de lumière.

— Je ne manque pas de lumière, protesta David. Je manque de monde.

— Mais qui est-ce que tu veux tant voir ? Il me semble qu'au Québec, tu n'avais pas d'amis.

David sembla pris au dépourvu.

Le silence revint. On mangea sans dire un mot le souper préparé par Jim. Et soudain, David repoussa son assiette.

— J'aimerais ça qu'on mange de la viande ordinaire des fois.

Élisabeth faillit s'étouffer.

— On mange du gibier depuis que tu vis ici. Tu ne t'en es jamais plaint avant.

— Ben là, je me plains.

— Voyons, souffla Gabriel pour apaiser la tension. Qu'est-ce que tu voudrais manger, David ?

— Du poulet.

Jim posa bruyamment sa fourchette.

— J'en ai fait le mois passé !

— Ben, c'est ça que je dis. J'en voudrais plus souvent.

Élisabeth serra les dents. L'attitude de David lui rappelait son comportement du mois de mars, et elle n'avait pas du tout envie d'affronter de nouveau ce genre de difficultés.

— Est-ce qu'il y a d'autre chose, dit-elle, que tu voudrais qu'on change ?

— Ça serait le fun de revoir grand-maman. Est-ce qu'on peut retourner au Québec pour Noël ?

Il avait répondu trop vite, et la réplique d'Élisabeth sortit tout aussi vite.

— Il n'en est pas question.

Le ton était net, ce qui surprit tout le monde.

— On pourrait aller passer deux semaines à Montréal, juste pour…

— Oublie ça !

Cette fois, on sentait de l'agressivité dans sa voix. David hésita. Élisabeth aurait juré qu'il allait baisser la tête pour fixer son assiette. Au lieu de quoi il posa sur elle un regard frondeur.

— Je ne vois pas pourquoi on n'irait pas voir le reste de notre famille.

— Je vais te donner deux mille raisons.

— Deux mille quoi ?

Gabriel posa une main sur le bras de David.

— Deux mille piastres, Dave. Le prix de deux billets d'avion Montréal aller-retour.

— C'est juste deux mille piastres, quand même. Pas un million.

— Et comment on paierait ça ?

— Tu dois bien avoir de l'argent !

— J'en ai juste assez pour t'habiller, m'habiller et entretenir le chenil. Et puis je veux acheter un chien à Mars ; je me suis déjà entendue avec elle.

C'était un sujet de tension dans la maison, ce nouveau mâle de trois ans que Mars avait accepté de lui vendre et qu'elle-même voulait désespérément acheter. On voyait à l'œil qu'il y avait beaucoup de lévrier chez lui. C'était un chien rapide, avec de longues pattes, donc, beaucoup plus haut que les alaskans. Élisabeth rêvait de le croiser avec Laska. Le prix qu'exigeait Mars était assez élevé, mais Canac avait déjà terminé la Yukon Quest. Il connaissait donc le chemin. Et même si Élisabeth jugeait qu'il aurait été prématuré de s'en servir comme leader, elle savait que son expérience du terrain serait précieuse pendant la course.

Encore une fois, elle pensait à la course qui s'en venait et à son chenil qui grossissait. Et David, qui ne comprenait pas encore l'importance qu'elle accordait aux chiens, interrompit sa réflexion.

— Tu as juste à acheter ton chien avec ta carte de crédit.

— Avec ma carte… ?

Cette dernière réplique eut raison du peu de calme qui restait chez Élisabeth. Et comme la fois où elle l'avait jeté dehors, elle se leva et se dirigea vers la porte, attrapant au passage le manteau que David avait suspendu à un crochet.

— Là, mon p'tit cr…

— On n'achète pas de drogue avec une carte de crédit, Dave.

Ces mots, lancés par Gabriel, saisirent tout le monde. Debout, la main sur la poignée, Élisabeth laissa les mots la pénétrer. Si Gabriel avait parlé à David, ses propos, eux, ne lui étaient pas destinés.

— Parce que c'est de drogue qu'il s'agit, n'est-ce pas, Bebette ?

Il avait posé sa question en se tournant lentement vers Élisabeth. Celle-ci ne répondit pas. Elle lâcha le manteau de David qui tomba sur le sol. Personne ne pensa à le ramasser, même quand Élisabeth s'en éloigna pour reprendre sa place à table. Elle recommença à manger, l'air renfrogné. Elle ne savait que trop bien où Gabriel voulait en venir.

Ian Goyette l'avait mise en garde dès le début. «Il vaut mieux que je t'avertisse, lui avait-il dit. Le traîneau à chiens, c'est une drogue. Ça coûte cher et ça crée une dépendance, comme n'importe quelle autre drogue.»

Gabriel avait mis le doigt là où ça faisait mal, et Élisabeth devait admettre qu'il avait raison. Son comportement égoïste, son refus de partager, ses moments d'indifférence, c'était chaque fois pour les chiens. Pour les courses, mais surtout pour les chiens. Pour eux, pour améliorer leurs performances, pour les savoir confortables, pour qu'ils tirent son traîneau, pour qu'ils l'aiment, pour qu'ils l'écoutent et pour partir avec eux pendant des jours entiers loin du monde, du bruit, de la pression et de ses responsabilités familiales.

— On ne peut pas aller au Québec cet hiver, dit-elle enfin, plus doucement. Pas cette année. J'ai vraiment trop de dépenses, Dave. Mettons qu'on repousse ça d'un an. Ou bien… Tu pourrais y aller à l'été. Je suis certaine que grand-maman te recevrait avec plaisir à l'été.

David grommela quelque chose, se leva, ramassa son manteau et s'en alla ruminer dans sa cabane.

Chapitre 34

Gabriel, David et Jim avaient entrepris la construction d'une nouvelle cabane en bois rond. Les billots avaient été achetés à un entrepreneur, mais il fallait les peler avant de les monter les uns sur les autres. Comme Gabriel voulait l'électricité, on devait percer certains rondins pour installer des prises et passer des fils. Il fallait aussi découper les fenêtres, calculer l'emplacement de la porte.

Pour la construction de la première cabane, qu'on louait désormais à Jim, Gabriel avait maximisé les heures de clarté, travaillant de très tôt le matin à très tard le soir. Cette fois, il devait compter avec l'automne qui avançait. La semaine, quand il rentrait du travail, la nuit s'était déjà installée et le froid se faisait déjà mordant. Les travaux progressaient donc principalement la fin de semaine, même si certains détails pouvaient se régler à la torche électrique.

David participait de son mieux et apprenait aussi vite qu'il avait appris la mécanique. On lui découvrait des talents manuels. Il n'était pas mauvais à la scie ni avec un tournevis et possédait des qualités que son père avait négligé de développer chez lui. Il était minutieux, patient, concentré. Une fois qu'on lui avait montré comment accomplir une tâche, il savait s'y prendre. Gabriel ne tarissait pas d'éloges.

— Je n'ai jamais besoin de répéter ! s'exclamait-il à table, le soir, pour vanter les mérites de son apprenti. C'est à croire qu'il a le métier de charpentier-menuisier dans le sang.

Élisabeth voyait son neveu sous un jour nouveau, et s'en émerveillait.

*

Un dimanche matin, comme elle se proposait d'atteler quelques chiens de la portée des vents, Élisabeth fut surprise de voir David s'approcher.

— J'aimerais ça que tu me montres comment faire.

Elle se redressa, ahurie.

— Tu veux apprendre à atteler ?

— Je veux apprendre comment on fait du traîneau à chiens.

Elle sourit.

— D'habitude, on commence par devenir handler.

— Je veux être ton handler, d'abord.

Cette fois, elle rit.

— J'ai déjà un handler, c'est Jim.

— Ben, tu en auras deux.

Élisabeth dut admettre qu'il avait l'air sérieux.

— D'accord, dit-elle. Ce matin, on va essayer d'insérer Zéphyr et Mistral à mon équipe. Juste pour les habituer. Viens m'aider, on va sortir le traîneau.

Dès qu'ils les virent sortir du hangar avec leur fardeau, les chiens se mirent à aboyer dans le chenil. Élisabeth attrapa le crochet qui se trouvait dans le panier et le glissa dans l'anneau d'une corde attachée à un arbre. Ainsi retenu, le traîneau ne partirait pas sans elle.

Elle laissa les chiens de Ian se reposer et choisit d'atteler ses anciens, sur lesquels elle savait pouvoir compter.

Mais pour ne pas courir le risque de provoquer un accident, elle décida d'atteler en premier les plus jeunes. Elle attrapa Zéphyr par le collier et dit à David de faire de même avec Mistral.

— Tu le tiens assez haut pour qu'il soit forcé de sauter sur ses pattes arrière.

David l'imita et, le temps de le dire les deux chiens furent en position. Le premier, à droite dans l'équipe 2. Le second, à gauche dans l'équipe 4.

— Comme ça, ils seront bien entourés, expliqua Élisabeth.

Contre toute attente, Zéphyr et Mistral, une fois harnachés, se couchèrent.

Élisabeth reconnut aussitôt le comportement de Ravenne. Elle n'arrivait pas à croire qu'elle avait devant elle deux autres bouches inutiles. Elle se mit à sacrer.

— Qu'est-ce qu'il y a ?

— Regarde les fainéants !

— Qu'est-ce qu'ils ont ? On voit bien qu'ils ne savent pas quoi faire…

— Ravenne a eu la même réaction, dans le temps, et je n'ai jamais été capable de lui faire tirer quoi que ce soit.

David s'agenouilla pour caresser les jeunes chien, terrorisés par les hurlements et les aboiements au moins autant que par les harnais qui les retenaient immobiles.

— Ils ont peut-être juste besoin de s'habituer, dit-il, conscient qu'il risquait encore une fois de faire rire de lui.

Mais Élisabeth n'avait pas le cœur à rire. Elle ignora le commentaire de David et retourna dans l'enclos chercher Cassandre. Elle s'immobilisa, la main sous le collier de la chienne : Jim, alerté par le bruit, lui barrait la route.

— Qu'est-ce que tu fais, Sissi ?

— Ça se voit ! Je vais en entraîner deux nouveaux.

— Ben voyons donc ! Si tu attelles ces deux peureux avec une dizaine de chiens excités et pleins d'énergie, ils vont les traîner de force et leur faire tellement peur que tu ne seras plus jamais capable de les faire courir.

Élisabeth réfléchit, ramena la chienne à sa niche. Le bruit redoubla dans le chenil.

— Qu'est-ce que tu proposes ? demanda-t-elle à Jim en refermant le portail derrière elle.

Il s'était approché des jeunes chiens et, tout comme David, il leur parlait doucement pour les calmer.

— Ramène ceux-là à leur niche et attelle les énervés que tu vas faire courir pendant deux ou trois heures. Ensuite, quand ils se seront calmés, tu en enlèveras deux que tu remplaceras par des plus jeunes. Tu as choisi de bonnes positions. Ils devraient pouvoir suivre sans trop de difficulté.

Elle approuva et s'exécuta.

À l'heure du dîner, elle avait deux nouveaux chiens de traîneau, qui tiraient bien et n'avaient pas peur.

Mais David, à qui Élisabeth avait promis de montrer le métier, s'en était retourné dans sa cabane. On ne le vit plus de la journée.

Chapitre 35

Lucille arriva sans s'annoncer un peu avant Noël. Ou plu-tôt, elle téléphona la veille de son vol vers le Yukon, ce qui revenait au même. Élisabeth se mit tout de suite à angoisser.

— Où est-ce qu'elle va coucher ?

— À la même place que moi avant, répondit David en désignant le divan.

Élisabeth jeta sur la cuisine un regard découragé. Sa mère allait trouver l'endroit en désordre. Et puis ça sentait mauvais, c'était David qui l'avait dit.

— Relaxe, Bebette. C'est ta mère, pas la reine d'Angleterre.

— Justement !

Elle allait passer la soirée à faire du ménage ! Et pour s'as-surer que tout serait à la hauteur des exigences de sa mère, elle dit à David de nettoyer le chenil en profondeur.

— Gratte la neige, s'il le faut.

— Voyons, Bebette ! Tu exagères.

— Tu ne connais pas ma mère, Gab.

S'il y avait une chose qui rassurait Élisabeth, c'était que sa mère ne pourrait pas lui reprocher d'avoir engraissé puisqu'elle n'avait jamais été aussi mince ni aussi en forme. Mais l'état de sa maison… Et celui du chenil… Et que dire de la cabane du fond!

— Assure-toi que ta *cabin* aussi est propre! ordonna-t-elle à David, au moment où il allait rentrer dans ses quartiers pour la nuit.

— Tu ne dis pas à Jim de faire son ménage, lui!

— Je n'ai pas besoin de lui dire, grand-maman n'ira pas fouiller jusque-là.

— Tu penses qu'elle va venir fouiller dans ma *cabin*?

— Je suis certaine qu'elle va vouloir voir où est-ce que tu vis. Pis si c'est le moindrement à l'envers, elle va me faire un sermon à n'en plus finir.

Gabriel se leva et entreprit de ramasser les vêtements qu'il avait laissés à la traîne. Élisabeth soupira de soulagement. Elle n'avait pas osé le lui demander et avait espéré qu'il y penserait par lui-même.

Mais ce qui stressait le plus Élisabeth – et qu'elle s'assura de garder pour elle afin de ne pas aggraver son cas –, c'était que la présence de sa mère dans la maison allait nuire à l'entraînement des chiens. Elle avait compté sur les congés des Fêtes pour partir en expédition quatre ou cinq jours. La chose serait tout bonnement impossible avec Lucille à la maison.

Celle-ci arriva comme prévu le vendredi soir. Un vol de nuit – un autre! – qui l'empêcha de contempler les Rocheuses de la Colombie-Britannique. Comme la première fois, le ciel était rempli d'aurores boréales.

— C'est à croire qu'il y en a tout l'hiver, dit-elle en les apercevant dans le stationnement de l'aéroport.

— Il n'y en a pas tout l'hiver, répliqua Gabriel, mais il y en a en masse. Surtout quand il fait frette comme à soir.

Élisabeth avait fait les présentations devant le carrousel à bagages. Lucille avait semblé ravie de faire enfin la connaissance de son gendre. Gabriel lui avait demandé de lui décrire sa valise et il était allé la chercher, laissant la mère et la fille en tête à tête.

— Je ne m'attendais pas à ça, avait lancé Lucille en le regardant s'éloigner.

— À quoi ?

— Ben, euh… Disons que ce n'est pas le même genre que Pierre-Marc.

— Pour ça, on peut dire que non.

— Il a l'air gentil, mais… il parle bizarre.

— C'est un Franco-Manitobain, maman.

— Je le sais, mais je trouve quand même que…

— Arrête, maman.

Ces mots avaient coupé court à leur conversation. De toute façon, Gabriel s'approchait en traînant une grosse valise à roulettes.

— Je ne savais pas que la belle-mère emménageait chez nous, avait-il lancé à Élisabeth avec son clin d'œil coutumier.

Lucille s'était sentie obligée de se justifier.

— Ne vous inquiétez pas, je n'ai pas l'intention de rester plus qu'une semaine. C'est juste que la dernière fois, il avait fait pas mal froid, alors j'ai apporté du linge chaud.

C'est ainsi qu'ils s'étaient retrouvés tous les trois dans le stationnement à regarder le ciel. Devant eux, les voitures et les camionnettes quittaient les lieux une à une. Et soudain, l'endroit fut complètement désert.

— Ce n'est pas parce que je suis pressé, mais Dave a préparé de quoi à manger. Faudrait peut-être penser à y aller si on ne veut pas qu'il ait fait ça pour rien.

Lucille haussa les sourcils en se tournant vers sa fille.

— Regarde-moi pas comme ça, se défendit Élisabeth. Je n'ai rien à voir là-dedans. C'est la faute de Gab.

— Il n'a pas préparé tout un souper, j'espère, parce qu'il est tard et que je n'ai pas vraiment faim.

— Non, non, inquiétez-vous pas, Lulu. Dave a juste fait cuire des biscuits. On s'est dit qu'après autant d'heures d'avion, vous auriez envie de relaxer en buvant du thé avant de vous coucher.

Élisabeth avait tiqué en entendant le nouveau surnom de sa mère, mais elle ne dit rien. Elle n'allait pas changer Gabriel, aussi bien que sa mère s'y fasse.

Contre toute attente, ce ne fut pas l'état des lieux qui scandalisa Lucille, mais bien le temps que tout le monde consacrait aux chiens.

— Mais c'est de l'esclavage! s'écria-t-elle quand elle réalisa la quantité de travail qu'exigeait le chenil. Vous n'avez jamais une minute à vous!

— Ce n'est pas vrai, maman. On a du temps; on choisit juste de le passer avec les chiens.

— Quand même! C'est du soir au matin et du matin au soir! Et puis tout ton argent passe là-dedans; ça n'a pas de bon sens!

— Le passer dans les chiens ou le passer ailleurs...

Elle laissa sa phrase en suspens exprès. Sa mère investissait une fortune dans des billets de loterie, obsédée par le rêve d'une vie meilleure qui n'existerait jamais... à moins qu'un jour elle gagne le gros lot. Élisabeth, elle, vivait son rêve tous les jours. Si c'était de l'esclavage, eh bien, elle choisissait l'esclavage.

*

David avait été content de revoir sa grand-mère. Il le fut tout autant de la voir repartir une semaine plus tard. Elle le trouvait paresseux à l'école et lui répétait sans cesse qu'il devait mieux entretenir sa chambre.

— Ce n'est pas ma chambre, grand-maman. C'est ma *cabin*.

— C'est pareil ! Tu ne veux quand même pas vivre dans une soue à cochons ?!

Il haussait les épaules et remerciait le ciel d'avoir atterri au Yukon.

Si Lucille avait remarqué qu'il avait cessé de teindre ses cheveux, elle n'en avait rien dit, ce qui avait grandement déçu l'adolescent. Quant à Élisabeth, elle vécut elle aussi le départ de sa mère comme un soulagement. La Yukon Quest approchait et, par politesse, elle avait relâché un peu trop l'entraînement. Le retour à la routine lui fit du bien, aux chiens aussi.

CHAPITRE 36

— Je suis désolée de vous avoir fait venir jusqu'ici, mais il fallait absolument que je vous parle.

Madame Beltrano avait téléphoné à la clinique un peu après l'heure du dîner. Elle voulait qu'Élisabeth passe à son bureau avant de récupérer David. Il avait donc fallu laisser le dernier patient à une autre hygiéniste en ce dernier jour de travail avant la Yukon Quest. Le patron n'était pas content, mais il comprenait qu'il s'agissait d'un problème d'ordre familial.

— C'est au sujet de David, poursuivit madame Beltrano. Ses notes ne sont pas encore très bonnes, alors avec un congé aussi long, il va prendre beaucoup de retard. Et puis il a refusé d'apporter des devoirs en disant qu'il n'aura pas le temps de les faire, ce qui complique un peu les choses. Vous savez, il sera absent presque trois semaines…

— De quoi vous parlez?

Assise de l'autre côté du pupitre, Élisabeth avait l'impression d'être en Chine tellement les paroles de madame Beltrano lui paraissaient indéchiffrables.

— Je vous parle du congé que vous avez demandé pour la durée de la Yukon Quest.

Élisabeth écarquilla les yeux.

— Bon…, conclut la directrice avec un soupir. Si je comprends bien, vous n'étiez pas au courant.

Elle fouilla dans une pile de papiers et lui tendit une feuille.

Il s'agissait d'une note manuscrite expliquant que David, qui servirait de handler pour la course, serait absent de l'école jusqu'au 20 février. La note était signée Élisabeth Létourneau.

— Je n'ai jamais écrit ça !

— C'est ce que je réalise. Je ne me suis pas méfiée parce que ce n'est pas non plus l'écriture de David.

De fait, la calligraphie était d'une grande régularité. Seul un adulte pouvait écrire avec autant d'assurance. Les phrases étaient courtes, la syntaxe et l'orthographe, impeccables. La personne qui avait forgé cette note avait pris ses précautions.

— Est-ce que vous me la laissez ? s'enquit Élisabeth en agitant la feuille. Je vais mener ma petite enquête.

— Sans problème. Mais pour le congé…

Élisabeth se leva et remonta la fermeture éclair de son manteau.

— Inquiétez-vous pas. David sera à l'école. J'ai déjà un handler, et ce n'est pas lui. Et puis jamais je ne permettrai à un ado qui vient de doubler de prendre trois semaines de congé en plein milieu de l'année scolaire.

Madame Beltrano parut soulagée.

— Je suis contente de savoir qu'on est sur la même longueur d'onde.

Élisabeth enfouit la note dans une poche et se dirigea vers la porte. Au moment où elle posait la main sur la poignée, madame Beltrano l'interpella de nouveau.

— C'est ta première Quest, Élisabeth ?

Surprise par le tutoiement, Élisabeth s'immobilisa.

— Oui…

Madame Beltrano s'avança et lui offrit un large sourire.

— Dans ce cas-là, bonne chance ! On est tous bien fiers de toi, ici. Des francophones qui font la Quest, il n'y en a pas des tonnes.

— On est quatre sur vingt-cinq.

— Et des femmes non plus, il n'y en a pas des tonnes.

— Ah ça, il y en a plus ! Cette année en tout cas ! On est sept. Toutes des rookies, sauf Kelley Griffin.

— Vous allez avoir du fun.

— Je l'espère bien. Même si je sais que ça va être difficile…

Madame Beltrano approuva d'un signe de tête, lui serra chaleureusement la main avant de la laisser partir.

Une fois dans le couloir, Élisabeth avait presque oublié la raison de sa visite chez la directrice. Des images de montagnes, de neige et de chiens se superposaient dans son esprit. Demain…

Demain, oui, elle prenait la route pour Fairbanks.

*

— Tu avais prévu de te rendre comment à Fairbanks ? Dans une des cabines à chiens ?

Élisabeth n'avait rien dit de tout le trajet jusqu'à la maison, mais sur le pas de la porte, elle avait explosé.

— Pis tu vas me dire qui a écrit cette note-là ! Tu sauras que ça ne se fait pas, de signer mon nom à ma place !

David s'était recroquevillé sur une chaise et attendait que l'orage passe, les épaules rentrées, la tête basse.

— Voyons donc ! rageait Élisabeth. Voyons donc !

Elle lui agitait la feuille incriminante sous le nez.

— Si au moins tu étais bon à l'école ! Si au moins ! Mais tu passes juste ! Et pourtant, c'est la deuxième fois que tu fais ta neuvième année. Comment est-ce que tu avais l'intention de te reprendre ? Tu n'avais même pas prévu d'apporter du travail !

Sommé de s'expliquer, David balbutia quelques mots incompréhensibles, ce qui ne fit qu'irriter Élisabeth davantage.

Heureusement pour eux deux, Gabriel arriva de la ville, armé de sa bonne humeur habituelle. S'il perçut la tension qui régnait dans la maison, il ne releva pas la chose. Il posa son sac à lunch sur le comptoir, embrassa Élisabeth sur la joue et s'adressa à David.

— Pis ? Comment ça a été à l'école, aujourd'hui ?

— Bien, répondit David, heureux de la diversion.

— Dans ce cas-là, je ne comprends pas comment ça se fait que le chenil soit aussi sale. Envoye ! Va faire ta job avant que ta tante pogne les nerfs.

Saisissant la balle au bond, David quitta sa chaise, attrapa son manteau et s'en alla pelleter de la crotte.

— Qu'est-ce qui se passe ? s'enquit Gabriel. Je t'entendais gueuler jusque dans mon pick-up.

Pour toute réponse, Élisabeth lui tendit la note.

— Ah ! Je vois…, souffla Gabriel.

— Dis-moi pas que c'est toi qui as écrit ça !

— Es-tu malade ? Je n'oserais jamais.

Il y avait quelque chose d'ironique dans le ton, et elle s'apprêtait à le questionner quand il l'enlaça et la plaqua contre le réfrigérateur pour l'embrasser à sa guise.

— Viens donc en haut ! ordonna-t-il en l'entraînant vers l'escalier. On va profiter du fait que Dave est bien occupé et ne viendra pas nous déranger.

— Mais la note…

Gabriel sourit, complice, et lui fit, comme souvent, son clin d'œil irrésistible.

— Tu régleras ça au souper. Pour le moment, j'ai envie de toi quelque chose de rare. Ça doit être de te voir en colère qui me fait cet effet-là. Envoye ! Viens !

Il monta les escaliers en la tenant par la main.

CHAPITRE 37

Comme souvent, Jim se joignit à eux pour souper. Parce que Élisabeth et lui partaient le lendemain matin, on n'avait pas fait courir les chiens ce soir-là. Il y avait trop à faire et beaucoup de détails à régler. Et puis il y avait cette histoire de note que les attentions de Gabriel n'avaient pas réussi à faire oublier.

Le mystère ne plana pas bien longtemps, cependant. Dès que les assiettes furent servies, Jim déclara :

— C'est moi qui l'ai écrite, cette note-là…

Élisabeth se tourna vers lui. De l'autre côté de la table, David gardait les yeux rivés à son assiette.

— … alors si tu veux engueuler quelqu'un, poursuivit Jim, c'est sur moi qu'il faut que tu te défoules.

— Mais pourquoi tu as fait ça ?

Elle regarda son neveu, puis Jim, puis revint à son neveu. Elle ne comprenait pas le soudain intérêt que Jim lui portait. Celui-ci avala une gorgée de bière et lança, en posant bruyamment la bouteille sur la table :

— Parce qu'il faut bien qu'il apprenne, cet enfant-là.

Il désignait David d'un geste.

— Il y a deux mois de ça, il t'a demandé de lui montrer à faire du traîneau.

— Je le sais ! Mais je n'ai pas eu le temps !

— Ben, c'est ça que je dis. Si toi, tu n'as pas le temps, qui est-ce qui va lui montrer, tu penses ?

Élisabeth haussa un sourcil.

— Ben oui ! C'est moi qui lui montre, déclara Jim. Chaque fois que tu pars avec ton équipe de champions, Dave et moi, on attelle les rejets.

Elle posa sa fourchette, mais fut incapable de parler.

— Alors là, continua le vieil homme, je me suis dit qu'il fallait qu'il voie une course. Une vraie ! Ce n'est pas de notre faute si, cette année, la Quest part de Fairbanks.

Cette fois, Élisabeth réagit.

— Ben voyons, Jim ! Tu as demandé qu'il prenne trois semaines de congé !

Gabriel s'éclaircit la voix, avant de s'immiscer dans la conversation.

— C'est moi qui lui ai dit de jouer safe.

Choquée, Élisabeth recula sur sa chaise.

— Ben coudonc ! Vous vous êtes tous ligués contre moi !

Les trois autres se regardèrent un moment, puis Gabriel prit la parole.

— On n'est pas contre toi, Bebette. On veut juste que Dave te serve pour vrai de handler.

— Je n'aurai pas le temps de m'occuper de lui, voyons ! J'aurai seize chiens dans le dog truck.

— Je n'ai pas besoin que tu t'occupes de moi !

Elle regarda son neveu, surprise par l'agressivité avec laquelle il était intervenu. Et au lieu de répliquer, elle l'étudia avec attention. Il avait grandi depuis son arrivée au Yukon, et le fait qu'il s'intéressait pour de vrai au traîneau à chiens était une bonne chose. Sauf que pendant la course, elle n'aurait pas le temps…

Elle prit soudain conscience qu'elle était encore en train de faire passer les chiens devant les gens qu'elle aimait.

— D'accord, concéda-t-elle enfin.

Elle les toisa tous les trois d'un regard autoritaire et prit un ton catégorique.

— Mais pas pour trois semaines. Dave ne peut pas manquer autant de jours d'école.

Il y eut un moment de silence pendant lequel les hommes essayèrent d'évaluer le poids de leur victoire.

Ce fut Jim qui trouva la solution. Il se rendrait à Fairbanks avec Élisabeth et les chiens, mais après le passage de l'équipe au poste de contrôle de Circle City, il reviendrait à White-horse.

— Il faut que je repasse ici de toute façon. Je te ramasserai et on ira monter le camp de Sissi au camping de West Dawson.

David accepta de bonne grâce le compromis. Et Gabriel, pour célébrer la réconciliation, servit une bière à tout le monde, y compris à David.

CHAPITRE 38

L e traîneau filait sur la rivière Cheena et, poussant sur la glace avec un bâton de ski, Élisabeth aidait les chiens. Fairbanks était déjà loin derrière, même si, de temps en temps, on apercevait encore des signes de civilisation. Des *cabins* isolées, quelques hangars, des chenils négligés. Une motoneige gronda au loin. Bientôt, Élisabeth le savait, il n'y aurait plus rien, et même le grondement de cette motoneige lui manquerait.

De nombreuses pistes sillonnaient la glace, mais une seule était balisée. Un moment d'inattention, et Élisabeth risquait de prendre un mauvais virage. Elle restait donc concentrée et s'assurait que les chiens suivent la bonne voie en repérant à l'avance tout ce qui pourrait les distraire.

Sur un pont, droit devant, des spectateurs agitaient les bras pour les encourager, elle et son équipe. Ils l'acclamèrent quand elle disparut dessous et lui crièrent des « Good luck ! » quand elle ressortit de l'autre côté.

Elle n'avait pas caché sa déception, lors du banquet de départ, quand elle avait pigé le dossard numéro 25. Partir vingt-cinquième dans une course de 25 participants n'augurait rien de bon. Surtout qu'elle ne connaissait ni la piste ni la région. À l'idée de ne pouvoir se fier qu'aux traces de ses prédécesseurs et de devoir prier pour que les bornes n'aient pas été déplacées, elle avait senti l'inquiétude la gagner. Ça partait vraiment mal, mais si ça n'avait pas été elle, ç'aurait été quelqu'un d'autre. Et puisqu'elle ne pouvait rien y changer, elle avait fini par accepter la situation. De toute façon, l'équipe précédente n'aurait que trois minutes d'avance sur elle. Trois minutes au départ de la course, s'entend. Les plus expérimentés ne tarderaient pas à augmenter cette avance et à transformer ces minutes en heures, puis en jours. Mais Élisabeth, elle, ne perdrait pas de temps.

Un peu après le tirage, Mars était venue la saluer et lui souhaiter bonne chance. Elles ne se verraient pas souvent, avait-elle dit, parce qu'elle avait mis sur pied une super équipe et comptait bien arriver à Whitehorse dans les dix premiers. Élisabeth savait que Mars partait troisième. Il y aurait donc, dès le début, plus d'une heure de décalage entre son attelage et le sien.

Après Mars, Vince Oblonski était venu s'asseoir à sa table. Il l'avait d'abord complimentée sur sa toilette. «Cette petite robe noire», avait-il dit, était bien sexy. Jim avait grommelé quelque chose qui avait sonné comme «Go to hell!». Élisabeth, pour éviter que les choses ne s'enveniment, lui avait demandé d'aller lui chercher un verre de vin. Jim s'était éloigné en maugréant.

— C'est un vieux handler que tu as là! avait lancé Vince.

Elle avait perçu la pointe et lui avait répondu sur le même ton.

— Il a beaucoup d'expérience, oui.

Vince avait alors parlé de la température. On annonçait beaucoup de froid pour la course. Et beaucoup de vent aussi. Puis il était devenu sérieux.

— Parce que tu cours avec les chiens de Ian, et que Ian est mon meilleur ami, si tu le permets, je vais te donner les deux conseils que je donne à mes handlers une fois qu'ils sont assez bons pour se lancer dans la Quest.

S'il avait attendu un mot d'assentiment de la part d'Élisabeth, il avait été déçu. Elle n'avait rien dit du tout.

— Assure-toi d'avoir toujours assez de nourriture dans ton traîneau, avait-il poursuivi malgré l'absence d'encouragement. Ne fais pas la rookie imprudente, comme Mars Arpin à sa première Quest. Elle a failli y rester. Remarque... qu'elle crève ne m'aurait pas dérangé une minute, mais ses chiens... Ce sont de bonnes bêtes. Ils ne méritaient pas qu'elle les affame comme elle l'a fait.

— Elle n'a sûrement pas fait exprès.

— Non, elle n'a pas fait exprès. Mais son imprudence aurait pu leur coûter la vie. Ça lui a coûté la Quest, en tout cas, parce que les vétérinaires l'ont disqualifiée. Alors, ne fais pas comme elle, assure-toi d'avoir avec toi de quoi nourrir tout le monde pendant au moins deux jours. Juste au cas où tu te perdrais. On va traverser des régions complètement désertes.

Élisabeth n'avait su que penser de ces paroles. Depuis qu'elle avait adopté Laska, quelque chose avait changé chez Vince Oblonski. Elle s'en était aperçue quand elle était allée lui commander de la nourriture pour l'hiver.

— Et l'autre conseil ?

— Ne reste pas en fin de peloton. Les loups suivent les coureurs pour manger les restes des collations que les chiens ont laissé tomber dans la neige. Ils ne sont jamais loin derrière le dernier musher.

— Voyons donc ! Des loups ? Je ne te crois pas.

Vince avait émis un petit rire sarcastique.

— Tu demanderas à ton handler de te parler de Gwen Holdmann.

Sur ces mots, il avait reculé sa chaise et était allé s'asseoir ailleurs.

Gwen Holdmann, Élisabeth l'apprit ce soir-là, était une musheuse américaine dont la plus célèbre mésaventure s'était produite pendant la Quest de 1998. Jim lui avait raconté que, bonne dernière, Holdmann n'avait pas fermé l'œil pendant des jours tant les loups la talonnaient.

Cette nuit-là, Élisabeth avait eu du mal à dormir. Les histoires de Vince Oblonski tournaient en boucle dans son esprit, repoussant le sommeil, faisant s'emballer son imagination, éveillant des craintes profondément enfouies.

Au matin, debout près de son traîneau, elle avait regardé les équipes partir à tour de rôle, une boule d'angoisse dans le ventre. Et à 12 h 12, comme prévu, elle avait lancé son «Let's go boys!» et entrepris sa première Yukon Quest.

Elle avait traversé Fairbanks sous les applaudissements et les encouragements. Après la ville, elle avait piqué au travers d'une sorte de banlieue pour ensuite descendre sur la rivière Cheena. Depuis, elle regardait le plus loin possible en avant et n'était rassurée que lorsque, dans un méandre de la rivière gelée, elle apercevait la silhouette d'un traîneau. Évidemment, cet adversaire disparaissait au virage suivant, mais Élisabeth aimait savoir qu'elle n'était pas si loin derrière les autres.

Elle avait hésité avant de se décider à atteler les leaders de Ian devant. Cassandre et Minuk étaient donc précédés de Jaguar et London, mais suivis, en position d'équipe 1, de Mustang et Escort, et, en position d'équipe 2, de Transam et Odyssey. Élisabeth avait essayé le plus possible d'intégrer ses chiens aux champions qu'elle avait empruntés, mais n'avait pu se résoudre à changer ses wheelers de place. Highlander et Silverado semblaient d'ailleurs bien contents d'occuper leur poste habituel. Devant eux, elle avait attaché Jetta et Tundra, et devant ces derniers, Beetle et Charger, malgré les cris de protestation et les hurlements d'indignation de Camaro, rejeté pour l'occasion, et de Canac qui, lui, avait échoué à l'examen des vétérinaires. Il s'était fait une déchirure tout près d'un testicule, probablement sur une branche pendant un des courts entraînements qu'elle avait effectués avec lui depuis leur arrivée à Fairbanks. Les deux chiens, confinés à leurs cabines du *dog truck*, avaient poussé des gémissements à fendre l'âme en voyant qu'Élisabeth partait sans eux.

David, que Gabriel avait promis de reconduire à l'école, devait s'occuper de Cavalier et de Corvette, désormais surnuméraires. Il veillait également sur les chiots, les plus vieux comme les plus jeunes, et avait demandé à ce que Ravenne et Laska passent les nuits dans sa cabane.

En ce moment, Jim devait rouler en direction de Two Rivers, le premier poste de contrôle. Élisabeth grimaça. Pourvu qu'il ait eu le temps de se défâcher avant qu'elle y mette les pieds…

Ils s'étaient un peu querellés ce matin-là parce que moins d'une heure avant le départ, Élisabeth ajoutait encore des choses dans son panier. De la nourriture, surtout, pour elle et pour les chiens. Au cas où.

— Inutile de charger ton traîneau comme tu le fais. Tu as amplement de quoi te nourrir et nourrir les chiens jusqu'à Two Rivers. Et après, tu n'auras qu'à récupérer tes drop bags. On ne les a pas envoyés tout le long de la piste pour rien.

— Je ne connais pas le terrain, Jim. Si je me perds…

— Voyons, Sissi ! Tu as juste soixante-dix milles à faire !

Jim avait eu beau répéter que ce premier segment de la course n'était pas dangereux, Élisabeth n'en démordait pas. Son traîneau serait peut-être un peu trop lourd au goût de Jim, mais elle-même aurait l'esprit léger. Les *drop bags* ne contenaient pas de surplus. Si, par malheur, elle s'écartait un peu du chemin ou s'il advenait que la température descende en flèche, les chiens auraient besoin d'énergie. Comme le lui avait conseillé Vince, elle devait prendre toutes les mesures nécessaires pour éviter d'affamer les chiens de Ian.

— Je veux être certaine de me rendre, avait-elle lancé pour clore le sujet.

Jim avait grommelé une réponse inintelligible et fait demi-tour. Rien qu'à voir sa démarche, Élisabeth devinait qu'il était furieux qu'elle ne le prenne pas plus au sérieux.

— Tu es mon handler, lui cria-t-elle, pas mon boss !

Au retour, ils auraient bien des choses à régler.

CHAPITRE 39

La piste quitta soudain le lit de la rivière. Élisabeth abandonna les patins pour aider ses chiens. Elle ne put s'empêcher de les admirer quand ils se hissèrent sur la rive. Malgré le poids du traîneau, ils travaillaient en équipe, avec des mouvements si bien coordonnés qu'on aurait dit qu'ils communiquaient entre eux, qu'ils sentaient le sentier, qu'ils anticipaient ses difficultés et qu'ils adaptaient le rythme de manière à ne pas se nuire l'un l'autre. Elle n'aurait pu rêver d'une meilleure équipe. Sept mâles et sept femelles, quatre chiens pouvant occuper la position de leader. Quatre autres qui pouvaient se remplacer tout juste devant le traîneau. Elle avait souvent varié les positions au fil des entraînements et avait chaque fois récompensé tout le monde de la même manière. Cela expliquait peut-être pourquoi tous les chiens avaient l'air content, même Cassandre qui avait pourtant regimbé au matin quand Élisabeth l'avait attelée derrière Jaguar.

Quand la piste entra dans la forêt, elle devint sinueuse et dangereuse. De chaque côté, les épinettes se dressaient, maigres et bloquant l'horizon aussi sûrement qu'un mur. Le soleil, encore haut, rendait la neige éblouissante, malgré les verres fumés. Élisabeth sentit ses muscles se tendre et fit ralentir les chiens. Dans un sentier aussi étroit, le moindre obstacle – un rocher, une souche, une branche – serait difficile à éviter et pouvait briser le traîneau. Il fallait prendre tous les moyens pour s'assurer de les voir de loin.

Seul point positif, elle se trouvait désormais à l'abri du vent. Elle bougea les doigts dans ses mitaines. Ils étaient déjà froids, mais ça irait mieux maintenant qu'elle avancerait moins vite.

Elle n'était pas la seule à faire preuve de prudence. Deux traîneaux venaient d'apparaître juste avant la prochaine courbe. Ils filaient encore assez vite, mais n'étaient plus hors de portée, ce qui voulait dire que les équipes s'étaient rapprochées. Élisabeth pria pour un segment droit et suffisamment long, ce qui lui permettrait de gagner du terrain et peut-être même de dépasser quelques adversaires.

Le virage apparut soudain, plus étroit encore que le reste de la piste. Des chiens trop excités et des mushers impatients avaient créé un embouteillage vers lequel l'équipe d'Élisabeth se dirigeait à vive allure. Ça parlait fort et ça gesticulait. La grogne était perceptible, même à cette distance. Et les chiens, dont les lignes s'étaient emmêlées, manifestaient déjà de l'agressivité.

— Whoa! s'écria Élisabeth en appuyant sur le frein.

Les dents de fer grattèrent la neige, mais le traîneau continua d'avancer. Sourds à son appel, les chiens fonçaient, persuadés que devant eux se trouvait l'occasion tant attendue.

— Whoa! répéta-t-elle, plus fort cette fois, afin que sa voix attire davantage l'attention de son équipe que les cris furieux des mushers pris dans un tas.

Jaguar fut le premier à réagir. Il connaissait bien Élisabeth, puisqu'elle l'avait formé dès ses débuts. Jamais il ne l'avait entendue hausser le ton de la sorte. Il tourna la tête vers elle et, lisant sans doute la panique sur son visage, il ralentit. Il avait toutefois derrière lui un attelage trop énergique. Convaincue que la collision serait inévitable si elle restait dans le sentier, Élisabeth lança un « Haw ! » puissant. Jaguar vira à quarante-cinq degrés. London, sentant la ligne de cou tirer vers la gauche, le suivit, imitée par Minuk et Cassandre. Le traîneau quitta la piste, s'enfonça un peu dans la neige et passa de justesse entre les arbres. Il ressortit – ô miracle ! – de l'autre côté du virage et continua sa course. Élisabeth poussa un cri victorieux. Parce qu'elle avait eu le réflexe de se pencher pour éviter les branches, elle s'en tira avec seulement une égratignure sur la joue. Et tandis que derrière elle les mushers râlaient, furieux de s'être ainsi fait damer le pion, elle prit enfin l'avance dont elle avait besoin pour se sentir en sécurité.

Galvanisée par cet exploit, elle fit accélérer l'attelage, histoire d'assurer son avance. Aux abords d'un marais, elle refusa de ralentir, comme l'aurait voulu la prudence. Elle excita plutôt les chiens de la voix. Le traîneau parut effleurer la glace qui, pourtant fort mince, se fissura à peine. Ceux qui la suivraient n'auraient pas cette chance.

*

Élisabeth parcourut, confiante, une quinzaine de kilomètres. Elle avait compté cinq équipes dans le bouchon. Elle n'était donc plus en fin de peloton. Quelle ne fut pas sa surprise quand, sans crier gare, un attelage la dépassa par la droite ! Debout à l'arrière du traîneau, le musher chantait en français.

— Maluron, malurette ! Maluron, maluré !

Elle reconnut celui que tout le monde surnommait « The Singing Musher », un Québécois d'origine installé au Yukon depuis des lustres. Elle sourit, car il y avait quelque chose de joyeux à suivre d'aussi près un des rares francophones de la course. Et puis… il restait encore quatre équipes derrière…

La nuit s'installa, mais la course se poursuivit.

Élisabeth songeait à s'arrêter pour permettre aux chiens de se reposer quand elle vit au loin la lumière d'un feu. Elle arriva à un campement de fortune où une demi-douzaine de mushers se préparaient pour une longue pause. Ils avaient sorti une partie de leur équipement et affichaient un air détendu, comme si la course, au fond, n'était pas encore commencée. Élisabeth reconnut certains d'entre eux, des vétérans, dont Vince Oblonski et le Singing Musher, pour qui la piste n'avait pas de secrets. Si eux jugeaient que c'étaient le bon moment et le bon endroit pour se reposer… Elle décida de faire comme eux et s'installa à l'écart pour ne pas déranger les attelages alignés en bordure du sentier.

En la voyant amasser de la neige, le Singing Musher lui fit un geste de la main.

— Tu as beau utiliser notre feu, si tu veux.

Élisabeth le remercia, s'approcha et déposa sa casserole pleine à ras bord dans les braises.

Les derniers concurrents arrivèrent et s'installèrent à leur tour. L'ambiance était sympathique, loin de la méfiance à laquelle s'était attendue Élisabeth. Elle abreuva les chiens et leur donna à manger selon la routine habituelle. Quand tout le monde se fut restauré, les mushers s'allongèrent dans les paniers les uns après les autres. Élisabeth les imita et s'endormit aussitôt.

Elle fut réveillée par les gémissements de Transam et de Cassandre. En ouvrant les yeux, elle saisit tout de suite que quelque chose n'allait pas. Les vétérans avaient disparu. Ne restaient que les *rookies* comme elle, et tous dormaient à poings fermés.

Elle bondit hors du traîneau, enfila ses bottes et se retrouva à plat ventre à terre.

— Mais qu'est-ce que… ?

Elle s'agita. Un petit malin avait attaché ensemble ses lacets. Quand plusieurs jurons retentirent dans l'obscurité, Élisabeth se dit qu'elle n'était pas la seule dans cette fâcheuse position. Elle sacra, en bonne Québécoise qu'elle était. Ça lui apprendrait à faire confiance à ses adversaires. Surtout pendant une course !

Il lui fallut près de cinq minutes pour défaire les nœuds tellement l'enchevêtrement avait été astucieusement serré.

Des aurores boréales roses et vertes dansaient au-dessus de sa tête, mais elle ne prit pas le temps de les regarder. Une fois les nœuds défaits, elle ajusta au plus vite sa lampe frontale, aligna ses leaders avec le sentier et lança son « Let's go boys ! ». Le traîneau glissa et s'enfonça dans l'obscurité.

CHAPITRE 40

À force d'alterner les pauses et les périodes de course intense, elle atteignit le lendemain Two Rivers, le premier poste de contrôle. Le ciel s'assombrissait, et on devinait que la nuit serait froide.

— Je m'inquiétais, lança Jim en la rejoignant. Je t'attendais plus tôt.

Sans un autre reproche, il s'enquit de sa journée.

Les vétérinaires inspectèrent les chiens et les déclarèrent en excellente condition. Élisabeth conduisit son équipe vers l'endroit que Jim avait repéré pour stationner le traîneau.

— Selon le règlement de la Quest, il faut que tu fasses une pause de deux heures ici. Mais il n'y a pas de problème si tu veux rester plus longtemps... comme tu l'avais prévu dans ton plan de course... si tu prévois toujours suivre ton plan de course, évidemment.

Élisabeth appréciait qu'il se montre moins autoritaire que la veille. Il avait reculé de quelques pas et la regardait distribuer de la paille à son équipe, l'abreuver et la nourrir. Il n'avait pas le droit de l'aider, il ne pouvait que lui tenir compagnie et récupérer un chien malade, fatigué ou blessé. Heureusement, il n'y en avait pas.

Quand les bêtes eurent mangé et bu, Élisabeth leur massa les pattes. Puis, à tour de rôle, les chiens se roulèrent en boule pour dormir. Alors seulement elle suivit Jim vers le bâtiment qui servait de refuge. Un toit, des murs, un poêle à bois, voilà qui lui réchaufferait le cœur et le corps.

Elle poussa la porte et se figea en reconnaissant les vétérans rencontrés la veille. Ils ricanèrent en la voyant s'approcher, mais elle ne leur adressa pas la parole. Elle raconta à Jim le mauvais tour qu'ils lui avaient joué.

— Il est vieux comme le monde, ce truc-là! s'écria-t-il, furieux qu'elle soit tombée dans le panneau.

— Eh bien, moi, je ne le connaissais pas.

Quand elle lui dit qu'elle se promettait une revanche si l'occasion se présentait, il secoua la tête.

— Oublie ça et concentre-toi sur la course.

Quelques heures plus tard, après un bon repas et une petite sieste, elle avait oublié sa rancune. Énergisée, elle se hissa derrière le traîneau et disparut dans la nuit.

*

À force d'entraînement, elle s'était habituée à courir à la noirceur. Les chiens aussi. En tant que vétérans de la Yukon Quest, Jaguar et London savaient lire la piste. Ils ne perdaient pas de temps à renifler les autres sentiers qui débouchaient, tantôt à droite, tantôt à gauche. Mais malgré leur expérience, ils virent au dernier moment le tronc d'arbre qui barrait la route. Les premiers chiens sautèrent par-dessus. Sachant que le traîneau ne suivrait pas, Élisabeth freina fort, tout en ordonnant aux chiens d'arrêter. Comme ils continuaient, elle tenta de mettre l'ancre, mais celle-ci, au lieu de s'enfoncer, rebondit sur la glace et se mit à ballotter. En dernier recours, Élisabeth coucha le traîneau sur le côté. Traînée à plat ventre sur plusieurs mètres, mais bien agrippée au guidon par précaution, elle ressentit le choc dans tous les os de son corps. Un choc brutal et bruyant. Les chiens s'immobilisèrent.

Pour éviter de perdre du temps, Élisabeth essaya de redresser le traîneau tandis que, de l'autre côté du tronc, les chiens tiraient.

— Whoa! dit-elle doucement en réalisant qu'ils ne faisaient qu'aggraver la situation.

Les chiens cessèrent de tirer, ce qui lui permit d'essayer d'autres manœuvres. Elle força comme une bête pendant cinq bonnes minutes, changeant de position, utilisant tant ses bras que son dos et ses jambes. Elle soupira. Le panier était tellement lourd qu'il bougeait à peine.

Hors d'haleine, elle sortit sa corde de secours, l'attacha à l'arbre le plus proche et y fit un nœud auquel elle fixa l'attelage. Il n'était pas question que les chiens profitent de l'occasion pour s'enfuir…

Élisabeth revint ensuite au traîneau. Elle n'était pas en colère. Après tout, ce n'était la faute de personne si ce tronc bloquait le sentier. Le vent, sans doute, l'avait fait tomber après le départ de la course. On voyait des pistes, d'ailleurs, qui passaient dessous.

Il lui fallut vider à moitié le panier. Après l'avoir redressé, elle le remplit, appuya l'avant du traîneau sur le tronc et rattacha les chiens. Une main sur le guidon, elle donna l'ordre aux chiens d'avancer doucement.

— Easy, boys! Easy!

Le traîneau enjamba le tronc et la course reprit.

Ce n'est que plus tard cette nuit-là, en sentant le froid lui brûler la peau, qu'elle réalisa que son pantalon de neige avait été déchiré sur la cuisse. En se jetant par terre pour faire basculer le traîneau, elle avait dû heurter une pierre ou une souche. Elle se promit de réparer le tout à son prochain arrêt. Pour le moment, elle devait assurer son avance. Une avance bien maigre, si elle en jugeait par les lampes frontales qui la suivaient et qu'elle apercevait quand elle osait regarder derrière dans un virage.

*

Elle ne voyait pas toujours très loin devant, ce qui expliquait qu'elle se retrouvait souvent les pieds dans l'eau. Malgré leur flair, London et Jaguar n'arrivaient pas toujours à éviter les *overflows*. Normal, la piste coupait de travers un bassin versant. L'eau montait souvent jusqu'au torse des chiens. Elle dut s'arrêter trois fois en une heure pour rechausser tout le monde. Elle vérifiait aussi si l'eau s'était infiltrée dans ses propres bottes. Par chance, ce ne fut pas le cas une seule fois.

Le manque de sommeil commençait à se faire sentir, cependant. Il lui arrivait de garder trop longtemps les yeux fixés sur un point devant, comme hypnotisée. Quand un obstacle surgissait, elle tardait à réagir. Les chiens s'en inquiétaient, elle se ressaisissait. Les kilomètres suivants, elle prêtait davantage attention, mais, immanquablement, son regard finissait par se perdre de nouveau dans le vide.

Lorsque le sentier commença à monter, Élisabeth sut exactement où elle se trouvait. Le premier mont à traverser s'appelait Boulder Summit, sorte de hors-d'œuvre précédant le premier gros défi de la course, Rosebud Summit. Pour la première fois, Élisabeth se dit que Jim avait peut-être eu raison : le poids du traîneau était un handicap majeur. Elle dut aider les chiens sans relâche pour à gravir la première pente.

Après quelques épinettes maigrelettes dont certaines avaient poussé presque couchées, les arbres disparurent complètement. Ne restèrent plus que la roche, la glace et la neige qui poudrait à la hauteur des chevilles. Et la lune, qui baignait ce paysage d'une lumière si blanche qu'elle en paraissait ir-réelle. Couvant l'horizon, les étoiles se comptaient par milliers. Autour d'elle, Élisabeth ne voyait aucun signe de vie. Devant, il n'y avait qu'un plateau glacé suivi d'un autre plateau glacé avec, au loin, la silhouette inquiétante d'une chaîne de montagnes.

Elle agita les orteils dans ses bottes, puis ses doigts gelés dans ses épaisses mitaines. Le froid continuait de sévir au point que des glaçons s'étaient formés dans ses cils. Le vent soufflait fort dans ses oreilles, malgré le chapeau et le capuchon qu'elle venait de rabattre pour se cacher le cou. Les bourrasques, qui lui brûlaient les joues et le nez, avaient effacé toute trace du passage des équipes précédentes. Mais les balises, elles, étaient intactes, montrant le chemin presque aussi sûrement qu'un panneau routier. Pour l'œil averti, s'entend.

Élisabeth entendit des voix. Derrière elle, cent mètres plus bas, deux traîneaux tentaient de gravir la montagne. Elle ne voyait que des ombres dans le faisceau des lampes frontales, mais devinait que les mushers se parlaient et s'encourageaient. La présence des autres la rassura et stimula les chiens qui redoublèrent d'ardeur, inquiets à l'idée de se faire dépasser.

Ces nouveaux efforts ne produisirent toutefois pas l'effet escompté. La glace, très lisse, n'offrait que peu de prise aux pattes des chiens qu'elle avait chaussés de *booties*. Élisabeth, pour sa part, avait beau travailler avec le bout du pied, trop souvent elle se sentait déraper et glisser vers le bas. Pour éviter de redescendre, il lui fallait se retenir au traîneau, ce qui donnait un coup que les chiens interprétaient comme un ordre d'arrêt. Tant de confusion n'aida pas les choses. Elle travailla comme une forcenée sur plusieurs kilomètres, sans regarder trop loin devant, se fiant au flair de Jaguar pour suivre la piste. C'est ainsi qu'elle traversa le premier plateau, puis le second, ses adversaires sur les talons. Il s'agissait de *rookies*, évidemment. Aucun vétéran n'aurait perdu de temps à la suivre.

De l'autre côté de Rosebud Summit, il fallut affronter une descente périlleuse. Très vite, la piste entra dans la forêt. Si le paysage avait changé, le sol, lui, demeurait couvert d'une glace dure sur laquelle Élisabeth arrivait difficilement à freiner. Soudain, Transam trébucha et fut traînée sur une dizaine de mètres en plus d'être piétinée par Beetle, qui la suivait.

— Whoa! s'écria Élisabeth, horrifiée.

Une fois tout le monde arrêté, elle enfonça l'ancre et courut secourir la chienne. Dès qu'elle fut sur pied, Transam émit un gémissement inhabituel. Élisabeth la détacha pour la mettre dans le panier; pas question de la laisser courir, cela risquait d'aggraver sa blessure. Alourdi de cinquante livres, le traîneau fut encore plus difficile à manœuvrer dans ce qui restait de descente et à hisser sur les pentes suivantes.

Quelques kilomètres plus loin, la piste s'amollit. L'attelage traversa un premier *overflow* sans trop de dégâts, mais au second, Élisabeth dut encore une fois remplacer les chaussons.

Au bout d'un autre kilomètre, le couvert de neige disparut presque totalement, même si le vent continua de souffler une poudrerie qui piquait les joues. Quand Élisabeth aperçut un homme qui se tenait en bordure de la piste, elle fit ralentir l'attelage. Que faisait-il là, celui-là? En s'approchant, elle reconnut Jim et poussa un soupir de soulagement. Le refuge Mile 101 n'était pas loin. Il était 6 heures du matin.

CHAPITRE 41

M ile 101 n'était pas un poste de contrôle à proprement parler. Il s'agissait plutôt d'un endroit où un musher pouvait dormir, se sustenter et laisser à son handler, arrivé en pick-up par la route, les chiens blessés, quand il y en avait.

Élisabeth confia Transam à Jim qui s'en alla la hisser dans sa cabine du *dog truck*. Comme s'il avait attendu que le handler s'éloigne pour s'approcher, un musher interpella Élisabeth.

— Je te regarde aller depuis le début de la course… Si tu continues avec un traîneau aussi chargé, tu ne passeras jamais Eagle Summit.

Élisabeth reconnut le Singing Musher. Elle se rappela tout de suite qu'il avait participé au piège qu'on avait tendu aux *rookies* le premier jour. Elle s'apprêtait à l'envoyer promener quand il ajouta :

— Même si tu réussis à monter, tu vas te casser la gueule en redescendant de l'autre bord.

Elle prit un ton railleur.

— Ah oui? Tiens donc! Et pourquoi est-ce que je devrais écouter quelqu'un qui s'est organisé pour que je prenne du retard?

Il émit un petit rire gêné.

— Ça, c'était l'autre jour. Là, je te parle sérieusement. Ton traîneau est trop lourd. Ça fait forcer tes chiens pour rien et ça peut causer des accidents dans les descentes.

Élisabeth songea à la chute de Transam sur la pente de Rosebud Summit. Elle devait admettre qu'il avait raison.

— J'ai peur qu'on manque de nourriture si je me perds. Je ne connais pas le chemin.

— Je te comprends, mais tu sais, Central est juste à trente-trois milles. C'est rien, trente-trois milles. Tu dois bien y avoir envoyé un drop bag?

Elle hocha la tête. Effectivement, un sac de nourriture et d'équipement l'attendait à Central.

— Tu feras bien ce que tu voudras, mais de l'autre bord d'Eagle Summit, il y a des ravins. Et il y en a de tous les côtés. Si tu te mets à débouler avec tes chiens, vous allez débouler longtemps, je te le dis.

Sur ce, il fit demi-tour, se hissa derrière son traîneau et s'en alla.

Quand Jim réapparut, Élisabeth lui demanda de lui décrire Eagle Summit.

— Tu montes, tu montes, tu montes… et tout d'un coup, ça descend presque à la verticale, comme la pire pente de ski que tu as vue de ta vie. Il ne faut pas que tu manques les balises parce qu'il y a des falaises à plusieurs endroits.

Elle ne dit rien pendant un moment, comparant et soupesant les différents dangers.

— Je pense alléger mon traîneau, lança-t-elle enfin, consciente qu'après leur querelle de Fairbanks, Jim n'aborderait plus le sujet.

Il couva d'un œil paternel les chiens qui s'étaient roulés en boule, puis il haussa les épaules.

— Tu n'es pas obligée de décider ça tout de suite. Viens manger pour commencer. Pis ensuite, tu feras un somme. Et après, tu seras en mesure de mieux évaluer la situation.

Il venait de toucher une corde sensible. Elle rêvait d'une vraie nuit de sommeil. Huit heures au moins! Elle rit à cette idée et, après s'être occupée des chiens, elle le suivit à l'intérieur. Quatre heures de repos suffiraient.

*

Il n'y avait plus de maisons. On n'en verrait plus d'ailleurs avant Central. La végétation s'était amaigrie. Élisabeth traversait une vaste toundra balayée par le vent. Il faisait jour. Un jour cru et froid, dur à affronter avec la lumière du soleil qui brûlait les yeux.

Elle n'avait pas vu un traîneau depuis son départ de Mile 101. Il devait pourtant y avoir encore deux ou trois équipes derrière la sienne. Soit elles se trouvaient encore loin, soit elles l'avaient dépassée quand elle s'était trompée de sentier...

Eh oui! Quelques kilomètres plus tôt, elle avait manqué une balise et s'était retrouvée sur une route de gravier. À cause du couvert de neige quasi inexistant, elle avait dû longer cette route sur le côté, entre les souches et les rochers, sur des amas d'herbes séchées. Dans la région, on vivait d'exploitation minière. De l'or surtout. Cela expliquait les multiples chemins de fortune menant tantôt à un camp déserté, tantôt à une route secondaire tout aussi déserte.

Au début, Élisabeth avait bien compté les balises. Une, deux, trois, quatre, cinq, six... Escort avait tiré sur le côté et s'était mise à tousser avant de vomir son dernier repas. Élisabeth avait commandé un arrêt pour vérifier l'état de la chienne qui, étrangement, semblait bien aller. On avait repris la route, mais oublié le décompte des balises. Soudain, la piste avait semblé moins bien damée et ses pourtours, plus diffus. On voyait, ici et là, des traces de motoneige qui coupaient en travers. Élisabeth avait retenu son souffle, mais continué encore un kilomètre. Toujours pas de balise en vue. Elle avait hésité, puis sorti la carte que Jim lui avait donnée. Sous la force du vent, les pans se repliaient et lui fouettaient le visage. Élisabeth avait dû glisser deux coins sous les patins et s'était agenouillée sur les deux autres. Elle avait mis un moment avant de repérer la route qu'elle venait de longer. Il restait à savoir dans quelle direction elle s'en allait. Pour cela, elle avait regardé le ciel. Il était midi, et le soleil se trouvait à sa droite, mais derrière elle. Elle se dirigeait donc vers le nord-est. À en juger par le tracé, la piste devait passer devant, une dizaine de kilomètres plus loin. Élisabeth avait conclu que cette déviation involontaire aurait ajouté une heure à son trajet… si le terrain était plat. Elle n'avait osé imaginer le temps nécessaire pour rejoindre la piste si la route montait. Elle aurait dû.

Deux heures et demie. Voilà le temps qu'il lui avait fallu pour retrouver la piste de la Yukon Quest et reprendre la course. Depuis, même si elle avait compté plusieurs balises, elle n'avait pas revu âme qui vive. Droit devant s'élevait la prochaine montagne à gravir : le Eagle Summit, qui culminait à 3 420 pieds. Un monstre, dont la tête nue était fouettée par des bourrasques venues de l'Arctique.

Élisabeth décida qu'il valait mieux faire une pause. Elle alluma son réchaud et y mit de la neige à fondre. Elle donna ensuite à boire aux chiens, distribua des collations de viande gelée et mangea deux barres tendres. Elle était déjà fatiguée et devinait que ses treize compagnons n'étaient pas en meilleur état. Peut-être aurait-elle dû écouter le conseil du Singing Musher – et de Jim ! – et délester son traîneau de l'excédent de nourriture qu'elle s'entêtait à transporter. Il était trop tard maintenant. Ce poids, il faudrait le hisser sur la montagne et le retenir pendant la descente, de l'autre côté. Tant pis pour elle ! Elle devait assumer sa décision et vivre avec les conséquences.

Quand elle jugea que tout le monde s'était suffisamment reposé, elle remballa ses affaires, grimpa sur les patins et lança son « Let's go boys ! » familier. Le traîneau se mit en branle.

Chapitre 42

La piste traversait un couvert de glace vive pire que celui qu'Élisabeth avait affronté à l'approche du Boulder Summit. Le vent avait poli la glace comme du verre, ce qui l'avait durcie et rendue brillante, aveuglante sous le soleil de l'après-midi. Élisabeth remonta son foulard sur son nez, descendit son chapeau bien bas sur son front et rabattit son capuchon. On ne voyait plus rien de son visage, pas même ses yeux qui disparaissaient sous les lunettes de soleil. De temps en temps, selon le mouvement, le plastique des montures lui effleurait la peau, ce qui provoquait une âpre sensation de brûlure. Elle sentait couler de ses yeux des larmes qui se figeaient en bordure des cheveux et du foulard. Les chiens subissaient le même supplice, leur museau couvert de givre, leurs yeux bordés de glace. Élisabeth imaginait qu'ils rêvaient, comme elle, de retrouver la forêt. Les épinettes leur offriraient une protection autant contre le vent que contre cette lumière violente que la glace réfléchissait avec cruauté.

Le traîneau montait, montait et montait au rythme des efforts, des pas, des souffles entrecoupés. Et soudain, le sol disparut. En une fraction de seconde, Élisabeth et ses chiens furent entraînés sur une pente tellement abrupte qu'on aurait dit un ravin, n'eût été cette mince encoche dans la glace qui permettait au traîneau de descendre en diagonale. À gauche, la pente qui menait vers le sommet nu. À droite, celle qui descendait à pic en direction de la forêt, lointaine et tout en bas. Étrangement, les épinettes avaient perdu de leur attrait, elles n'étaient plus désormais que des obstacles sur lesquels on pouvait se fracasser.

Surtout, se concentrer. Ne pas perdre pied.

Les choses se seraient bien passées si la corniche qui faisait office de piste n'avait pas disparu aussi soudainement qu'elle était apparue. Les chiens, qui avançaient tête baissée, n'anticipèrent pas le vide dans lequel les leaders plongèrent, entraînant le reste de l'attelage. Debout sur les patins, Élisabeth les suivit malgré elle pendant quelques secondes. Quand le traîneau heurta un rocher, il bascula sur le côté et elle fut projetée vers le bas.

Elle roula et roula. Derrière elle, le traîneau en faisait sans doute autant. Elle entendait des craquements, des gémissements, des pleurs aussi. La descente durait et durait. Et soudain, tout s'arrêta. Élisabeth se releva et secoua la neige de ses vêtements, étonnée de n'avoir mal nulle part. Certes, elle aurait des bleus, elle n'en doutait pas. Mais pour le moment, chacun de ses membres répondait parfaitement. La neige et les multiples couches de vêtements avaient amorti le choc et lui avaient évité le pire.

Elle regarda la pente qu'elle venait de dévaler. Ici et là gisaient les pièces d'équipement qui s'étaient échappées du traîneau pendant la descente. Des cordes, sa hache, son réchaud, les bouteilles de carburant, ses raquettes, la glacière, ses sacs de collations et même son sac de couchage.

Les chiens se trouvaient à une dizaine de mètres du point de chute d'Élisabeth. Ils paraissaient intacts eux aussi, mais s'étaient emmêlés dans leurs cordages. Seuls les quatre premiers avaient conservé leurs positions initiales. Pour éviter les bagarres, Élisabeth remit de l'ordre, détachant des colliers et des lignes de queue, enjambant la ligne de trait, rattachant chacun à sa place à tour de rôle. Et après avoir fixé l'attelage à un arbre, elle entreprit de récupérer le matériel qui jonchait le versant glacé de la montagne.

Il fallait enfoncer le bout des bottes, parfois monter à quatre pattes, souvent même couché. La manœuvre dura un peu plus de deux heures à force d'allers et de retours. Quand chaque pièce d'équipement eut retrouvé sa place dans le panier, le soleil se couchait. Élisabeth décida qu'il était trop dangereux de tenter une remontée en pleine nuit.

À l'aide de sa lampe frontale, elle alluma le réchaud, fit fondre de la neige, donna à boire et à manger à tout le monde et n'oublia pas de se nourrir elle aussi. C'était sa routine, elle la connaissait par cœur et il y avait quelque chose de rassurant à répéter des gestes désormais aussi instinctifs que la respiration. Comme si elle n'était pas perdue. Comme si le danger, finalement, n'était pas si grand. Elle pouvait survivre. Elle savait comment et elle avait dans son traîneau tout ce qu'il lui fallait.

« *Survive first! Race second!* » C'était la devise de la Yukon Quest. La priorité était donnée à la survie, la course venait en second.

Quand elle se fut restaurée et qu'elle eut enfin retrouvé son énergie, Élisabeth massa les cinquante-deux pattes. Ses gestes étaient précis, efficaces. Malgré le froid qui s'était accentué avec l'obscurité, et malgré ses doigts gourds. Elle se concentrait, il y allait de sa survie et de celle de ses compagnons. Et c'est comme ça qu'elle réalisa que Minuk était blessé. Une vilaine plaie qu'il léchait sans arrêt. À genoux dans la neige, Élisabeth fondit en larmes avant de rouler sur le dos, découragée.

*

Avec Minuk couché dans le panier, le traîneau était encore plus lourd que la veille. Élisabeth dut pousser fort pour le mettre en mouvement. Elle avait l'intention de contourner la montagne par la base, histoire de regagner la piste à l'endroit où elle rejoignait la forêt. À l'avant, les chiens tiraient de leur mieux, mais il en manquait un, et ça paraissait. Quand, enfin, les patins glissèrent avec aisance, Élisabeth sentit son sourire revenir et elle poussa de plus belle. L'attelage parcourut une dizaine de mètres sans problème. C'est alors qu'on entendit un bruit sec. Comme une faible détonation. Élisabeth vit, impuissante, Jaguar et London partir à toute vitesse. Avec deux chiens en moins pour le tracter, le traîneau s'immobilisa.

Accourue à l'avant, elle découvrit la corde de trait, cassée net. Quelqu'un l'avait rongée. Juste à côté de l'endroit où la rupture s'était produite, Cassandre continuait de tirer, faisant mine de ne pas voir sa maîtresse qui, à genoux dans la neige, tenait la corde de trait dans ses mains.

La colère jaillit comme l'éruption d'un volcan. Si Élisabeth n'égorgea pas la chienne sur-le-champ, c'est parce que la voix de sa conscience, tel un ange perché sur son épaule, lui rappela qu'elle avait besoin de Cassandre pour terminer la course. Et pour s'assurer qu'elle ne commettrait pas l'irréparable, la voix ajouta que toute mort suspecte de chien menait à la disqualification du musher.

Heureusement, Jaguar et London s'aperçurent très vite que leur charge s'était allégée. Ils firent demi-tour, perplexes mais enjoués.

Il fallait maintenant changer la corde de trait. Élisabeth profita de l'occasion pour intervertir London et Cassandre, chose qu'elle aurait dû faire dès le début.

CHAPITRE 43

Quand elle atteignit le poste de contrôle de Central, elle aperçut Jim qui l'attendait en bordure de la piste, impatient, mais surtout inquiet.

— Veux-tu bien me dire ce que tu faisais ?

— Je n'ai pas envie de te raconter ça, je suis trop crevée.

Elle déclara au juge de course qu'elle avait un chien dans son panier. Le vétérinaire, après avoir procédé à l'examen des chiens attelés, s'occupa de la plaie de Minuk. Jim resta avec lui pendant qu'Élisabeth conduisit le reste de son équipe en retrait pour leur prodiguer les soins habituels. Il lui restait douze chiens. Ça la décevait un peu, mais tout n'était pas perdu puisqu'on exigeait un minimum de six chiens à la ligne d'arrivée. N'empêche, la blessure de Minuk l'inquiétait. Elle l'avait désinfectée dans la piste et y avait fixé un bandage approprié, mais Minuk avait déchiré la gaze pour se lécher.

— Il va bien, l'informa Jim en la rejoignant. Le vet dit qu'il sera comme neuf dans deux ou trois semaines. Tu as l'air plus mal en point que lui, je dirais.

— Ça va.

Pas question de lui avouer qu'elle avait failli étrangler Cassandre. Il la jugerait sévèrement s'il apprenait qu'elle avait perdu patience.

— Quand même. À ta place, j'en profiterais pour faire un somme. Jocelyne Leblanc est arrivée deux minutes avant toi.

— Je le sais, je la suivais depuis un bout. Je me dépêchais ; je n'aimais pas l'idée d'être la dernière.

— Tu t'inquiétais pour rien. Il y en a deux autres en arrière de toi. Williams et Raffaeli.

Élisabeth sentit qu'elle recommençait à respirer normalement. Toutes ces heures qu'elle avait passées à imaginer le pire, alors qu'en fait, d'autres mushers la suivaient. Quel soulagement !

Après avoir soigné les chiens, elle mangea un bon repas et dormit presque cinq heures sur le plancher du poste de contrôle.

*

Elle quitta Central juste un peu avant 6 heures, le matin du 8 février.

Les deux derniers mushers avaient rejoint le poste de contrôle pendant la nuit. En partant aussi tôt, Élisabeth s'assurait qu'il y aurait trois équipes derrière elle. Une précaution qu'elle savait fort utile, ne serait-ce que pour lui calmer les nerfs quand les choses redeviendraient difficiles.

Or, les choses ne furent pas difficiles ce jour-là, mais grands Dieux que la journée fut longue, cependant ! La piste longea d'abord une route avant de traverser un lac, puis un marais. Il s'agissait de la journée la plus froide depuis le départ de Fairbanks. Seul point positif : à une température frisant les -40 °C, la majorité des cours d'eau étaient gelés dur.

Après le marais, la piste suivit le ruisseau Birch sur une centaine de kilomètres. Cassandre et Jaguar tiraient allègrement, grisés par le paysage qui défilait, plat et sinueux, comme une piste de course féérique. Il fallait parfois grimper sur le rivage pour éviter de l'eau vive ou un *overflow* trop important pour avoir figé malgré le grand froid, mais la plupart du temps, l'attelage zigzaguait librement d'est en ouest. Et ça dura des heures! Élisabeth avait le tournis à force de virages.

En mi-journée, Cassandre montra des signes de fatigue, chose inhabituelle chez elle. Surtout qu'il y avait eu peu de pentes à gravir ou à descendre depuis le matin. Élisabeth fit grimper encore une fois son équipe sur le rivage et s'installa pour une pause bien méritée. Elle ramassa même du bois pour faire un feu. Il faisait toujours aussi froid, malgré un ciel bleu et un soleil éblouissant.

Le ruisseau gelé serpentait dans une vallée peu profonde, mais il était impossible de voir très loin devant. Ni très loin derrière, évidemment. Pendant qu'Élisabeth campait avec ses compagnons, deux attelages les dépassèrent, se suivant de près comme s'ils se faisaient la chasse ou qu'ils craignaient de se perdre de vue.

Elle les regarda s'éloigner, songeuse. Au fond, la Yukon Quest n'était pas vraiment une course. Enfin, oui, elle l'était, mais pour les meilleurs seulement, des vétérans comme Ian ou Mars ou Vince Oblonski, qui comptaient sur une bourse. Eux, il leur fallait une bonne position. Dans les dix premières, si possible. Mais pour les autres... Pour les autres il s'agissait surtout d'une épreuve personnelle, leur principal adversaire n'étant pas un concurrent, mais eux-mêmes. Camper en hiver. Survivre en forêt. Travailler avec les chiens. Faire le voyage... Un voyage long et difficile, certes, mais un voyage quand même.

Elle admira son traîneau, un véhicule performant, flexible et durable. L'aluminium lui donnait belle allure, et la toile du panier paraissait aussi solide qu'elle l'était. À l'intérieur se trouvait tout ce dont Élisabeth aurait pu avoir besoin advenant qu'elle se perde. En plus de tout cet équipement, le traîneau était muni d'un appareil qui permettait aux responsables – et aux amateurs de la Yukon Quest – de la suivre à la trace sur internet par l'entremise d'un relais satellite. En cas de pépin – d'un gros pépin, s'entend –, elle n'aurait qu'à actionner le bouton d'urgence, et les *rangers* viendraient la chercher. Sa course se terminerait aussitôt et, il fallait l'admettre, elle se terminerait bien mal, mais personne n'en mourrait. Elle, pas davantage que les chiens.

Une étrange paix l'envahit à cette idée. Depuis le début, elle avait eu peur pour pas grand-chose, finalement. La course s'avérait éprouvante, personne ne disait le contraire, mais, au fond, le pire des dangers se trouvait entre ses deux oreilles.

Sereine, elle chercha des yeux les deux traîneaux, mais ne les vit plus. Ils avaient disparu dans un méandre du ruisseau.

Un corbeau croassa. Élisabeth leva la tête et, du coup, huma l'air pur du Grand Nord, auquel se mêlait l'odeur du feu de camp qui réchauffait son équipe. Il n'y avait pas de mots pour dire à quel point elle aimait ce qu'elle était en train d'accomplir, malgré les difficultés, malgré les douleurs aux doigts et les orteils gelés. Il suffisait d'un bon feu, de neige fondue où on aurait ajouté du café instantané. Un sac de couchage, des vêtements chauds, de bons outils. Une ration réhydratée et réchauffée pouvait la sustenter pendant quelques heures. Quant aux chiens, le traîneau contenait tout ce dont ils avaient besoin.

La réalité n'était pas aussi terrible qu'elle l'avait imaginée. Même que cette solitude, loin du monde civilisé, loin des commodités de la vie moderne, loin du travail, des attentes et des responsabilités, avait quelque chose d'euphorisant. Si quelqu'un lui avait demandé comment elle voulait vivre le reste de sa vie, elle aurait répondu : « Exactement comme maintenant. » Elle n'aurait rien changé. Même Gabriel, David et Jim avaient disparu de son esprit. Elle était seule, en vie et vraie.

«Maintenant, songea-t-elle, si je pouvais conserver cette vision du monde quand je serai de retour à la maison, il me semble que tout irait mieux.»

Elle déposa sur les chiens leurs petites couvertures de laine polaire et se glissa dans le sac de couchage déroulé au fond du panier. Une étape venait d'être franchie.

CHAPITRE 44

Elle dormit quatre bonnes heures sans même ouvrir les yeux une seule fois. Et quand elle se leva – un peu courbaturée, il est vrai –, elle eut l'impression que quelque chose en elle avait changé. Une sérénité nouvelle l'habitait. Sa vision du monde et de la course n'était plus la même, et le plaisir qu'elle ressentait d'être là avait quintuplé.

Indifférente à l'idée de se retrouver en dernière position, elle remballa ses affaires en prenant son temps, s'assurant que tout était à sa place et qu'elle n'oubliait rien.

Elle redescendit ensuite avec son équipe serpenter dans la vallée sur le ruisseau gelé.

Quand elle atteignit Circle City, il était 22 heures passées.

Jim n'y était pas. Elle s'inquiéta un peu, mais comme elle avait beaucoup à faire, cette angoisse fut mise de côté jusqu'à minuit. Quand les chiens eurent mangé et bu et que leurs pattes eurent toutes été massées, elle pénétra dans le poste de contrôle.

— Où est mon handler? demanda-t-elle au handler de Jocelyne Leblanc.

— C'est le vieux monsieur, votre handler? Il est tombé en panne à mi-chemin entre Central et Circle City. La courroie d'alternateur, il paraît. Quelqu'un l'a ramené à Fairbanks pour qu'il achète la pièce qu'il fallait.

Élisabeth soupira. Une chance qu'elle n'avait pas à lui laisser un chien! Tous avaient bien couru ce jour-là, et même Cassandre avait semblé reprendre du poil de la bête. Comme elle était maintenant en train de se reposer, tout irait bien désormais.

Elle se leva à 5 heures du matin. Jim n'étant toujours pas arrivé, elle s'installa sur le coin d'une table pour lui écrire un mot. Elle lui dit qu'elle le reverrait à Dawson City. Il y n'avait que 256 kilomètres entre Circle City et Eagle, mais ce dernier village n'étant accessible qu'en avion, les handlers ne s'y rendaient pas. À partir de Eagle, la piste descendait sur le fleuve Yukon, et 240 kilomètres plus loin se trouvait Dawson City. Élisabeth connaissait bien cette partie du trajet puisqu'elle recoupait grosso modo le tracé de la course Percy DeWolfe.

Elle termina sa note à Jim en lui souhaitant bonne chance et en lui rappelant qu'il devait prendre avec lui David en repassant à Whitehorse. Elle se ravisa et ratura cette dernière phrase. Jim n'oublierait pas David. Et puis elle ne devait pas laisser ces considérations extérieures troubler sa concentration. Jim savait ce qu'il avait à faire. Et elle, elle se sentait tellement bien qu'elle entrevoyait avec plaisir le défi qui l'attendait.

Elle donna son message au juge de course qui promit de le remettre à Jim quand il arriverait, puis elle revint vers les chiens. Tout le monde semblait excité, sauf Cassandre qui restait couchée. Élisabeth s'approcha de la chienne et fut saisie d'effroi, avant d'éclater en sanglots.

La première chose qu'elle avait faite en se levant avait été de soigner les chiens. À ce moment-là, Cassandre avait semblé aussi en forme que les autres. Mais voilà que, moins de trente minutes plus tard, elle gisait sans vie, attelée à l'avant comme elle l'avait tant désiré depuis le départ de Fairbanks trois jours plus tôt.

Chapitre 45

Si Élisabeth avait eu à parier, elle aurait dit que Cassandre avait avalé une pièce de la corde de trait, le jour où elle l'avait rongée jusqu'à la briser. Cette pièce aurait perforé un organe interne, provoquant une hémorragie mortelle. Mais en misant sur cette hypothèse, Élisabeth aurait été bien loin de la réalité. La nécropsie avait conclu à une mort beaucoup plus naturelle : Cassandre avait une malformation cardiaque. Aucun vétérinaire n'aurait pu s'en apercevoir. Ce jour-là, après avoir mené l'équipe sur la glace du ruisseau Birch, après s'être donnée, à l'avant, comme elle en avait toujours rêvé, Cassandre avait flanché. Ou plutôt, son cœur avait flanché.

Jim conduisait en silence, les yeux rivés sur la route, risquant un regard de biais toutes les heures pour vérifier l'état de sa passagère. Assise au bout de la banquette, mais évitant quand même de toucher la portière glacée, Élisabeth fixait l'horizon. Ses yeux rougis et son visage blême traduisaient à eux seuls la peine qui l'accablait. Jim ne lui avait rien dit en apprenant la nouvelle. Les mots inutiles, le juge de course les avait prononcés quand elle lui avait annoncé qu'elle se retirait. Ça suffisait.

Jim avait effectué la réparation sur l'accotement, par -30 °C. Quand il était enfin arrivé à Circle City, cinq heures après le retrait d'Élisabeth, quelqu'un lui avait annoncé la mauvaise nouvelle – un autre handler, sûrement.

Il l'avait trouvée assise sur une marche, les coudes sur les genoux, foudroyée. Toutes ses belles dispositions, cette nouvelle vision du monde, de la course et d'elle-même, tout cela avait disparu avec la mort de Cassandre. Plus tôt, les vétérinaires avaient dû lui arracher le corps de la chienne tant elle l'avait tenu serré, s'y accrochant comme à son dernier espoir. Cassandre, tout juste cinq ans, n'était plus. Et plus jamais elle ne tirerait un traîneau au cœur de la forêt, ni en bordure d'une rivière gelée, ni sur la glace du fleuve.

Jim n'avait pas essayé de la convaincre de poursuivre la course. De toute façon, il était trop tard. Le retrait avait été enregistré et publié. La course, pour eux, était terminée. Et puis il connaissait trop bien la relation du musher avec ses chiens pour tenter d'y mettre son grain de sel. Musher, il l'avait été lui-même. C'est d'un amour profond et sincère qu'il avait aimé ses chiens. Et lui non plus n'aurait pas été capable de reprendre la course après la perte d'un être aussi cher.

Il avait donc aidé Élisabeth à hisser les onze bêtes restantes dans leurs cabines, à ranger l'équipement, à attacher le traîneau sur le toit. Il avait ensuite demandé à ce que la nourriture abandonnée dans les différents postes de contrôle soit distribuée dans les communautés. Puis il avait pris le volant.

La route défilait maintenant, interminable et accablante. Au loin, des montagnes, des forêts d'épinettes et de peupliers faux-trembles, nus et gris. Des rivières et des lacs gelés aussi. Et, de temps en temps, une motoneige surgissait pour disparaître presque aussitôt.

Oui, elle était interminable, cette route. Mille deux cents kilomètres. Une nuit de motel, plus six arrêts pour les besoins des chiens.

CHAPITRE 46

—Tu aurais pu continuer, voyons !

David était accouru dès qu'il avait entendu le *dog truck* entrer dans la cour. Comme il faisait nuit noire, Gabriel avait allumé le projecteur. À quatre, ils avaient sorti les chiens pour les attacher chacun à sa niche. Ils avaient ensuite regagné la maison où tout le monde avait écouté l'histoire d'Élisabeth, assis autour de la table, à deux pas du poêle à bois.

Elle leur avait raconté sa course avec précision et fidélité jusqu'au moment où ses leaders étaient partis sans le traîneau à cause du câble rongé. Elle avait passé sous silence la colère qui l'avait envahie et la soudaine envie qu'elle avait eue d'égorger Cassandre. Pour le reste, cependant, elle avait essayé d'être juste et vraie. Elle avait ensuite donné les détails de sa dernière journée, décrit la rivière gelée et la chienne qui courait comme jamais. Elle n'avait pas parlé de cette épiphanie survenue en bordure de la rivière, car elle l'avait déjà presque oubliée. De cette sérénité, il ne restait qu'une vague sensation. Rien qui aurait donné un sens supplémentaire à son récit.

—Tu avais encore onze chiens ! ajouta David.

Au lieu de répondre, Élisabeth se leva et, sans même leur souhaiter une bonne nuit, elle grimpa les marches d'un pas lourd. Une fois à l'étage, elle se déshabilla, enfila un pyjama et se glissa sous les draps.

Elle somnola d'abord, le cœur gros, la gorge dans un étau, la tête remplie d'images, de souvenirs, anciens et récents. Cassandre qui gisait morte sur la neige. Cassandre qui se sauvait dans le sentier tandis qu'elle la poursuivait avec un attelage. Cassandre à l'avant, qui tirait comme une championne. Cassandre au chenil de Ian, couchée devant une niche pleine d'objets hétéroclites. Cassandre, la voleuse. Cassandre, la rebelle. Cassandre qui n'était plus.

Des larmes roulaient sur les joues d'Élisabeth tandis que, d'en bas, montaient les paroles de ses hommes.

— Voyons, Dave! On ne dit pas ça!

— Pourquoi je ne le dirais pas? Il lui restait des chiens en masse!

— Sissi aimait Cassandre autant qu'elle t'aime, mon gars. Elles se connaissaient depuis des années.

— C'est même elle qui l'avait formée, ajouta Gabriel. Et j'aurais été le premier surpris si elle n'avait pas scratché.

— Elle a du cœur, Sissi!

— Ben moi, je la trouve poche d'avoir abandonné la course au premier tiers.

La voix de Jim gronda.

— Si c'est comme ça que tu vois le traîneau à chiens, je perds mon temps à te montrer mes trucs. Tu sauras qu'un musher sans cœur, c'est un mauvais musher. Et un mauvais musher ne sera jamais un gagnant.

David bredouilla quelque chose. La porte claqua. Gabriel offrit de faire du café. Jim accepta et demanda s'il y avait quelque chose à manger. Il était minuit passé.

Élisabeth s'endormit.

CHAPITRE 47

Pendant les semaines qui suivirent la course, Élisabeth diminua les heures d'entraînement et passa davantage de temps en famille. Étrangement, la mort de Cassandre l'avait rapprochée de David. Sans doute regrettait-il les paroles amères prononcées à chaud, car il ne lui fit plus de reproche. Au contraire, il se montrait intéressé comme jamais.

Transam avait pris la place de Cassandre et, même si Élisabeth n'en était pas satisfaite, elle n'en montrait rien.

Un soir, alors que David était retourné dans sa cabane et qu'on savait que Jim, qui n'était pas venu souper, ne risquait plus de frapper à leur porte, Gabriel conduisit Élisabeth à l'étage où il lui fit l'amour. La totale! Avec pénétration et tout. Élisabeth, plus étonnée que bouleversée, ne put retenir une question quand, après coup, ils s'enlacèrent, fourbus mais heureux.

— Hé! Hé! dit-il. Je ne suis quand même pas pour t'avouer tous mes secrets.

Comme elle insistait et le menaçait de le chatouiller à mort, il avoua avoir pris une petite pilule bleue.

— C'est mon doc qui me l'a suggéré. Pis je ne suis pas fâché pantoute du résultat.

Elle rit.

— Moi non plus.

Ils rigolèrent un moment et parlèrent du chenil qui, depuis le départ des chiens de Ian, avait repris sa taille normale, avec son lot d'ouvrage normal.

— Ils étaient bien fins pis bien bons, ces chiens-là, mais je pense que Dave commençait à trouver qu'ils le gardaient pas mal busy.

Élisabeth avait eu de la peine en ramenant Jaguar à son maître. Si elle comptait participer à la prochaine Quest, ce serait sans lui. Ian, dont le pied allait mieux, le lui avait bien fait sentir.

— J'ai presque regretté de t'avoir laissé mes meilleurs, lui avait-il lancé en agitant la cheville pour prouver que la guérison était complète.

Elle n'avait pas eu besoin de donner de détails concernant la mort de Cassandre. Tout le monde était au courant puisque la nouvelle avait paru dans les journaux. Des chiens qui mouraient pendant la Quest, on ne voyait pas ça souvent. Ian lui avait simplement offert ses condoléances, comme la politesse l'exigeait.

Au moment où elle s'en retournait à son *dog truck* vide, il s'était écrié :

— L'an prochain, Frenchie, tu ne l'auras pas aussi facile.

Elle avait ri. Ni l'un ni l'autre ne trouvaient qu'elle l'avait eu facile.

— Joe McIntire se cherche un mécanicien.

Cette phrase ramena Élisabeth sur terre, c'est-à-dire dans son lit, la tête au creux de l'épaule de Gabriel. Elle n'arrivait pas à croire qu'elle était déjà en train de préparer mentalement sa prochaine course.

— Joe McIntire ? La compagnie de transport ?

— Ouais…

— Et… ?

Gabriel s'éclaircit la voix avant de se tourner et de se redresser sur un coude. Il lui faisait face et, du bout d'un doigt, il repoussa la couverture, découvrant l'épaule d'Élisabeth. Il en suivit le contour.

— Ben… euh… Je me disais…

Il hésitait trop, ça ne lui ressemblait pas.

— Je me disais que si je devenais employé, la banque me prêterait de l'argent. Parce que, tu sais, mon garage, il n'est pas très rentable et… Ben, avec mon passé et… Disons que je n'ai pas un très bon crédit.

— Pourquoi tu veux emprunter de l'argent ?

— Pour t'acheter la moitié du chenil.

Elle en eut le souffle coupé.

— Voyons donc ! Pourquoi tu voudrais faire ça ?

Elle se montrait agressive, elle s'en rendait compte. Elle se reprit.

— Je ne comprends pas de quoi tu parles, Gab. Alors, arrête de tourner autour du pot, s'il te plaît.

Il s'assit dans le lit, plaça son oreiller à la verticale et s'y adossa.

— Bon, écoute. C'est l'idée de Jim, mais je trouve que c'est une bonne idée.

Il lui décrivit comment Jim et lui avaient élaboré un plan pour l'avenir du chenil.

— Pour commencer, il faudrait construire des *cabins* qu'on louerait aux touristes. C'est payant, recevoir des touristes, tout le monde sait ça. Et puis avec les chiens, ça ferait pittoresque. Entre les courses et les entraînements, tu pourrais organiser des tours. Mettons des expéditions de deux ou trois jours dans le bois. Tu pourrais les emmener pas loin d'ici, sur le bord de la rivière Takhini. Bon. C'est certain que ça nous prendrait au moins deux skidoos, pour transporter le matériel. Et puis il faudrait que quelqu'un apprenne la comptabilité…

Elle leva une main pour l'interrompre.

— Je m'excuse de péter ta balloune, mais j'ai bien juste assez de temps pour les entraînements pis les courses. Comment veux-tu que je sorte avec des touristes? Pis il me semble que c'est toi qui te plaignais qu'on ne passait pas assez de temps ensemble.

— Justement! Justement! Avec ce plan, on pourrait être ensemble beaucoup plus souvent.

— Et comment on ferait ça?

Cette fois, il la regarda droit dans les yeux.

— Premièrement, je me trouve une job stable, quelque chose de fiable et qui va plaire à la banque. Deuxièmement, je vends ma maison pis j'emprunte le cash qui me manque pour te racheter la moitié de la propriété.

Voyant qu'elle s'apprêtait à protester, il ajouta:

— À sa valeur actuelle, évidemment.

Elle le fixa à son tour et attendit la suite.

— Troisièmement, tu laisses ta job et tu t'investis à fond dans le chenil. Je veux dire, tu crées ta propre business. Quelque chose qui ressemblerait à la business de Mars, mais pour les Québécois, mettons.

— Il n'y aura jamais assez de touristes québécois pour nous faire vivre, voyons!

— Ben on l'ouvrira au reste du monde, Bebette! Ce que je veux dire, c'est que si on faisait un *move* comme celui-là, tu pourrais passer tout ton temps avec les chiens. Bon, sauf les nuits, évidemment. Pis, encore là! En expédition, tu serais aussi avec eux autres, comme pendant les entraînements pis les courses. Tu pourrais vraiment t'occuper des chiots, étudier la génétique pour décider qui tu accouples avec qui et faire ta propre lignée. Avec ce que je vais te donner, tu aurais de l'argent en masse, même en en donnant une partie à la banque pour combler la moitié de ton prêt. Jim m'a dit combien tu avais payé. C'était loin en dessous du prix d'évaluation.

— C'est parce que Steven voulait vendre au plus vite.

— Je le sais. Pis je ne vais pas essayer de t'enlever le cash que tu as fait avec ce coup-là. C'était un bon coup, et ça t'appartient.

Elle l'étudia un moment et constata qu'il était sérieux. Très sérieux, même. Sauf qu'elle ne savait que faire de sa proposition. C'était comme si on lui donnait la lune alors qu'elle n'avait rien demandé.

— Pourquoi tu ferais ça ? s'enquit-elle enfin.

— Pour être avec toi.

Elle rit.

— Mais tu es déjà avec moi.

Il secoua la tête.

— Non, Bebette. On vit dans la même maison, mais on n'est pas souvent ensemble. Moi, ce que je veux, c'est vivre avec toi. Partager ta vie et ta passion. Bon, je ne tripe pas sur les chiens comme toi, mais une business comme ça, ça m'intéresse. Et puis si j'ai une job steady, j'aurai un horaire comme du monde, ce qui fait que je commencerai et que je finirai à des heures raisonnables. Pis que je serai assuré d'un minimum de paye parce que je serai payé à l'heure.

Il passa un bras derrière elle et l'attira à lui. D'instinct, elle posa la tête sur son épaule.

— Pis, en plus, McIntire, c'est en entrant à Whitehorse. Ça me coûterait donc moins cher de gaz par semaine. Pis le meilleur, là-dedans, c'est que j'aurais plus de temps pour entretenir ton équipement.

Elle comprit qu'il se sentait coupable pour la panne survenue entre Central et Circle City. Elle s'apprêtait à lui dire que ce n'était pas grave, que Jim avait su quoi faire, quand il ajouta :

— Tu sais, les skidoos, ça brise tout le temps.

Elle rit et acquiesça ; aussi bien ne plus parler de ça.

— À ce que je vois, tu as déjà pensé à tout.

— *On* a pensé à tout. Comme je te l'ai dit, au début, c'était l'idée à Jim. Pis là, David trouvait que ça avait du bon sens, pis…

— David ? Qu'est-ce qu'il a à voir là-dedans ?

— Ben là ! C'est quand même lui qui nettoie le chenil. Je trouve qu'il a son mot à dire. Surtout que si tu reçois des touristes, tu vas avoir besoin de plus de chiens et…

Elle cessa de l'écouter. Son esprit flottait au-dessus de la pièce, au-dessus de la maison, au-dessus du chenil. Elle imaginait les petites *cabins* érigées en périphérie. Assez loin des chiens, et face à l'ouest pour que les invités – c'est ainsi qu'elle les appelait déjà – puissent admirer le coucher de soleil, quelle que soit la saison.

Elle se revit tout à coup sur la berge du ruisseau Birch, et la paix qu'elle avait ressentie à ce moment-là l'envahit de nouveau.

« Maintenant, s'était-elle dit, si je pouvais conserver cette vision du monde quand je serai de retour à la maison, il me semble que tout irait mieux. »

Gabriel avait trouvé la manière de lui permettre de garder cette vision du monde, de la prolonger jusque dans son quotidien. Elle le regarda dans les yeux, consciente qu'elle ne pourrait jamais assez l'en remercier.

CHAPITRE 48

Le printemps revint et, avec lui, les jours sans fin. Toute cette lumière apporta un regain de vie, tant dans la nature que dans le chenil. Les chiens de Ian partis, on avait donné plus de place à chacun, et malgré cette distance nouvelle, les mâles lorgnaient trois des femelles. Élisabeth avait appris sa leçon et gardait tout ce beau monde attaché. Et quand elle sortait pour les derniers entraînements de l'année, elle accordait une attention particulière à la distribution, c'est-à-dire qui elle installait à côté de qui.

La veille de Pâques, David annonça à sa tante qu'il lui avait préparé un cadeau.

— Je te le donne demain matin, alors lève-toi de bonne heure! avait-il lancé en quittant la maison après le souper pour s'en retourner dans sa cabane, Laska sur les talons.

La chienne, jadis attachée à Élisabeth, s'était choisi un nouveau maître. Quand David partait pour l'école, elle passait la journée à l'attendre. C'est en tout cas ce que Jim affirmait.

Il faisait encore froid, ce matin-là. Suffisamment pour qu'on sorte avec les chiens. Quand Élisabeth rejoignit les trois hommes dans la cour, le chenil retentissait de hurlements et d'aboiements exaltés. La saison achevait, tout le monde le sentait et voulait profiter d'une dernière balade en forêt.

Parce qu'il se considérait encore comme un débutant, David n'attelait que six chiens à la fois. Jim lui avait enseigné tout ce qu'il savait, comme il l'avait fait avec Élisabeth. Et ce n'est pas sans une pointe de jalousie qu'Élisabeth regarda son neveu empoigner Cavalier, le soulever pour qu'il saute sur deux pattes jusqu'au traîneau, prudemment attaché au VTT. Il n'avait pas l'air de forcer, manœuvrant les chiens comme s'il avait fait ça toute sa vie. Elle se rappela le regard que Ian posait sur elle quand elle-même attelait la « gang de rejets ». Il avait su dès le début, comme Élisabeth le découvrait maintenant avec David, qu'il était en train de former une rivale.

Une fois Cavalier et Corvette en position, David installa Matrix et Camaro juste devant. Puis il demanda la permission d'atteler Minuk.

— C'est juste pour aujourd'hui, plaida-t-il avec un air innocent.

Élisabeth l'aurait peut-être cru si elle ne l'avait vu manipuler le chien avec aisance. Ces deux-là se connaissaient mieux que ce que David laissait entendre.

Les quatre premiers chiens n'avaient pas cessé de tirer, mais quand Minuk fut en position, ils commencèrent à bondir. Nerveux, David se tourna vers Gabriel qui lui ordonna de continuer avant d'adresser un clin d'œil à Élisabeth.

— Bebette, dit-il, tu vas avoir la surprise de ta vie.

Ne sachant où il voulait en venir, elle haussa les sourcils et interrogea son neveu du regard. Ce dernier hésita.

— OK, dit-elle avec un soupir de résignation. Tu peux mettre Transam en avant.

— Ce n'est pas Transam, ma tante.

Il siffla, et Laska bondit s'asseoir à ses pieds. Il l'attela à gauche de Minuk, là où, longtemps, Élisabeth avait attelé Cassandre.

— Laska? Mais elle est bien trop jeune!

Elle s'avança pour s'opposer, mais Jim la retint d'une main sur l'épaule.

— Voyons, Sissi! Elle a presque deux ans. Si on veut qu'elle apprenne…

Ne sachant s'il fallait ou non intervenir, Élisabeth hocha la tête. David sourit, fier de lui, et courut se hisser sur les patins. D'une main, il retint l'attelage, et de l'autre, il détacha le traîneau.

— Hop! Hop! lança-t-il.

Mais c'était inutile, les chiens étaient déjà partis.

Il se contenta de suivre le sentier aménagé par Jim autour du terrain. Il y avait ici et là un embranchement.

— Gee! ordonnait-il.

Comme d'habitude, Minuk tira à droite, épaulé par Laska.

— Haw! ordonna-t-il soudain.

Et Laska tira à gauche.

Immobile devant le chenil, Élisabeth dut s'appuyer à un des piquets.

— Ça fait longtemps que vous l'entraînez comme ça? demanda-t-elle à Jim.

— Elle vient de chez Oblonski. Je me suis dit qu'on ne perdait pas grand-chose à l'essayer. Et puis voilà que dès qu'on lui a mis un harnais, cette belle petite husky savait ce qu'il fallait faire. C'est à croire qu'elle est née pour tirer.

— C'est le cas! lança Élisabeth, émerveillée.

Et c'est à ce moment qu'elle réalisa que son neveu n'était plus un enfant. Dans quelques mois, il aurait seize ans et pourrait, s'il le voulait, s'inscrire à la course Percy DeWolfe. Il était grand et mince comme pouvaient l'être les adolescents. Il était disproportionné aussi, avec des bras tellement longs qu'on en était intrigué… si on y prêtait attention. Et ce jour-là, Élisabeth y prêta attention. À le voir diriger l'attelage d'une voix autoritaire, à le voir transférer son poids dans les virages pour aider les wheelers, elle dut admettre qu'avec le temps, il ferait un redoutable adversaire.

Chapitre 49

Comme chaque année, la lumière ramena Pierre-Marc au Yukon. Il ne revint pas seul, toutefois. En ce beau samedi de mai, une voiture le laissa en bordure de la route de l'Alaska... avec une femme. Dans le chenil, les chiens se mirent à aboyer pour annoncer des visiteurs. Parce qu'elle était en train de puiser de l'eau, Élisabeth le vit arriver. Elle fit taire les chiens, déposa son chaudron sur le sol, essuya ses mains mouillées sur ses jeans et rejoignit le couple qui s'avançait déjà dans l'entrée.

— Tu es en retard de quatre mois, lança-t-elle tout haut, taquine.

— J'étais en Thaïlande pendant la Quest. Tu me pardonneras, mais j'étais très très occupé. Et puis il faisait beau.

— Ici aussi. On a frisé les -40 °C.

— Chanceuse, va !

Il ouvrit les bras, et elle s'y blottit aussitôt. Comme ça faisait plaisir de le voir ! Il n'avait pas changé depuis l'année précédente. Même attitude désinvolte, même esprit libre comme l'air. Son odeur, cependant, lui sembla étrangère. Elle y reconnaissait le parfum typique d'un déodorant féminin. Elle s'écarta et se tourna vers la femme qui l'accompagnait.

— Et c'est qui, la nouvelle ?

Elle était petite, brune et paraissait fort jeune.

— Voyons, Élisabeth ! s'écria l'autre. Tu ne me reconnais pas ?

Élisabeth scruta le visage, et ses yeux s'éclaircirent.

— Sandy ?

— Fiou ! J'ai eu peur que tu fasses de l'Alzheimer.

Élisabeth secoua la tête, incrédule. Elle reconnaissait maintenant bel et bien l'ancienne réceptionniste de l'Association franco-yukonnaise.

— Qu'est-ce qui est arrivé à tes cheveux ?

De fait, les longs dreadlocks qu'elle avait eu l'habitude de rouler dans un foulard avaient fait place à des mèches très courtes.

— Il a fallu que je les coupe pour travailler dans le Sud.

Elles se serrèrent l'une contre l'autre, puis Sandra balaya des yeux le domaine d'Élisabeth.

— Je te dis que tu es loin de ton appartement à Riverdale !

— Mets-en !

— As-tu encore Ravenne ?

— Évidemment ! Et j'en ai plusieurs autres !

Elle se tourna vers le fond du terrain et, mettant ses mains en porte-voix, elle appela la chienne qui apparut en quelques secondes, suivie comme toujours de Laska. Toutes deux se jetèrent sur les invités.

— Laska ! Ravenne ! Assis ! Excusez-les. Elles ne sont pas habituées. On n'a pas souvent de visite.

Pierre-Marc repoussa doucement Ravenne, qui s'assit à ses pieds.

— Eh bien ! Vous allez en avoir bientôt, à ce que j'ai entendu.

— Ah oui ? Où est-ce que tu as entendu ça ?

— Au Baked Café hier matin. Ta chum Katherine était là. Elle avait l'air d'avoir peur que tu arrêtes complètement de travailler à la clinique.

Élisabeth rit en les entraînant de l'autre côté de l'enclos. On entendait des coups de marteau et des bruits de tournevis électrique.

— Elle s'inquiète pour rien. Je tiens à travailler trois jours par semaine par mesure de précaution. Au pire, je tomberai à deux, mais je ne démissionnerai jamais.

— Tu lui diras ça.

— Je le lui ai dit, mais elle ne me croit pas.

— Je me demande pourquoi…

Dans le chenil, les chiens s'étaient calmés et regardaient les nouveaux venus avec curiosité. Après avoir contourné la cabane de Jim, Élisabeth s'écria :

— Gab ! Jim ! Dave ! Venez que je vous présente la visite !

Les outils se turent, et on entendit des voix d'hommes.

— De la visite ?

C'est David qui, tout étonné, apparut le premier.

Élisabeth avait reçu bien peu de gens depuis qu'il vivait avec elle. Katherine, trois ou quatre fois. Rita et Marie-Aurore, à peu près aussi souvent. Personne d'autre, à part le fils de Jim, n'avait foulé le seuil du domaine. Élisabeth sourit, émue de voir son neveu qui, un peu gêné à l'idée de rencontrer des étrangers, repoussa d'une main la longue mèche qui lui descendait devant les yeux. La tignasse, désormais plus auburn que rousse, lui tombait presque aux épaules. Il refusait catégoriquement d'aller chez le coiffeur.

— Quand ils seront assez longs, promettait-il, je vais les attacher.

Il aurait pu les attacher depuis longtemps maintenant… s'il l'avait voulu.

En le voyant s'approcher, Élisabeth réalisa qu'il avait la démarche souple et un peu gauche des adolescents. Mais il ne fallait pas s'y tromper. Ses épaules, étonnamment larges, trahissaient l'adulte en devenir.

— Pierre-Marc? Wow, *man*! Ça fait longtemps que je ne t'ai pas vu! Tu n'as pas changé pantoute.

— Insulte-moi pas! railla Pierre-Marc en lui ébouriffant les cheveux, comme il le faisait quand David était enfant.

Celui-ci recula, secoua la tête et replaça d'une main les mèches qu'on venait de déplacer.

— David, ajouta Pierre-Marc, je te présente Sandy, ma blonde.

Élisabeth éclata de rire en entendant la nouvelle, mais se ressaisit quand elle remarqua l'intérêt que son neveu prêtait à Sandra.

— Dave, le corrigea David en embrassant Sandra sur les joues.

Puis, sans doute parce qu'il sentait posés sur lui les yeux inquisiteurs de sa tante, il ajouta:

— Comment ça va, Pierre-Marc? Ma tante m'a dit que tu travaillais dans les mines. Paraît que c'est payant…

Pierre-Marc s'apprêtait à répondre, mais Élisabeth, gênée de voir son neveu poser des questions aussi directes, interrompit leur conversation.

— Où sont Gab et Jim?

— Ils s'en viennent. Gab voulait finir de poser un morceau. Il dit que, sans ça, le plafond peut s'écrouler pendant la nuit. Je ne le crois pas, mais…

Pierre-Marc reconnut le prénom.

— Gab, c'est le mécanicien?

Élisabeth rougit.

— On forme un couple maintenant. Et on est copropriétaires de tout ça.

Elle ouvrit les bras pour désigner l'ensemble du terrain et des bâtiments. Et dans son cœur, elle incluait également les montagnes tout autour, le soleil et le ciel bleu craquant. Puis, en voyant Gabriel et Jim apparaître, elle ajouta :

— On a baptisé ça Midnight Sun Adventures.

Gabriel serra la main de Pierre-Marc et embrassa Sandra en ajoutant :

— « There are strange things done, under the Midnight Sun[1]… »

Tout le monde rit parce que tout le monde connaissait les vers, et David, soudain sûr de lui, poursuivit :

— « By the men who moil for gold. The Arctic trails have secret tales that would make your blood run cold. »

Élisabeth se tourna vers lui, impressionnée.

— Depuis quand tu connais ça, toi ? Et depuis quand tu parles si bien anglais ?

— Depuis que je passe mes journées avec lui !

Il asséna un coup de coude à Jim.

— Mets pas ça sur ma dos, you bastard !

Jim avait pris le ton faussement bourru qu'il utilisait pour piquer la curiosité des gens qui le rencontraient pour la première fois. Personne ne fut dupe cependant. Et rien qu'à le voir couver le garçon d'un œil bienveillant, tout le monde comprit qu'il l'aimait.

— Laissez-nous dix minutes pour nous laver, intervint Gabriel, et on vous rejoint sur la galerie pour une bonne bière.

Il se dirigea vers le puits, suivi de Jim et de David, tandis qu'Élisabeth guidait ses invités vers la maison.

— Comme ça, dit-elle en s'adressant à Sandra, tu es revenue au Yukon…

— Je suis arrivée il y a cinq jours, sur le même avion que Pierre-Marc.

----

1. Extrait du poème de Robert Service, *The Cremation of Sam McGee*.

— Ah oui ? Vous vous êtes rencontrés en Thaïlande ?

Pierre-Marc la corrigea en riant.

— On s'est rencontrés à Whitehorse, figure-toi donc. En descendant de l'avion à l'aéroport.

— Et vous êtes ensemble depuis ?

Sandra et Pierre-Marc approuvèrent en chœur.

— On a passé les derniers jours au camping, ajouta Pierre-Marc. Mais là…

Il s'éclaircit la voix.

— On aimerait pitcher notre tente ici.

— Ici ?

Élisabeth ne cacha pas son irritation, et Sandra jugea bon d'intervenir.

— Écoute, je n'ai pas encore de travail ; je n'ai donc pas de logement. Je peux travailler pour toi si tu me laisses rester ici.

Voyant qu'Élisabeth hésitait, elle précisa sa pensée :

— Gratis, évidemment. Je sais que vous avez de l'ouvrage avec les *cabins* qu'il faut construire et les douches et les toilettes. Je ne suis pas trop pire avec des outils. Je peux aussi nettoyer le chenil si tu préfères. Comme ça, ton neveu pourrait travailler avec les deux autres.

Sandra connaissait les usages du Yukon, et Élisabeth savait qu'elle ne se formaliserait pas d'avoir à utiliser la bécosse et la douche extérieure. Elle jaugea ce petit bout de femme haut comme trois pommes et essaya de l'imaginer manipulant des chiens de cinquante livres. Et un souvenir lui revint en mémoire, aussi brutal qu'un éclair.

— Qu'est-ce qui est arrivé à Mattie ? demanda-t-elle.

— Elle est morte il y a deux ans. Elle a avalé une roche grosse comme ça.

Elle fit un cercle avec le pouce et l'index.

— C'était la troisième fois ; je n'avais plus d'argent pour la faire opérer.

Elle se tut, triste à l'évocation de ce souvenir, puis elle reprit :

— Mais comme tu le sais, j'aime les chiens. Je connais plein de trucs et je n'ai pas peur de me salir.

Pierre-Marc, qui avait pris de l'avance pour ne pas les déranger pendant ces négociations, se retourna soudain.

— C'est seulement jusqu'à l'automne, Élisabeth. Je me suis trouvé une propriété dans le bout de Keno. Sandy va y emménager avec moi dès que j'aurai fini de travailler à la mine.

— À Keno?

— Pas exactement à Keno, mais dans ce coin-là.

— Mais il n'y a rien dans ce coin-là!

— C'est justement ça que je cherchais, une place où il n'y avait rien. Ben, pas vraiment rien puisque la maison est déjà bâtie. OK, elle a besoin d'un peu de réparations, mais…

— Un peu?! coupa Sandra, moqueuse.

Ce n'était pas une question. Et Pierre-Marc prit soin de ne pas y répondre.

— Tu l'as achetée? s'enquit Élisabeth.

— Pas encore, mais ça s'en vient. Tu sais, je suis un peu tanné de voyager. Vivre dans ses valises, ça fait un bout. Il vient un temps où un homme a envie de s'installer pour de bon.

Élisabeth approuva. Elle comprenait, même si elle s'avérait incapable d'imaginer quelles sortes de racines pousseraient sous les pieds d'un homme qui ne possédait plus rien depuis des années.

Chapitre 50

Une semaine plus tard, Pierre-Marc partit pour Dawson. Pendant le premier mois, il revint à Ibex Valley chaque fois qu'il était en congé. Puis les visites s'espacèrent. Élisabeth ne dit rien, mais se doutait bien que la lune de miel était terminée.

L'école finie, les chantiers commencèrent pour de bon sur le domaine de Midnight Sun Adventures. Le jour, tout le monde travaillait à la construction des bâtiments dont on avait besoin pour se lancer en affaires. La raison sociale avait été enregistrée, les permis, obtenus et la clientèle, déjà ciblée. Gabriel gérait les travaux, profitant au maximum de la lumière du jour. Vers 22 heures, quand tous s'arrêtaient pour la nuit, fourbus mais satisfaits, David allumait un feu de camp, et on s'installait pour regarder le soleil descendre tout doucement au nord. On s'enduisait de chasse-moustiques et on buvait de la bière, et la vie semblait pleine de promesses.

Une fois par semaine, Gabriel emmenait David à la pêche. Jim y allait avec eux une fois sur deux. Élisabeth en profitait pour se reposer à sa manière, c'est-à-dire en faisant des plans pour l'entraînement de l'automne et de l'hiver qui s'en venaient. Et Sandra, qui avait tenu sa promesse, gardait le chenil impeccablement propre.

À la fin juillet, elle demanda à Élisabeth de lui louer la première des *cabins* que Gabriel avait terminée.

— Je me suis trouvé une job en ville. Quatre soirs par semaine. Si tu me laisses rester ici, je te paierai pour la *cabin* et je continuerai à nettoyer le chenil le jour comme je fais là.

— Tu es tannée de dormir dans une tente?

— Non, non. Je peux rester dans ma tente jusqu'à l'automne, mais après, quand il va commencer à faire froid, j'aimerais que tu me loues une *cabin*.

La perspective de louer au mois une cabane qui aurait pu rapporter bien davantage si elle était louée à des touristes n'enchantait pas Élisabeth. Mais si la locataire, en plus de payer son loyer, faisait aussi une partie du travail du handler…

Elle regarda Sandra droit dans les yeux.

— Tu ne t'en vas pas à Keno, c'est ça?

Sandra lui confirma ce qu'elle avait pressenti.

— Si au moins c'était à Keno! soupira-t-elle.

Elle s'était rendue au nord avec Pierre-Marc pour visiter la propriété qu'il avait l'intention d'acheter. Elle en avait rapporté une description inquiétante. Le toit était à moitié écroulé. Il y avait des toiles de plastique dans les fenêtres au lieu de vitres, et les murs avaient été posés sur un sol de terre battue.

— Imagines-tu ça en hiver? À moins cinquante! Il faut être fou pour acheter ça.

Elle avait dit à Pierre-Marc le fond de sa pensée, et leur couple n'avait pas résisté à autant de vérité.

*

Vers le milieu du mois d'août, Élisabeth ramena, propres et pliés, les vêtements de David qu'elle avait lavés à la buanderie. Elle pénétra dans sa cabane, déposa les deux piles sur le lit et fit demi-tour. Elle ne voulait surtout pas fouiller dans les affaires de son neveu parce qu'elle se rappelait sa propre adolescence. Comme elle avait détesté que sa mère inspecte sa chambre à l'improviste ! Qu'y cherchait-elle ? Élisabeth ne l'avait jamais su et s'était promis que, si elle avait un jour des enfants, elle respecterait leur intimité. Et David, désormais, était un peu devenu son enfant. Elle s'apprêtait donc à sortir au plus vite quand ses yeux se posèrent sur la poubelle. Tant qu'à y être, aussi bien la vider !

Elle empoigna négligemment la boîte de carton remplie de déchets. Il y avait dans ce geste la meilleure intention du monde, mais quand son œil reconnut, au milieu des mouchoirs, un bout de latex, cette meilleure intention prit le bord. Après un coup d'œil à l'extérieur pour s'assurer qu'elle était bien seule, Élisabeth tendit la main et s'assura qu'il s'agissait bien de ce qu'elle croyait. Précaution inutile, évidemment ; elle *savait* que c'était un condom.

Elle reposa la boîte, tourna les talons et revint dans la maison. Là, les fesses appuyées au comptoir de cuisine, elle réfléchit. Ce condom expliquait sans doute pourquoi la lune de miel entre Pierre-Marc et Sandra avait connu une fin abrupte. La propriété dans le bout de Keno n'en était pas la seule responsable.

Ce soir-là, au lit, elle en glissa un mot à Gabriel qui éclata de rire.

— Tu dois bien être la dernière à t'en apercevoir, lui dit-il pour la taquiner.

— Quoi ? Tu étais au courant ?

— Ben là ! Il a seize ans, Bebette. Pis elle, elle n'est pas ben ben plus vieille.

— Quand même ! Il est mineur et elle ne l'est pas.

Il se tourna sur le côté. Il était beaucoup plus sérieux que d'habitude.

— À ce que je sache, ce genre de détail ne te regarde pas.

— Mais Pierre-Marc ?

— Ça non plus, ça ne te regarde pas.

— Mais qu'est-ce qu'on va faire ?

— Rien pantoute. Le kid a scoré, ça finit là.

— Ben voyons ! Je ne peux pas les laisser continuer !

— Si tu lui en parles, il va savoir que tu as fouillé dans ses affaires.

— Je n'ai pas fouillé…

— Tu es allée dans sa cabane quand il n'était pas là pis tu as regardé dans sa poubelle. Comment tu veux qu'il prenne ça ?

Elle ne répondit pas.

— Tu vas faire comme je te dis, sinon tu vas aggraver les choses.

— Tu es en train de me dire que ça pourrait être pire ?

Il la regarda fixement, et elle réalisa qu'il possédait dans ce domaine une expérience qu'elle n'avait pas. Il hocha la tête avant de laisser tomber :

— Le jour où il va fumer du pot, tu vas être bien contente d'avoir encore accès à sa cabane.

La conversation prit fin de cette manière.

CHAPITRE 51

L'été s'étirait, l'automne tardait. À la mi-septembre, on ne parlait pas encore de l'hiver, même si on savait qu'il arriverait bientôt, en coup de vent. Le jour, il faisait encore chaud, le soir aussi d'ailleurs. La nuit, on voyait enfin les étoiles et, avant de se coucher, on faisait un feu et on regardait les premières aurores boréales illuminer le ciel.

Élisabeth rongeait son frein. Elle attendait le froid comme les enfants attendent Noël. À partir de 10 °C, elle pourrait atteler les chiens à la brunante, quand le soleil ne risquait plus de les incommoder.

Les travailleurs saisonniers avaient commencé à quitter le Yukon. Le village de Dawson se vidait, et on voyait des jeunes faire du stop sur la route de l'Alaska. Ils se rendaient à l'aéroport pour s'en retourner dans le Sud.

Les mineurs étaient arrivés à la fin de leurs contrats et désertaient les camps. Les vols vers Vancouver étaient pleins soir et matin. Pierre-Marc, lui, ne donnait pas signe de vie. Avait-il acheté cette propriété dans le bout de Keno ? Élisabeth lui écrivit un courriel qui resta sans réponse. Un froid s'était installé entre eux, et elle en connaissait la cause.

Au milieu du mois, elle reçut une carte postale. Pierre-Marc se trouvait en Australie. Son rêve de devenir propriétaire d'un domaine au Yukon avait pris fin avec son amour pour Sandra. Il avait préféré la fuite à l'encabanement en solitaire. Après tout, disait-il, il avait le monde à ses pieds. Et il était encore jeune. Il finirait bien par trouver la perle rare qui accepterait, par amour pour lui, une vie de simplicité volontaire. Il ne fit pas allusion à David, mais Élisabeth savait qu'il savait. Que Pierre-Marc soit passé par Whitehorse sans s'arrêter l'attristait, mais elle ne lui en voulait pas. S'il l'avait fait, la tension aurait été insoutenable.

Après avoir travaillé tout l'été à la construction des cabanes, David avait repris l'école. Il se montrait plus assidu qu'auparavant. À la première rencontre de parents, Élisabeth s'étonna de recevoir autant d'éloges. On le disait plus mûr, plus sérieux. Il affirmait vouloir suivre un cours de mécanicien ou de charpentier-menuisier. Il parlait de chiens aussi, et avait raconté à ses professeurs les tenants et les aboutissants de l'entreprise familiale. Si Élisabeth faisait mine d'ignorer la cause de ce changement, intérieurement, elle remerciait Gabriel pour ses bons conseils. La discrétion, ici, avait été salutaire.

*

Gabriel n'aimait vraiment pas son nouvel emploi. Se retrouver sous les ordres d'un patron quand on a si longtemps été travailleur autonome n'avait rien de facile. Cependant l'horaire lui convenait. Les tâches aussi. Et le salaire, surtout. Alors il ne se plaignait pas, même si Élisabeth trouvait qu'il manquait d'entrain lorsqu'il quittait la maison le matin.

— Quand la business sera profitable, disait-il, je lâcherai la job et je travaillerai à temps plein ici.

Cette aventure, il la rêvait autant qu'il la vivait, et il s'y investissait à cent pour cent. Le plan d'affaires, c'est lui qui l'avait dressé. Et c'est lui aussi qui avait dessiné les cabanes avant d'en construire deux pendant l'été, avec l'aide de David, de Jim et de Sandy. Il les voyait toutes différentes, mais toutes semblables, un peu comme les rivières du Nord. Il les avait pensées petites, d'une seule pièce avec lit double et poêle à bois, et les avaient érigées sur la ligne sud du terrain, dos à la montagne. Une table et deux chaises complétaient l'ameublement. Un trépied permettait de déposer sa valise, et deux tablettes sous le lit servaient de rangement.

Élisabeth avait quand même participé à l'élaboration de la stratégie publicitaire. On visait d'abord la francophonie, mais on ne cracherait sur aucun client.

— L'argent n'a pas d'odeur, se plaisait à répéter Gabriel. On va offrir le vrai trip yukonnais à ceux qui ont envie de le vivre. Et l'été, s'il le faut, je les emmènerai à la pêche!

Il avait fait construire un bâtiment avec deux toilettes sèches et deux douches. La pompe avait l'air de fonctionner. Aux dires de Gabriel, elle devrait tenir le coup même à -40 °C. Les tuyaux aussi, même si Jim en doutait.

Élisabeth avait profité de ce que tous étaient en mode «travaux» pour faire réaménager la cuisine de la maison afin qu'elle soit plus fonctionnelle. On avait acheté un chauffe-eau instantané et, reliés au puits, les nouveaux robinets fournissaient de l'eau en quantité suffisante. La table avait été remplacée par une autre, plus grande – on pouvait y asseoir jusqu'à dix personnes. Dans le coin salon, un deuxième sofa permettait d'admirer la vue par la grande vitrine du mur ouest.

Sandra, à qui on découvrait des talents cachés, avait postulé pour devenir cuisinière.

— J'ai déjà fait cette job-là sur un bateau, avait-elle dit quand Élisabeth l'avait interrogée sur ses compétences.

Jim n'occupait plus seulement le poste de handler, mais aussi celui d'homme à tout faire. Son fils, inquiet, trouvait qu'on lui en demandait trop, mais Jim insistait pour se rendre utile. Et étrangement, toutes ces occupations semblaient l'avoir rajeuni.

Chacun, donc, croyait en ce projet. Tout le monde s'y consacrait corps et âme... sauf Élisabeth. Ce n'était pas qu'elle avait peur, loin de là ! Quand elle fermait les yeux, elle voyait très bien les gens qu'elle emmènerait en expédition. Elle savait quel chemin elle prendrait, connaissait par cœur les endroits où ils camperaient, ce qu'elle leur montrerait du Yukon. Elle trouvait toutefois que les choses prenaient du temps. Midnight Sun Adventures lui semblait trop loin pour qu'elle s'emballe. Dans son esprit, la Yukon Quest arriverait bien avant les premiers clients.

Chapitre 52

L e temps fraîchit enfin, et Élisabeth s'empressa de mettre à exécution le plan élaboré pendant l'été.

Elle choisit pour sa première sortie un jour où David était à l'école, Gabriel, au travail et Jim, parti en ville faire l'épicerie avec Sandra. Elle voulait tenter une expérience et n'avait pas envie de justifier chacune de ses décisions.

L'après-midi gris et frisquet était tout désigné. Elle sortit le VTT, tendit la ligne de trait et y fixa les lignes de cou et les lignes de queue. Dans le chenil, les plus vieux se mirent à aboyer, ce qui incita les plus jeunes à les imiter. Très vite, le bruit fut assourdissant et, grisée, Élisabeth attela ses chiens.

Si elle voulait faire la Yukon Quest cette année, elle ne devait compter que sur son propre chenil. Pour cette raison, elle choisit de ne pas atteler que des vétérans, histoire que les nouveaux apprennent de leur expérience.

Elle commença par installer les plus jeunes. Ceux de la portée des vents avaient maintenant deux ans. Elle les avait sortis quelques fois l'année précédente, mais désormais, c'était pour de vrai. Elle savait d'ailleurs lesquels étaient prometteurs.

Elle plaça Sirocco tout à l'arrière. Il était costaud et semblait bien s'entendre avec Silverado. De biais, pour occuper la droite de l'équipe 5, elle attacha Matane. À gauche, dans l'équipe 4, elle installa Suroît, femelle un peu lourdaude mais bien intentionnée. La droite de l'équipe 3 fut occupée par Gaspé, mâle énergique en qui Élisabeth plaçait beaucoup d'espoir. Dans l'équipe 2, elle attela Morial, femelle attentive que Cavalier affectionnait particulièrement; c'est d'ailleurs lui qu'elle attacha juste à côté. Elle inséra ses habitués dans les positions laissées vacantes. Silverado devant le traîneau, puis Highlander, Canac et Camaro. Elle choisit ses swing dogs habituels. Il n'y avait d'ailleurs pas plus fiable que Transam et Odyssey, tant qu'ils restaient attachés.

Elle attela Minuk à la même place que l'année précédente, tout à l'avant. Et, sachant qu'il chercherait Cassandre, elle se dit qu'il lui fallait quelqu'un de l'extérieur pour lui tenir compagnie. Une chienne qui piquerait sa curiosité et qu'il chercherait à impressionner. Laska se retrouva donc en position de leader à sa première année d'entraînement sérieux.

Une fois tout ce beau monde en place, Élisabeth grimpa sur le VTT, mit le moteur en marche et lança son «Let's go boys!» en dirigeant son équipe vers la piste. Elle sentait l'énergie qui débordait des anciens et qui surexcitait les plus jeunes. Pour ramener le calme, elle utilisa la première vitesse, ce qui força les plus vieux à modérer leur ardeur. Il ne leur fallait pas seulement courir, mais tirer. Ian le lui avait souvent répété: «En début de saison, on bâtit du muscle. Les chiens doivent trotter.» Et c'est ce qu'ils faisaient, tractant un engin de plusieurs centaines de kilos sur le sentier rocailleux.

Il n'avait pas plu depuis des semaines, et ça paraissait. De la terre montait une fine poussière, soulevée par les chiens. Le sable flottait un moment dans les airs, et Élisabeth devait souvent fermer les yeux pour les protéger. Les branches avaient poussé pendant l'été, au point qu'il fallait les écarter de la main. Élisabeth se promit d'envoyer Jim ouvrir la voie avec le sécateur, puis se concentra sur les chiens.

David avait fait du bon travail avec Laska. Elle connaissait les commandements et voulait plaire. La présence de Minuk, loin de la distraire, l'aidait à se concentrer. Dès qu'elle regardait ailleurs ou tentait d'entraîner l'attelage dans la mauvaise direction, Minuk lui mordait le cou, comme pour la forcer à se ressaisir. Et ça marchait ! Élisabeth imaginait la tête de Vince Oblonski quand il la verrait sur la ligne de départ d'une course avec, comme leader, la chienne qu'il avait failli laisser crever.

Les petits nouveaux étaient un peu dissipés, mais contents de se trouver là. Ils semblaient toujours surpris quand l'attelage prenait un virage, alors Élisabeth évita la boucle la plus serrée, préférant celle qui contournait un étang.

À son arrivée à Ibex Valley, elle avait convaincu Jim de tracer avec elle tout un tas de sentiers dans la forêt. Il y avait maintenant des kilomètres et des kilomètres de pistes qui montaient jusque dans la montagne et redescendaient de l'autre côté pour longer la rivière Ibex. Ils étaient empruntés l'hiver par des motoneigistes de Whitehorse et, l'été, par les chevaux du voisin et les amateurs de VTT. Cet achalandage faisait l'affaire d'Élisabeth qui n'avait que rarement besoin d'entretenir la piste. On voyait aussi parfois des traces de ski de fond et de raquettes, mais celles-là ne s'éloignaient guère plus qu'à deux ou trois kilomètres de la civilisation. Après ça, c'était la faune et la flore sauvage. Et la liberté.

Elle revint au chenil au moment où Gabriel garait la camionnette dans l'entrée. David en descendit, l'air de mauvaise humeur. Elle le vit balancer sur son dos un sac d'école plein et qui paraissait fort lourd.

— Regardez ça ! leur lança-t-elle en dirigeant l'attelage vers eux.

Elle donna l'ordre de ralentir. Quand les chiens se furent immobilisés, elle mit le frein et bondit en bas du VTT.

— Regarde ça, Dave! Avec Laska comme lead, je suis certaine de finir la Quest!

Elle exagérait les qualités de la chienne pour faire plaisir à David, mais ce dernier, de toute évidence, n'avait pas la tête à ça. Élisabeth le vit s'en aller vers sa cabane sans même un regard vers elle.

— Qu'est-ce qu'il lui prend, celui-là? Une mauvaise journée à l'école?

Gabriel regarda Élisabeth puis il haussa les épaules.

— Ça doit être ça, dit-il, avant de s'éloigner vers la maison.

Restée au milieu du terrain, Élisabeth jeta un dernier coup d'œil vers la cabane de son neveu. Décidément, il était difficile à comprendre, celui-là.

Chapitre 53

Il ventait fort le matin où Katherine vint rendre visite à Élisabeth. La neige, tombée la veille, était soufflée en rafales. Un vrai blizzard! Secouant son manteau, debout sur le tapis d'entrée, Katherine déclara qu'elle avait failli passer tout droit.

— C'est bien juste si je voyais les lumières du pick-up qui s'en venait en sens inverse!

C'était une de ces journées où tout le monde était à la maison. Un dimanche matin tranquille où, renonçant à nettoyer le chenil, on avait modifié la routine. Sandy avait rejoint les hommes dans la troisième cabane où l'on travaillait à la finition. Élisabeth était restée pour préparer les repas et magasiner les traîneaux usagés sur internet.

— Ça va nous en prendre quelques-uns quand on va commencer à recevoir des touristes. Alors je regarde ce qu'il y a à vendre sur les sites de mushers. Veux-tu rester avec nous pour dîner?

Élisabeth savait que Katherine quitterait bientôt le Yukon. Elle l'avait annoncé à la clinique deux semaines plus tôt. Sa mère était malade, et il fallait que quelqu'un prenne soin d'elle.

— Tu n'avais pas un frère ou une sœur plus proche ? avait demandé Élisabeth, attristée par ce départ.

— Oui, mais ils sont tous mariés et ont des enfants, et ma mère n'est pas en état de vivre avec des enfants. De toute façon, elle n'a jamais aimé ça, les enfants. Même quand elle était en forme. Alors, imagine maintenant ! Pis je suis la plus vieille. Tu sais bien ce qu'on attend des plus vieilles dans les familles… Surtout au Lac !

Élisabeth avait acquiescé. Elle s'était longtemps dit qu'elle avait de la chance de ne pas être l'aînée de sa fratrie… Mais depuis le décès de son frère et de sa sœur, cela n'avait plus d'importance.

— Quel bon vent t'amène ? lança-t-elle en mettant de l'eau à bouillir.

— Le vent, justement, oui ! Et un autre problème domestique. Mais avant que je t'en parle, je me demandais si tu avais de la place dans ton congélateur.

— J'en ai en masse. On est cinq à manger depuis quelque temps. Et ce n'est pas parti pour changer.

Elle avait raconté à Katherine, sous le sceau du secret, ce qui se tramait entre David et Sandra. Katherine avait ri en déclarant qu'ils n'avaient, au fond, que cinq ans de différence. Et puis c'était vrai qu'il était beau, le p'tit gars. Si Élisabeth avait cherché une alliée dans son plan pour séparer les amoureux, elle avait dû y renoncer.

— J'ai trouvé quelqu'un qui veut faire du house-sitting, expliqua Katherine tandis que l'eau bouillait, mais je ne veux pas lui laisser ma viande. Non seulement le gars va se servir dans le congélateur, mais en plus, la viande va finir par dessécher.

Elle fit un signe vers la porte.

— Je t'ai apporté trois grosses boîtes. Il y a du bison pis de l'orignal. Les paquets ne sont pas tous identifiés par contre.

— Ce n'est pas grave, on aime les deux. Merci d'avoir pensé à nous !

— Pas de trouble. Je vais aller te débarquer ça tout de suite.

Quand Katherine revint avec les boîtes, Élisabeth rangea la viande au congélateur. Puis elle fit le café et entraîna Katherine au bout de la table. Elle dut repousser l'ordinateur et les piles de papiers qui l'entouraient pour y déposer les tasses sans rien abîmer.

— Wow ! s'exclama Katherine. On dirait que tu es en train de devenir une vraie femme d'affaires.

— Bof ! Femme d'affaires à temps partiel, disons. Je prépare ma Quest, surtout.

— J'ai su que tu t'étais encore inscrite. Félicitations !

Élisabeth approuva et, tenant sa tasse à deux mains pour se réchauffer, elle revint à ce qui la chicotait.

— Qu'est-ce qui me vaut une visite ? Tu pars dans trois jours, tu devais avoir des choses plus importantes à faire.

— Plus importantes que de venir dire salut à ma grande chum ? Ben voyons !

Élisabeth n'était pas dupe. Elle haussa les sourcils et attendit la suite.

— OK. J'ai besoin d'une place pour mes chiens. Mon house-sitter ne veut rien savoir. Il dit qu'il veut bien garder la maison, mais qu'il sera trop souvent parti pour s'occuper des chiens.

Élisabeth hocha la tête.

— C'est pour ça que tu ne veux pas lui laisser ta viande.

Katherine sourit, malicieuse.

— Je ne vais pas le nourrir en plus !

Elle se leva et se dirigea vers la grande fenêtre. Habituellement, de là, on voyait très bien le chenil, mais ce jour-là, à cause du blizzard, on ne distinguait même pas les niches.

— L'an passé, tu as construit huit niches pour les chiens de Ian. À ce que je sache, aucune de tes chiennes n'a eu de petits depuis la dernière portée de Transam. Ça veut dire que tu as un peu de place…

Élisabeth ne dit rien. Elle avait l'impression qu'en acceptant la viande, elle s'était fait piéger. Katherine s'empressa de donner des détails, consciente que son geste avait été mal interprété.

— Ils savent tirer. Je me sers de Maya et de Kim pour sortir le bois de chauffage depuis des années. Avec un peu de pratique, tu pourrais t'en servir avec tes touristes. Et Mogli, lui, c'est un retraité de la Quest. Il est trop vieux pour faire des courses, mais ne déteste pas une petite sortie pépère de temps en temps.

En percevant la lueur qui venait de naître dans les yeux d'Élisabeth, Katherine en rajouta, histoire d'assurer sa victoire.

— Les deux femelles sont opérées. Quant à Mogli… Il vient de chez McQuesten. Je me disais que tu pourrais peut-être en faire bon usage. Il est encore capable, si on lui donne le temps.

Puis, comme si ce dernier argument ne suffisait pas, elle conclut :

— Je vais te payer, évidemment. En plus de payer la nourriture. Je les aime, ces chiens-là. Si je pouvais les emmener, je le ferais. Mais je repars en avion. Et je ne sais pas quand je vais revenir.

— Qu'est-ce que tu vas faire de ton skidoo ?

La question était sortie toute seule. Katherine comprit où Élisabeth voulait en venir.

— OK. Tu gardes mes chiens et tu les nourris. En échange, je te laisse ma viande pis mon skidoo. Mais je reprends les chiens pis le skidoo quand je reviens. Deal ?

Chapitre 54

Sur le toit du *dog truck* se trouvaient attachés les deux traîneaux d'occasion qu'Élisabeth venait d'acheter dans un chenil de Tagish. Elle rentrait maintenant par la route de l'Alaska. La nuit tombait, il neigeait à plein ciel.

Elle aurait de loin préféré sortir avec les chiens, mais si on voulait que Midnight Sun Adventures prenne vie, il fallait bien s'y mettre. Sauf qu'elle avait beau s'efforcer de réfléchir aux besoins de la nouvelle entreprise, son esprit divaguait et retournait sans cesse vers les pistes, loin des tracas de la vie quotidienne. Elle avait découvert un nouveau sentier, de l'autre côté de la grand-route. Bon, c'était dangereux, mais en choisissant un endroit dégagé, il y avait moyen de traverser prudemment. Et là… *sky is the limit*, comme le disait souvent Jim. Elle pourrait se rendre aux sources thermales Takhini. Voilà qui intéresserait les touristes.

Elle avait aussi élaboré un tracé qui menait jusqu'à Fish Lake en suivant la vallée de la rivière Ibex. Elle comptait éviter les trop fortes dénivellations en zigzaguant entre les montagnes. C'était faisable, elle le savait. Il suffisait d'y mettre le temps.

Quand apparut le panneau annonçant la route d'Annie Lake, Élisabeth actionna le clignotant, laissa passer le VUS qui s'en venait en sens inverse et vira dans le chemin de gravier. Ce dernier arrêt, elle y avait pensé longtemps avant de l'ajouter à son itinéraire. Il faudrait du doigté. Et surtout, il faudrait composer avec l'ego de Ian. Éviter de l'insulter ou d'avoir l'air de vouloir le prendre par les sentiments. Sa proposition était honnête ; elle devrait s'y tenir.

Un plan avait germé dans son esprit et la tourmentait depuis des jours. Depuis la visite de Katherine, plus précisément. Car c'est Katherine, en présentant Mogli comme un retraité de la Quest, qui lui en avait donné l'idée. En trouvant les traîneaux qu'elle cherchait à Tagish, au sud de Whitehorse, elle avait vu là un signe. « Les étoiles sont alignées », aurait dit Jim si elle lui en avait parlé, ce qu'elle n'avait pas fait de peur d'avoir à se justifier si son plan échouait.

Quand la camionnette s'engagea dans le chemin menant chez Ian, le chenil prit vie d'un coup, et les chiens se mirent à aboyer en se tortillant au bout de leur chaîne. Élisabeth se gara à côté du *dog truck* de Ian. Les projecteurs étaient allumés, déjà, mais dans la maison, tout était noir. Aussitôt le moteur éteint, elle vit Ian sortir du hangar du fond et traverser le chenil pour venir la saluer, un large sourire sur le visage.

— Tiens ! Voilà donc la femme d'affaires la plus célèbre de Whitehorse.

Elle rit, rassurée qu'il ne la perçoive plus comme une rivale, et désigna les traîneaux sur le toit du *dog truck*.

— J'arrive de Tagish et je me suis dit que je pouvais bien m'arrêter boire un café.

Puis, pour éviter de le prendre par surprise, elle ajouta :

— J'ai une proposition à te faire.

— Oublie ça ! Je garde mes chiens cet hiver.

Il agita sa cheville.

— Comme tu peux le voir, je me porte à merveille.

— Ce n'est pas de chiens que je veux te parler... En fait, oui, mais pas de ceux-là.

Il l'invita à l'intérieur et fit du café.

Ça faisait tout drôle de s'asseoir à cette table de nouveau, de regarder Ian s'activer dans la cuisine, de savoir que, derrière elle, de l'autre côté du rideau, se trouvait la chambre et le lit dans lequel ils avaient fait l'amour pendant deux ans.

Ian semblait habité par le même malaise. Il lui tournait le dos, mais elle devinait qu'il était troublé par sa présence dans la maison.

Les chiens s'étaient tus. On n'entendait plus que l'eau dont la température grimpait dans la bouilloire. Après un moment de cet étrange silence, le sifflet retentit.

— Alors, Frenchie?

— Comme tu le sais, je me lance en affaires...

Elle hésita tout à coup. Et s'il imaginait qu'elle voulait des reproducteurs?... Et s'il pensait qu'elle cherchait à le voler?... Elle se rassura quand il sourit en dévoilant sa dent cassée. S'il essayait d'exercer son charme sur elle, c'est qu'il y avait de l'espoir.

— J'ai besoin de chiens, dit-elle, tout de go.

— Oublie ça. J'en ai besoin moi aussi.

— Comme je te l'ai dit dehors, je ne veux pas ceux-là. Je voudrais prendre en charge tes retraités.

— Sont trop vieux pour faire des courses.

— Ce ne serait pas pour la course.

Elle entreprit de lui exposer son plan. Elle possédait vingt-deux chiens plus Ravenne qui, on le savait, n'était bonne à rien. Avec les trois de Katherine, ça faisait vingt-cinq chiens de traîneau. De quoi monter quatre attelages de six chiens. Ça suffirait pour sortir deux couples de touristes, mais il faudrait au moins un guide. Il manquait donc cinq chiens pour arriver à trente et être en mesure de constituer cinq attelages satisfaisants.

— Avec ça, je pourrais commencer les opérations.

— Et tu voudrais les emmener où, ces touristes?

— Pas besoin d'aller loin; ils seront dépaysés dès qu'on va dépasser la montagne derrière chez nous. Je pensais aller camper à Fish Lake ou au bord de la rivière Takhini, assez haut pour ne plus voir de maisons. C'est beau partout de toute façon.

Ian lui avait servi son café et s'était assis de l'autre côté de la table. Il la regardait attentivement, comme s'il étudiait le sérieux de sa proposition, mais comme si, également, il évaluait autre chose. Il lui aurait dit qu'elle lui manquait qu'elle n'en aurait pas été surprise. Il eut la décence de se retenir.

— J'ai mis London à la retraite, dit-il soudain. Sa dernière course l'a éprouvée pas mal. Et puis elle a déjà onze ans, alors…

Il n'y avait pas de reproche dans cette déclaration. Seulement une sorte de tristesse au constat que les chiens vieillissaient si vite. De fait, il y avait de la peine dans son regard, mais quelque chose dans la voix disait que les vieux chiens n'étaient pas les seuls en cause.

— D'accord, déclara-t-il enfin. Je te confie mes retraités encore capables. Mais tu devras les nourrir toi-même et faire venir le vétérinaire si c'est nécessaire.

— Évidemment.

— Et payer la facture.

— Évidemment.

Il lui proposa London, Summer, Escort, Taurus et Caravan. Cinq femelles! Élisabeth lui tira la langue. Il lui faisait confiance, mais pas au point de risquer qu'elle reproduise sa précieuse lignée sans son consentement. Cette idée amusa Élisabeth, qui en éprouva une certaine fierté. Il la percevait donc bel et bien comme une rivale.

Preuve qu'elle ne se trompait pas quand elle avait senti une pointe de mélancolie au milieu de leur conversation, il lui dit de revenir la semaine suivante pour chercher les chiens. Il prétendait avoir besoin de temps pour préparer les papiers. Elle n'était pas dupe ; nul besoin d'avoir les papiers pour partir avec les chiens. Il aurait suffi que Ian les laisse à la clinique un jour où il irait en ville.

Cette condition saugrenue forçait Élisabeth à repasser au chenil. De toute évidence, Ian avait envie de la revoir.

Chapitre 55

L es premiers «invités» arrivèrent presque par accident et beaucoup plus tôt que prévu.

Au début de décembre, Mars Arpin téléphona sur l'heure du souper. Elle avait entendu parler de Midnight Sun Adventures. Sur le coup, Élisabeth eut peur d'avoir fâché son amie. Après tout, elles étaient maintenant des concurrentes sur plus d'un plan.

— Non, non! la rassura Mars. Je voulais juste savoir si tu es déjà prête à recevoir des clients. J'ai deux couples de Suisses ici qui ne sont pas du tout pressés de rentrer chez eux.

— Tu me les enverrais?

— Faut que je les mette à la porte puisque j'en attends d'autres dans trois jours.

— Ils arriveraient dans trois jours?

— C'est un peu ça, le problème. Il faudrait que tu viennes les chercher avec leurs bagages.

Élisabeth mit la main sur le combiné et s'écria:

— On a des clients!

Autour de la table, tout le monde leva la tête.

— Déjà? s'exclama David.

— Oh, yeah! s'écrièrent en chœur Gabriel et Jim.

Seule Sandra ne dit rien, mais elle souriait, preuve qu'elle participait au bonheur collectif.

— D'accord, répondit Élisabeth en revenant au téléphone. Quand est-ce que tu veux qu'on passe les prendre?

Mars expliqua qu'elle pouvait encore les garder deux jours.

— On sera là après-demain, à midi, conclut Élisabeth avant de raccrocher.

Dans la maison, chacun s'excitait. Des clients, ça voulait dire que l'entreprise était enfin opérationnelle.

— On a au moins deux problèmes, déclara soudain Sandra.

Ses mots firent taire les autres, et on l'écouta avec attention tandis qu'elle expliquait qu'on ne disposait pas encore de literie ni des électroménagers nécessaires pour laver les draps et les serviettes sales.

— Je ne peux pas croire que tu vas m'envoyer à la buanderie à Whitehorse! lança-t-elle à Élisabeth sur un air de défi.

Élisabeth lui donna raison. Depuis le début de ce projet, il avait été convenu que Sandra quitterait son emploi en ville dès l'arrivée des premiers clients et qu'elle travaillerait à temps plein dans le chenil où elle serait responsable de la cuisine, de l'entretien des *cabins* et du nettoyage des enclos.

— L'autre problème, ajouta-t-elle, c'est qu'on ne dispose que d'une *cabin* depuis que je vis dans la première.

— Ah ça! déclara Jim, j'y ai déjà pensé. Si Dave en a envie, il pourrait emménager avec moi. Ma *cabin* est plus grande que la sienne. Comme ça, tu pourrais t'installer chez lui.

David eut l'air déçu, mais il avait assez de jugement pour ne pas s'opposer à une telle solution.

— L'été prochain, conclut Gabriel, il faudra travailler fort et construire trois *cabin*s si on veut garder une employée chez nous.

Ce constat fit l'unanimité.

Dès le lendemain, Élisabeth et Sandra firent des courses tandis que les hommes aménageaient et déménageaient tout ce qui devait l'être.

Deux jours plus tard, les quatre Suisses débarquaient au chenil, avec leurs bagages et leur argent.

*

À partir de là, on put dire qu'ils étaient en affaires. Les clients, envoyés par des amis d'un peu partout au Canada, commencèrent à affluer. Un ou deux couples par semaine, de sorte qu'on pouvait dire qu'à leur modeste échelle, ils affichaient complet.

Tous furent mis à contribution. Même David qui, à cause de l'école, ne participait qu'aux expéditions de fin de semaine. Il était content, cependant : on exploitait ses talents. Jim lui avait expliqué comment utiliser les chiens expérimentés pour qu'ils montrent ce qu'ils savaient aux nouveaux. Les attelages comptaient toujours cinquante pour cent de vétérans, ce qui assurait l'équilibre entre énergie et expérience. Et les clients, moins effarouchés devant six chiens que devant dix, semblaient satisfaits.

La Yukon Quest approchait, et les chiens performaient bien, tant dans les expéditions avec les touristes que pendant les sorties préparatoires. Chaque soir, Élisabeth décidait de la formation des attelages qui seraient utilisés le lendemain. Le plus difficile consistait à s'assurer que les chiens destinés à la course comptaient suffisamment d'heures d'entraînement. Un tour de force qu'Élisabeth réussit grâce à son sens de l'organisation et de la planification.

De temps en temps, elle se revoyait penchée sur une pile de factures, dans la salle à manger de la maison qu'elle avait partagée avec Pierre-Marc. Comme sa vie avait changé depuis cette époque lointaine où elle s'arrachait les cheveux pour décider quel paiement effectuer et lequel elle pouvait retarder! Aujourd'hui, elle payait tout comptant, sauf l'hypothèque. Certes, elle n'était pas riche – elle n'était d'ailleurs pas partie pour l'être, avec toutes les dépenses reliées au chenil, surtout que lesdites dépenses avaient encore augmenté depuis l'arrivée des retraités de Ian. Mais Élisabeth savait où elle allait. Pour la première fois de sa vie, elle pouvait envisager un avenir semblable à son quotidien. Très chargé, mais riche d'expériences et de contentement.

CHAPITRE 56

Une semaine avant Noël, Sandra annonça à Élisabeth son désir d'aller passer les Fêtes dans sa famille. Cette nouvelle jeta un froid entre elles. Les deux *cabins* étaient occupées par différents couples de touristes jusqu'à la mi-janvier. On sortait tous les jours avec les chiens. Qui allait faire les repas et le ménage?

— OK. Je partirai juste une semaine, concéda Sandra au bout de plusieurs minutes de discussion. Mais il faut vraiment que je sorte du Yukon en ce moment. J'ai besoin de lumière.

Élisabeth comprenait. Le soleil ne passait plus les montagnes, et elle savait bien que certaines personnes y étaient plus sensibles que d'autres.

On réorganisa les tâches. Élisabeth, qui savait que David trouverait le temps long quand Sandra serait partie, jugea qu'il valait mieux l'occuper. Après tout, il était en congé pour un peu plus de deux semaines. On lui confia le ménage des *cabins* au départ des clients et la responsabilité des poêles à bois. David ne protesta pas, mais profita de l'occasion pour regagner ses anciens quartiers.

Des clients partirent, d'autres arrivèrent. Élisabeth les emmenait en excursion, suivie de Jim ou de David sur la motoneige. Gabriel travaillait à temps plein, mais s'occupait des soupers. C'est ainsi qu'à quatre, finalement, ils se partagèrent tant bien que mal les corvées du chenil.

Un peu avant le jour de l'An, cependant, Élisabeth admit qu'il y avait trop de travail. Elle attendit encore quelques jours et, au début de janvier, comme Sandra n'était toujours pas revenue, elle lui écrivit un courriel pour lui demander quand elle pensait rentrer. La réponse arriva le lendemain soir.

— Ben là! s'exclama Élisabeth, assise devant l'ordinateur.

Les clients étaient partis se coucher, escortés par David qui devait remplir tous les poêles de bois dur pour la nuit. Jim, qui venait de nettoyer le chenil, buvait un thé sur le sofa, et Gabriel faisait la vaisselle. Ils avaient tous les deux levé la tête. Élisabeth leur lut le message.

Je veux juste te faire savoir que je ne reviendrai pas au Yukon. Je me suis trouvé une job ici. Sandy

— Comment ça, une job? lança Jim. Elle en a déjà une!

— Faut croire que le salaire ne faisait pas son affaire.

Gabriel avait-il mis le doigt sur le problème? Au moment où Sandra avait quitté son emploi en ville pour travailler à temps plein au chenil, il avait fallu négocier ses conditions de travail et sa rémunération. Il était hors de question de lui verser le salaire d'une employée à temps plein en plus de lui fournir le gîte et le couvert, comme Sandra l'avait d'abord demandé. Les deux femmes s'étaient finalement entendues et, par la suite, Sandra avait paru satisfaite de sa vie au chenil. C'était en tout cas ce qu'Élisabeth avait cru.

Elle regarda Gabriel qui avait l'air plus sérieux qu'à l'habitude. Il avait parlé du salaire, mais au fond, elle savait qu'il pensait à autre chose. Sur ces entrefaites, David poussa la porte, faisant du coup entrer dans la maison beaucoup d'air froid. Élisabeth s'efforça de le regarder comme l'aurait fait une étrangère. Il était grand, svelte et beau. Sa chevelure rousse faisait des boucles rebelles qu'il gardait proprement attachées sur la nuque. Comme il avait vieilli depuis son arrivée au Yukon! On lui aurait donné la jeune vingtaine alors qu'il n'avait pas encore dix-sept ans.

Il remarqua tout de suite que quelque chose n'allait pas, mais il ne dit rien. Élisabeth le vit se déchausser et se délester de son manteau, puis s'approcher du frigo qu'il ouvrit tout grand pour se servir une bière. Personne ne protesta.

— Sandy ne reviendra pas, c'est ça?

Élisabeth secoua la tête, triste d'être témoin de la première peine d'amour de son neveu.

Il s'assit sur le sofa et but sa bière tranquillement. Personne ne dit rien pendant un long moment. Puis Jim prit ses feuilles.

— Élisabeth, commença-t-il, demain, tu vas amener le couple de la *cabin* numéro un au Takhini Hot Springs en pick-up. Pendant ce temps-là, Dave, j'aimerais que tu sortes en traîneau avec l'autre couple. Vu que Gab travaille tard, je vais m'occuper des repas.

David hocha la tête, mais resta silencieux. Il regardait dehors comme si on pouvait y voir quelque chose, mais il faisait nuit noire depuis longtemps. Dans le ciel, il n'y avait pas le moindre croissant de lune.

— Bonne nuit, dit-il finalement, en se levant.

Il laissa sa bouteille vide sur le comptoir, se rhabilla et sortit.

Élisabeth le suivit des yeux par la grande fenêtre. Au lieu de se rendre dans sa cabane, il avait piqué à gauche, traversé le chenil et marchait maintenant en direction de la montagne.

— C'est dangereux, murmura Gabriel qui avait compris où s'en allait David. Il va faire très froid cette nuit. Je vais aller le chercher.

— Non, non, s'opposa Élisabeth. Je vais y aller.

— Oublie ça, Bebette. Un gars en peine d'amour, la dernière chose que ça veut voir, c'est une matante qui essaie de le consoler.

Il enfila bottes et manteau et attrapa une demi-douzaine de pochettes chauffantes dans la boîte qui gisait au bord de la porte.

— Je reviens dans pas long.

Il disparut au milieu d'un nuage de vapeur. Élisabeth abandonna son ordinateur et s'apprêtait à le suivre quand Jim intervint.

— Laisse-le faire, Sissi. Il n'y a rien comme un gars qui a déjà eu le cœur brisé pour en aider un autre. Devant toi, Dave aura l'impression de faire pitié. Alors qu'avec Gab, ils vont se parler d'homme à homme.

Elle se tourna vers lui, cherchant à savoir si ces paroles relevaient de la sagesse ou de l'indifférence. Comprenait-il qu'elle souffrait de voir son neveu dans cet état ? Il la regarda dans les yeux un long moment, l'air de dire : « Bien sûr que je comprends ! » Puis son attention revint à sa tasse de thé et au poêle à bois qu'il bourra de nouveau.

Résignée, Élisabeth s'approcha de l'évier et entreprit de finir la vaisselle. En la voyant faire, Jim attrapa un linge et, sans échanger un mot de plus, ils finirent la corvée de Gabriel.

Elle était au lit quand Gabriel rentra. Elle l'entendit se déshabiller et sentit sa peau glacée quand il se glissa sous les draps.

— Comment il va ?

— Correct, chuchota-t-il.

— Il est où, là ?

— Dans sa cabane. J'ai mis du bois dans son poêle ; il n'aura pas besoin de se lever avant demain matin.

Dans l'obscurité, Élisabeth le sentit qui se lovait dans son dos. Il la prit par la taille pour l'attirer à lui et enfouit son visage dans ses cheveux. Et dans un souffle qu'on aurait pu prendre pour un sanglot, il lui murmura à l'oreille :

— Laisse-moi pas.

CHAPITRE 57

Le jour de son anniversaire, Élisabeth prépara les sacs de
nourriture et d'équipement qui devaient être envoyés
aux différents points de contrôle le long du tracé de la Yukon
Quest. Cette année, pas question de voyager avec un panier
trop chargé. Elle n'écouterait pas la peur – ni Vince Oblonski !
– et se fierait à ses connaissances, à son expérience et à son
jugement. Ian l'avait bien formée. Jim avait comblé ses la-
cunes. Maintenant, il lui restait à affronter ce qu'il lui restait
de doutes et d'appréhensions. Elle en était capable. Elle le
savait. Jim le savait. Ian le savait. Et si Vince Oblonski lui
avait prêté autant d'attention l'année précédente, c'était qu'il
le savait aussi.

Elle avait déjà constitué son équipe et avait confiance en
ses chiens. Minuk et Laska prendraient la tête. Minuk avait
déjà participé à plusieurs courses, son expérience serait un
atout dans les sentiers ; Laska n'aurait qu'à l'imiter. Pour rassurer la petite femelle, elle placerait derrière elle Canac et
Transam, qui savaient ce qu'ils avaient à faire. Suivraient
Odyssey et Chinook, la femelle enthousiaste, la plus promet-
teuse de la portée des vents. Derrière elle, Élisabeth attellerait

Cavalier qui n'était pas trop énervé, et à côté de lui, l'attentive Morial. Camaro serait flanquée de Matrix, son coéquipier habituel, et enfin Corvette, qui tenterait sans aucun doute de séduire le gros Sirroco à sa droite. Les fiables Silverado et Highlander occuperaient les positions de wheelers.

Avec une équipe comptant quatre chiens de deux ans, Élisabeth ne pensait pas finir dans les quinze premiers. Vrai qu'elle avait participé avec eux à quelques courses mineures depuis le début de l'hiver, mais elle ne se leurrait pas. Si elle terminait la Yukon Quest, ce serait déjà une victoire.

N'eût été le départ de Sandra, Élisabeth se serait probablement opposée à ce que David lui serve de handler pour toute la course. Certes, comme il s'agissait d'une année impaire, la Yukon Quest partirait de Whitehorse. Au lieu de manquer presque trois semaines d'école, comme ça aurait été le cas si le départ avait été à Fairbanks, David n'en manquerait que deux. Mais quand même! Pouvait-il se permettre un tel congé? Ses notes effleuraient à peine les soixante-dix.

Il se trouvait toutefois que l'absence de Sandra avait rendu oppressante l'atmosphère au chenil. David se faisait trop discret. Élisabeth se rappelait les paroles de Gabriel: «Des fois, on a tendance à oublier les enfants tranquilles…» Et David était trop tranquille.

Il connaissait les usages du chenil, et on n'avait plus besoin de lui dire quoi faire. Il voyait l'ouvrage, comme le répétait souvent Gabriel. Il était peut-être temps, effectivement, qu'il joue dans la cour des grands.

— Tu seras sous les ordres de Jim, lui rappela-t-elle le soir où, après le souper, elle aborda la question. Je veux que tu lui obéisses au doigt et à l'œil. Compris?

David acquiesça, sans plus. Élisabeth, qui s'était attendue à davantage d'enthousiasme de sa part, songea que la douleur devait être encore bien vive. Ça passerait, elle le savait, tout comme elle savait qu'il était inutile de le lui dire : il ne la croirait pas.

*

Une semaine avant la course, Élisabeth emmena seize de ses chiens en ville pour l'inspection par les vétérinaires. En plus des quatorze qu'elle comptait atteler au départ, elle présenta l'énergique Gaspé et Matane, la jeune femelle maladroite. Elle ne comptait pas les inclure dans son attelage à moins de malchance, comme l'année précédente avec la blessure de Canac.

Au banquet de départ, elle pigea le numéro trois, ce qu'elle vit comme un signe que tout irait bien. Partir troisième sur vingt-six était plus encourageant que partir dernière. Elle n'aurait pas à stresser pendant l'attente et, d'une certaine manière, ça augmentait sa confiance en elle.

En lice cette année-là, on comptait plusieurs mushers vedettes, outre Ian et Vince Oblonski. Kelley Griffin partirait la première. Suivraient, entre autres, Michelle Phillips, Mike Ellis, Hugh Neff, Sebastian Schnuelle, Hans Gatt – oui, oui ! le concepteur de traîneaux ! –, Brent Sass et Dave Dalton. Tous des champions qui, Élisabeth n'en doutait pas un instant, finiraient la course bien avant elle.

Loin de l'intimider, la présence de ces champions était pour elle une source de fierté. Comme son neveu, elle se disait qu'elle allait jouer dans la cour des grands, fréquenter les meilleurs et, en quelque sorte, se mesurer à eux. Les conclusions qu'elle tirerait de cet affrontement lui permettraient de se perfectionner.

Malgré l'excitation qui précédait la course, Élisabeth dormit bien la veille du départ. Elle n'avait accepté aucune réservation de touristes pour la durée de la Quest, de manière à ne pas se laisser distraire par les soucis de la vie quotidienne.

292

En l'absence de clients, Gabriel n'aurait qu'à s'occuper des chiens demeurés au chenil.

Depuis le banquet, elle ne vivait plus dans la même dimension que le reste du monde, n'ayant inclus dans sa bulle que ses chiens et ses handlers. Gabriel, qui se sentit exclu, ne posa pas de questions: il avait compris comment elle fonctionnait, comment elle pensait, comment elle arrivait à se concentrer et à s'extraire de la réalité pour mieux performer.

Oui, elle dormit bien, cette nuit-là. Parce qu'elle n'aurait pu être mieux préparée.

Chapitre 58

Comme prévu, Élisabeth n'eut pas le temps d'angoisser. Un peu moins de six minutes après le départ du premier traîneau, elle entendit son nom dans les haut-parleurs. Elle relâcha le frein pour avancer jusque sous la banderole jaune à l'effigie de la Yukon Quest et enfonça l'ancre. David se trouvait tout en avant, retenant Laska et Minuk par le collier. Des bénévoles le suivaient en tirant sur la ligne de trait pour éviter que les chiens ne partent trop vite. L'excitation venait de monter d'un cran.

— Thirty seconds, annonça la voix dans les haut-parleurs.

De la foule s'élevèrent des acclamations. Les chiens, qui interprétaient ces cris comme le signe d'un départ imminent, se mirent à aboyer et à sauter en tirant. Abandonnant l'ancre à un bénévole, Élisabeth remonta le long de l'attelage pour caresser les membres de son équipe à tour de rôle ; elle aussi percevait l'énergie émanant des spectateurs, et elle l'absorbait avec félicité – de l'énergie, elle n'en aurait pas de trop avec le défi qui l'attendait.

— Fifteen.

Elle revint vers le traîneau et dut tendre l'oreille pour écouter les dernières instructions que lui adressait Jim. Les cris d'encouragement lui montaient à la tête. Elle se hissa sur les patins en s'efforçant de se calmer pour se concentrer.

— Five, four, three, two, one. Go!

Autour d'elle et en elle, l'effervescence atteignit un paroxysme. D'un geste fluide dicté par des années de répétition, Élisabeth releva l'ancre, et le traîneau se mit en branle. Une seconde plus tard, elle tendait le bras pour frapper de sa mitaine celle que David lui présentait.

— Bonne chance! hurla-t-il pour couvrir de sa voix les cris de l'assistance.

Le traîneau longea la rue Main au milieu d'une foule en liesse. Très vite, cependant, il atteignit le fleuve. Un instant plus tard, Élisabeth glissait dans un silence aussi habituel que grisant.

Elle connaissait bien la route jusqu'à Braeburn. Les chiens aussi. Ensemble, ils l'avaient parcourue souvent, tant pour la course River Runner que pour la Yukon Quest 300. En tout, elle pensait bien avoir fait ce chemin une demi-douzaine de fois. C'était suffisant pour partir en confiance; elle pouvait anticiper la plupart des obstacles et connaissait approximativement la durée du trajet. Certes, les *overflows* ne se trouveraient pas aux mêmes endroits que par les années passées. Et le type de glace pouvait varier. Les espaces d'eau libre seraient toujours aussi dangereux. Il ne fallait donc pas trop se fier à l'expérience, et il était crucial de rester prudente. Regarder loin devant, mais toujours s'efforcer de lire et, surtout, d'écouter les chiens.

*

Elle atteignit Braeburn à minuit, après avoir effectué deux pauses pour ménager son équipe. Il avait fait chaud, et un petit -10 °C au soleil pouvait facilement incommoder les chiens. À la tombée de la nuit, elle avait retiré les jaquettes blanches qu'elle avait attachées à la ligne de départ sur le dos de ses coéquipiers au pelage le plus foncé.

Une fois le contrôle passé, Élisabeth suivit David qui avait repéré un endroit en retrait pour installer l'attelage. Elle s'empressa ensuite de soigner tout le monde et de masser les pattes. Quand les chiens furent roulés en boule, elle entra dans l'unique restaurant de la place retrouver Jim qui lui avait commandé à souper. Comme chaque fois qu'elle s'était arrêtée ici, elle trouva la brioche délicieuse, mais fut incapable de la manger en entier. David avala ce qui restait en deux bouchées pendant qu'Élisabeth retournait dans la cour pour assister à l'examen par les vétérinaires. Le règlement imposant une pause de quatre heures, elle revint ensuite à l'intérieur et s'allongea sur le plancher dans un coin du restaurant.

*

Elle reprit la route à 4 heures du matin. La température avait chuté de quinze degrés et, en l'absence de vent, on pouvait dire que la course se poursuivait à la température idéale. Élisabeth savait que cette portion du trajet était sinueuse, avec des virages à 90 degrés, en plus d'être toute en montées et en descentes. Elle prit donc son temps et aida les chiens en poussant avec son bâton de ski ; inutile de les fatiguer pour rien, surtout en début de course !

Elle n'était plus en troisième position. Ce rang, elle l'avait conservé moins d'une heure. Très vite, une grande partie des vétérans l'avaient dépassée pour prendre de l'avance. Les *rookies*, eux, se trouvaient tous derrière. Élisabeth se sentait mieux préparée qu'eux. Elle connaissait le terrain. Elle se disait que jusqu'à Pelly Crossing, même si ça promettait de ne pas toujours être facile, elle savait à quoi s'attendre.

Au milieu de cette étape, alors que la piste traversait un terrain brûlé, Élisabeth réalisa que Canac reniflait beaucoup et était trop distrait. Elle l'étudia encore un peu et conclut qu'elle était sans doute en train de sous-utiliser ses compétences. Elle fit une pause et l'installa devant, à la place de Laska. À partir de ce moment, les chiens avancèrent plus vite. Canac ne les retenait plus; il fonçait, nez au vent, épaulé par Minuk qui semblait ravi de ce nouveau coéquipier. Les *overflows* cessèrent de les prendre par surprise, car Canac et Minuk les repéraient à l'avance et tiraient pour les contourner.

La piste rejoignit enfin le fleuve Yukon. Élisabeth affronta pendant un moment ce qu'on appelait du *jumble ice*, ces morceaux de glace amoncelés qui freinaient l'avancée des équipes en rendant le sentier cahoteux et imprévisible. Apparut soudain un pont sous lequel se dirigèrent ses leaders. Élisabeth réalisa qu'elle avait franchi toute une étape presque sans s'en rendre compte. Les chiens se hissèrent sur la rive, joyeux, et s'immobilisèrent de peine et de misère au point de contrôle. On était au milieu de l'après-midi, il faisait -13 °C. Les vétérinaires jugeant les bêtes en excellente condition, Élisabeth put reprendre la route.

*

La piste emprunta le vieux chemin minier transformé en coupe-feu. Sur plus de 40 kilomètres, la route s'étira, presque parfaitement droite. Élisabeth se sentait en terrain familier. Elle reconnut les vestiges d'anciens feux de forêt et ne s'étonna pas d'une nouvelle descente sur le fleuve. Elle fit une pause à l'endroit baptisé McCabe Creek, quelques heures pendant lesquelles elle nourrit les chiens et se restaura elle-même en buvant le café qu'une âme charitable avait préparé pour les mushers. Puis elle reprit la course.

Il faisait nuit désormais. Élisabeth rejoignit une première route. Plus loin, elle en suivit une autre, puis une autre encore. Elle dirigeait son équipe sur l'accotement, car le faible couvert de neige risquait d'endommager son traîneau.

L'horizon se teintait de rose quand, au sommet d'une butte, elle aperçut les lumières de Pelly Crossing. Elle avait parcouru presque 400 kilomètres. Il en restait 1 200 avant la ligne d'arrivée.

CHAPITRE 59

Elle resta deux heures à Pelly Crossing. Après l'examen des vétérinaires, elle suivit Jim et David vers l'endroit où étaient entreposés les sacs d'équipement et de nourriture qu'elle avait fait envoyer à ce point de contrôle.

— Pis, s'enquit David, comment ça se passe ?

Il avait l'air aussi excité que les chiens, ce qui fit plaisir à Élisabeth.

— Super bien. Et vous autres ?

— Ah ! Tu sais, nous autres, on ne fait pas grand-chose à part t'attendre…

— Tu nous laisses quelqu'un ?

— Non ! Tout le monde est en forme.

Si cette réponse fit naître une grimace de déception sur le visage de David, elle fit sourire Jim qui couva d'un œil satisfait la meute à qui Élisabeth donnait à manger et à boire. Quand elle eut servi chacun des chiens, elle leur massa les pattes. La routine, c'était la routine, et pour rien au monde elle n'y aurait dérogé, surtout pas maintenant que tout se passait si bien. Mais même si elle se concentrait sur ses gestes, elle remarqua la mine soucieuse de Jim.

— Qu'est-ce qui se passe ? demanda-t-elle au moment de charger le traîneau en nourriture supplémentaire. Dis-moi pas que tu trouves que j'en mets trop ; il y a trois cent trente kilomètres jusqu'à Dawson !

— Non, non ! Mets-en comme il faut. Ce n'est pas ça qui m'inquiète.

Elle déposa dans le panier une soixantaine de kilos de nourriture, plusieurs sacs contenant quatorze tranches de castor ou de saumon et d'autres sacs avec de gros morceaux de viande pour préparer la « soupe ». Puis elle revint vers son handler.

— Qu'est-ce qui te dérange, Jim ?

Il lui tendit les prévisions de la météo. Élisabeth grimaça en apercevant les chiffres.

— Merde ! lâcha-t-elle en lui redonnant la feuille.

Il faisait -25 °C en ce moment, la température idéale pour les chiens, mais on annonçait un réchauffement drastique pour les prochains jours. Dans vingt-quatre heures, trente-six tout au plus, on friserait le zéro.

— Profite d'aujourd'hui pour aller le plus loin possible, souffla Jim. Fais des pauses ; petites, mais plus fréquentes.

— Faudra quand même que je dorme.

— Je sais…

Il réfléchissait en regardant la rivière Pelly. Des millénaires avaient creusé un lit profond avec des berges escarpées comme des ravins. Sur la glace, Élisabeth serait protégée des vents latéraux, mais pas de ceux qui arriveraient de face. Une situation parfaite quand il faisait chaud. Mais voilà, il ne ferait pas chaud avant le lendemain.

Il haussa les épaules, fataliste, et Élisabeth l'imita en se disant qu'elle serait encore en terrain connu pendant une quarantaine de kilomètres. Après ça…

— Tu vas te rapprocher de Dawson…

Jim pensait à haute voix. Élisabeth l'écouta même si elle savait qu'il ne s'adressait à personne.

— Ça veut dire que ce sera plus froid qu'ici, mais demain, ce sera quand même trop chaud pour les chiens.

— Je pense bien, oui.

— Essaie de dormir en fin d'après-midi.

— OK. Dormir en fin d'après-midi.

— Entre trois et six heures. C'est à ce moment-là qu'il fait le plus chaud à Dawson en hiver.

— OK. Autre chose ?

— Oui. Tes chiens n'auront pas faim, mais assure-toi qu'ils boivent beaucoup.

— Ouais. J'y avais pensé.

— Des petites pauses, répéta-t-il alors qu'Élisabeth remontait derrière le traîneau.

— Des petites pauses, répéta-t-elle à son tour. Arrêter plus souvent, mais moins longtemps.

Il approuva d'un hochement de tête.

Après un dernier au revoir à son neveu, Élisabeth donna l'ordre de reprendre la route.

*

Elle était déjà passée par là lors de sa dernière Quest 300. Elle ne fut donc pas surprise par la largeur de la rivière, ni par ses rives escarpées, ni par les énormes blocs de glace entre lesquels la piste slalomait. Ça montait, ça descendait. Certains passages avaient dû être ouverts à la tronçonneuse. Un vrai labyrinthe !

Un traîneau plus lourd était plus difficile à manœuvrer, Élisabeth l'avait appris à ses dépens l'année précédente. Cette expérience, bien que difficile, avait été porteuse de leçon et cette fois, malgré la charge, Élisabeth ne renversa qu'une fois.

Apparurent enfin, plantés en bordure du sentier, des panneaux annonçant le refuge Stepping Stone. Le premier promettait de la lasagne à 300 mètres. Le deuxième parlait de soupe à 200 mètres. Puis on souligna la présence d'eau chaude à 100 mètres. Et à 14 heures pile, Élisabeth atteignit le bâtiment où elle comptait dîner. Elle était aussi affamée que ses chiens et salivait au souvenir de la lasagne qu'on lui avait servie lors de son précédent passage et qui faisait la réputation de l'endroit.

Comme il faisait déjà -15 °C, elle opta pour une pause plus longue que prévu, histoire de permettre à tout le monde de faire le plein d'énergie tandis que tapait fort le soleil de l'après-midi.

Chapitre 60

M ars arriva à Stepping Stone au moment où Élisabeth entamait sa lasagne. Elle s'assit sur le banc adjacent et déclara qu'elle avait caressé les chiens au repos dans la cour.

— Minuk et Canac m'ont reconnue! lança-t-elle, fière de voir des rejetons de son chenil en position de leaders.

— Ils travaillent vraiment bien, précisa Élisabeth pour montrer sa reconnaissance.

Elles discutèrent du faible couvert de neige, des difficultés qu'elles avaient rencontrées et de celles qui les attendaient. Mars mangea une bouchée, avala deux cafés et se redressa soudain, aussi en forme que si elle avait dormi huit heures d'affilée.

— Bon, ben, j'y vais!

Son énergie exceptionnelle et son expérience de la course dictaient sa conduite. Arrivée une heure après l'équipe d'Élisabeth, elle repartit bien avant. Élisabeth n'en fut pas offusquée. Ni jalouse. Leurs plans de course différaient, leurs aspirations aussi. Après lui avoir souhaité bonne chance, Élisabeth entreprit ce qu'elle appelait affectueusement sa *sieste*, une sorte de demi-sommeil cueilli à même le plancher et constamment perturbé par les allées et venues des autres mushers.

*

Depuis Stepping Stone, Élisabeth avançait en zone inconnue. Elle avait quitté le refuge à 19 heures, en même temps que deux autres équipes. Elle les suivait maintenant, histoire d'utiliser l'orgueil des chiens comme motivateur. Et ça marchait ! Canac ne semblait pas du tout apprécier l'idée de courir en fin de peloton. Malgré l'obscurité, déchirée uniquement par les faisceaux des lampes frontales, les chiens couraient en ligne droite. Ils y allaient à l'odeur, dans les traces de leurs prédécesseurs, contournant les *overflows* là où c'était possible, traversant les autres à l'endroit le moins profond.

Le circuit de la Quest 300 s'arrêtant un peu après Stepping Stone, les mushers de la Yukon Quest savaient qu'ils n'auraient plus à partager les planchers, les tables et les chaises des différents refuges. Ne restaient sur cette piste que ceux qui allaient à Fairbanks. Ou, du moins, ceux qui visaient Fairbanks. On n'était pas à mi-chemin : tout pouvait encore arriver.

*

Le Yukon n'était qu'un jeu d'ombres et de lumières. Le jour, grâce à un faible taux d'humidité, l'air était limpide et permettait de voir plus loin que n'importe où ailleurs. Et la nuit, des étoiles scintillaient là où, sous d'autres latitudes, on ne trouvait que noirceur. Les reflets de la lune mettaient en relief les contours bleu marine de la nature, et les mushers de la Yukon Quest sillonnaient cette contrée organique où le ciel et la Terre ne faisaient qu'un.

Au moment où Élisabeth atteignit le sommet d'une pente abrupte, la voûte céleste se remplit d'aurores boréales. La surprise fut si grande, l'émerveillement si intense qu'elle se figea de stupeur, les yeux écarquillés. Le reste du monde n'existait plus, ni la course, ni les autres mushers, ni la vie qu'elle avait laissée à Whitehorse. Elle vivait un moment de grâce semblable à celui qu'elle avait vécu l'année précédente sur la rive du ruisseau Birch.

Seule avec ses chiens sur cette terre couverte de neige et sous ce ciel où dansait la lumière comme un appel, Élisabeth reconnut la sensation qu'elle avait éprouvée tant de fois depuis son arrivée au Yukon. Et dans le silence – ou peut-être justement à cause de lui –, elle eut l'impression que sa vie entière n'avait eu qu'un seul but : la conduire jusqu'à cet instant précis, sur cette montagne du Nord, avec ses chiens.

On n'était plus le 7 février 2011, mais elle n'aurait pas dit non plus que le temps s'était arrêté : il avait plutôt cessé d'exister. La jeune fille qui avait faussé compagnie à ses parents sur la terre de son grand-père cohabitait désormais avec la musheuse qui regardait le ciel. Elles partageaient un même corps, un même esprit, et cet esprit n'était plus celui d'une femme de quarante et un ans, mais une entité si vaste qu'elle se déployait sur des années, des siècles, des millénaires. Combien d'humains avaient foulé cette contrée en hiver, regardé ce ciel tout de lumière, respiré cet air qui s'engouffrait dans ses poumons et la régénérait ? Les mammouths laineux étaient passés ici, avec eux, les chasseurs et leurs enfants et les enfants de leurs enfants. Elle était tous ceux dont les pas avaient foulé ce sol avant elle. Un point dans l'espace et dans le temps, mais un point infini.

L'épiphanie ne dura qu'une fraction de seconde ; le traîneau ne s'était même pas arrêté. Par la suite, Élisabeth ne quitta pas le ciel des yeux, ni le sommet qu'elle devinait au loin et dont la lune découpait le contour arrondi.

Dans sa tête, une image prenait forme. Ou plutôt une idée. La course n'était qu'un prétexte. La vérité se trouvait ailleurs, dans un voyage effectué des millions de fois par l'humanité, par les animaux et même par les plantes dont le pollen avait été soufflé par le vent jusque-là. Et elle, elle traversait sans crainte une terre hostile et sauvage. Pour sentir la vie, la sienne et celle des autres, tout simplement.

CHAPITRE 61

Combien de temps dura la traversée des Black Hills ? Elle n'aurait su le dire. Elle avait atteint Scroggie Creek Dog Drop à l'aube et en était repartie après le dîner. Le soleil avait descendu dans son dos. Il avait disparu tout doucement, et le jour avait fait place à la nuit. Et la nuit durait maintenant depuis longtemps sans doute, mais les chiens étaient contents et le temps avait fraîchi. Enfin !

Il y avait eu des virages en lacet, des montées, des descentes et des virages encore, souvent au bas des pentes, juste avant un cours d'eau. Et évidemment, il y avait eu des *overflows*. Il avait fallu déchausser les chiens et les rechausser. La piste grimpait maintenant la montagne qu'on appelait «le Dôme du roi Salomon», le plus haut sommet de la course.

Se découpant sur le cercle presque parfait de la lune, une tour de télécommunications servait de point de repère. Un peu avant, il fallait tourner à gauche. Ensuite, Élisabeth le savait, la descente durerait 40 kilomètres avec, tout au bout, le village de Dawson.

Tout se passait bien, donc, même si tout se passait lentement. Doucement, comme hors du temps, malgré la course.

Élisabeth avait quitté le couvert de la forêt depuis un moment déjà quand Canac et Minuk se mirent à grogner. Tout de suite après, c'est l'équipe au complet qui se mit à aboyer et à montrer les dents. Les sens en alerte, Élisabeth balaya les environs de sa lampe frontale. L'orignal apparut dans le faisceau de lumière, presque droit devant.

— Whoa! s'écria-t-elle, sa voix ferme trahissant la peur qui l'habitait.

Dès que les chiens s'immobilisèrent, elle enfonça l'ancre. Devant, l'orignal les regardait. Elle l'entendait qui soufflait par le nez. Il était énorme, furieux, et sur le point de charger. Les aboiements redoublèrent. Élisabeth, qui n'avait aucune arme, ne put qu'agiter son bâton de ski de la manière la plus menaçante possible. Elle vociférait, ajoutant sa voix à celle des chiens, mais l'orignal ne les quittait pas des yeux.

Il fonça tout à coup. Élisabeth était persuadée que son heure était venue, que ce moment de grâce, vécu la veille, avait été une prémonition. À quelques mètres du traîneau, l'orignal se leva sur ses pattes arrière. Un monstre de trois mètres de haut! Paniquée, Élisabeth s'agita plus encore, cria plus fort. Elle savait qu'il n'y avait rien d'autre à faire. Elle sentait les chiens qui tiraient pour attaquer; ils n'avaient pas cessé de japper. La nuit résonnait d'un bruit infernal comme on en entendait rarement sur un sommet désert.

L'orignal retomba sur ses quatre pattes, heurtant de l'une d'elles le flanc de Matrix. Puis, sans doute effrayé par tant de vacarme, il fonça et passa si près d'Élisabeth qu'elle aurait pu le toucher si elle avait tendu le bras – ce qu'elle ne fit pas, évidemment. L'instant d'après, il avait disparu dans la nuit.

Elle ne perdit pas de temps à regarder derrière pour s'en assurer. Elle retira l'ancre et, de la voix, elle excita les chiens qui se remirent à courir en direction du sommet.

— Haw! hurla-t-elle pour s'assurer que Canac et Minuk comprennent bien qu'on ne traînerait pas dans les environs.

Le traîneau vira à gauche. Elle s'aperçut que Matrix boitait, mais elle savait aussi qu'il ne fallait pas ralentir. Pas tout de suite. Pas tant que l'orignal pouvait faire demi-tour et charger de nouveau.

Un peu plus loin, quand elle fut certaine de ne pas être suivie, elle s'arrêta pour examiner Matrix. Il avait couru comme les autres et avec autant d'énergie que les autres, mais quand elle lui tâta le torse à l'endroit où l'orignal l'avait heurté, il gémit et recula. Élisabeth comprit que son chien avait été blessé plus gravement que ce qu'elle avait imaginé. Elle le détacha et le mit dans le panier avant de remonter sur les patins.

Le traîneau amorça la descente. Au loin, on voyait les lumières de Dawson City.

*

Quand elle enjamba la digue pour suivre le fleuve Yukon en longeant la rue qu'on appelait Front Street, son cœur débordait de joie. Elle était arrivée à mi-chemin ! Elle n'arrivait pas à le croire.

Et quand, après avoir dépassé quelques bâtiments et un bateau hissé sur la rive, apparut enfin la silhouette familière de Jim, debout près de la ligne d'arrivée, Élisabeth eut envie de fondre en larmes. Elle ne pleura pas, cependant, parce que le juge de course inspectait le contenu de son panier et parce qu'il y avait des caméras. Et puis la fierté avait pris le dessus sur l'émotion. Il était 3 heures du matin, et elle venait de parcourir 800 kilomètres en traîneau à chiens. Malgré la chaleur, malgré les sentiers en mauvais état et malgré l'orignal qui les avait attaqués, elle et son équipe, il lui restait encore treize chiens en état de courir. Treize !

Quand, plus tard, le vétérinaire examina son équipe, il en profita pour la féliciter et pour lui dire qu'elle prenait vraiment bien soin de ses animaux. On n'aurait pu lui servir plus beau compliment.

*

— Où est Dave? s'enquit Élisabeth après avoir suivi le *dog truck* sur le pont de glace pour se rendre au camping réservé pour les équipes.

Jim ne répondit pas, se contentant de serrer les dents en détachant la ligne de queue des chiens qu'on avait conduits sous la bâche qui leur servirait d'abri.

Élisabeth s'activait à préparer la «soupe» sur le poêle à bois que Jim avait installé dans la grande tente. Il y avait aussi monté deux lits de camp, un pour lui et un pour David. Mais David, justement, semblait avoir disparu.

— Qu'est-ce qui lui est arrivé? demanda-t-elle en revenant vers les chiens pour leur donner à manger.

Elle répétait les mêmes gestes que d'habitude, mais elle sentait une tension nouvelle dans ses épaules. David avait-il eu un accident?

— Oh, non! Il ne s'agit pas d'un accident, ne crains pas.

— Où est-ce qu'il est, dans ce cas-là?

— En ce moment? Juste là, tu veux dire?

— Arrête de jouer avec moi, Jim. Où est David?

Il se redressa, les poings sur les hanches.

— En ce moment, il dort dans un lit, dans la chambre que je t'ai réservée à l'hôtel Downtown.

Ce n'était pas ce qui était convenu. David et Jim devaient dormir sous la tente pour permettre à Élisabeth de récupérer avant d'affronter les 800 kilomètres qui lui restaient. Elle dut avoir l'air stupéfaite parce que Jim s'empressa d'ajouter:

— Mais il va se lever quand je vais aller te reconduire tout à l'heure avec le dog truck. Tu as trente-six heures pour te laver et te reposer. Je vais m'occuper des chiens.

Il fit une pause, serra les dents de nouveau et conclut :

— Avec David, évidemment.

CHAPITRE 62

Elle ne sut que le lendemain ce qui était arrivé. Jim avait fait preuve de prudence en évitant de lui raconter les détails de la mésaventure de David. Si elle avait connu la vérité, elle n'aurait pas fermé l'œil.

L'incident s'était produit la veille en après-midi. Jim avait envoyé David au General Store pour acheter des provisions supplémentaires. En plus de lui laisser les clés, il lui avait donné une liste et suffisamment d'argent parce que tout le monde savait que la nourriture coûtait plus cher à Dawson qu'à Whitehorse. Il s'était ensuite affairé à préparer le camp pour l'arrivée d'Élisabeth, en commençant par la tente, qu'il pouvait monter seul. Au bout d'une heure, puisque David ne revenait toujours pas, il avait installé le refuge des chiens avec l'aide du handler d'une autre musheuse. Les mushers les plus rapides avaient commencé à arriver. Jim avait vu plusieurs traîneaux suivre des *dog trucks* jusqu'à un emplacement désigné, mais il ne s'inquiétait pas outre mesure. David connaissait le chemin.

Le camp avait été monté et le feu allumé dans le poêle de la tente, mais David n'avait toujours pas donné signe de vie.

Jim avait alors tendu le pouce devant une camionnette qui traversait le camping et sollicité un transport jusqu'au village.

Ne voyant pas le *dog truck* d'Élisabeth devant l'épicerie, il avait sillonné les rues à pied pour finir par apercevoir le véhicule devant l'hôtel Westminster. Jim connaissait Dawson pour y être venu à maintes reprises. Il avait compris tout de suite où se trouvait le neveu d'Élisabeth : le Pit – c'était le nom du bar de l'hôtel – était fréquenté par les mushers et leurs handlers. Mais David était mineur ! Qui diable l'avait conduit jusque-là ? Il s'était attendu à trouver un adolescent ivre au milieu d'autres handlers, mais pas à le voir saoul mort, couché sur une table au fond du bar !

David raconta plus tard avoir été entraîné par les handlers de Vince Oblonski qui allaient fêter l'arrivée imminente de leur musher. C'étaient eux qui lui avaient payé à boire – il l'avait prouvé en sortant de sa poche les billets que Jim lui avait remis et en les comptant devant Élisabeth.

— Ils étaient super cool ! expliqua-t-il. Ils m'ont dit que c'était la tradition d'initier les nouveaux handlers au Pit !

En entendant cette histoire, Jim sortit de ses gonds.

— Ce n'est pas une tradition, nigaud ! C'était une ruse pour ralentir le travail au camp et déranger la concentration de ta tante.

De fait, l'incident avait privé Élisabeth de la sérénité qui l'avait habitée depuis plus de 300 kilomètres. Elle était redevenue la femme qui s'inquiétait de son neveu et qui essayait d'anticiper quel mauvais tour Vince Oblonski allait maintenant lui jouer. Elle repensait à la route qui lui restait à parcourir avant Fairbanks. Et soudain, la crainte de croiser un autre orignal surgit dans son esprit et ne la quitta plus. Et sans les six équipes arrivées après elle, et qui, par le fait même, la suivaient, elle aurait certainement repensé aux loups.

À Dawson, tous les mushers devaient se plier à une pause obligatoire de trente-six heures. Arrivée au point de contrôle à 3 heures du matin le 9 février, Élisabeth ne pouvait reprendre la route avant 15 heures le lendemain. Après un minimum de repos, elle téléphona à Gabriel, tant pour avoir des nouvelles du chenil que pour entendre sa voix.

— Abuser de la naïveté d'un handler pour te déconcentrer, c'est un coup bas. J'espère qu'ils n'ont pas réussi !

— Non, inquiète-toi pas. J'ai vu pire sur le King Solomon's Dome.

Elle lui raconta sa rencontre avec l'orignal. Au bout du fil, Gabriel resta muet.

— Es-tu encore là ? s'enquit-elle, parce que le silence durait.

— Sais-tu qu'il aurait pu te tuer ?

Elle laissa s'échapper un grand éclat de rire.

— Évidemment que je le sais ! Et sur le coup, je te jure que je ne pensais pas à autre chose.

— Tu as été chanceuse…

Elle n'aurait pas dû lui raconter cette histoire. Désormais, il angoisserait.

— Tu sais, Gab, il y avait des bouts tellement longs que j'avais l'impression qu'il ne se passait rien. Et j'aurais juré que je n'avançais pas. Et puis… Bang !, le ciel se remplissait d'aurores boréales. Quelque temps plus tard, le calme revenait ; ça durait des heures ! Et là, un autre bang ! Un orignal. Ça aurait pu tout aussi bien être un loup ou une tempête de neige. Ou rien du tout.

Il rit.

— C'est comme dans la vie, finalement.

Elle resta un moment stupéfaite par la justesse de la comparaison.

— Oui, dit-elle. La course, c'est comme la vie, mais en concentré. C'est pour ça que ça fait peur, et c'est pour ça aussi que ça me fait triper.

Il y eut un autre moment de silence, comme si la vérité qu'Élisabeth ressentait dans ses tripes venait de pénétrer Gabriel.

— Fais quand même attention.

— Promis ! Il faut que je te laisse. Je veux aller voir ce qui se passe avec Matrix. Le vet s'en occupe. Ensuite, je vais retourner au camp m'assurer que tout le monde va bien.

Il lui recommanda la prudence, lui dit qu'il l'aimait et qu'il avait hâte qu'elle revienne. Puis il conclut :

— Lâche pas, Bebette. D'ici une semaine, tu vas dormir dans ton lit. Pis tu n'auras plus besoin des pochettes chauffantes parce que c'est moi qui vais te tenir au chaud.

Elle rit et raccrocha. Et malgré tout l'amour qu'elle ressentait pour Gabriel, son attention revint tout de suite à l'instant présent, à ce qui se passait autour d'elle, à David et Jim qui s'occupaient des chiens au campement. Si elle voulait finir cette course, elle ne pouvait pas se permettre de rêver ni d'anticiper la nuit qu'elle passerait avec Gabriel quand elle rentrerait à la maison.

*

Elle se trouvait au campement depuis une heure et s'activait à masser les pattes des chiens sous leur abri. Il faisait déjà nuit, mais le temps était encore doux. Trop doux pour la Yukon Quest ; à Dawson, on ne parlait que de ça.

— Paraît que tu as rencontré un orignal ?

Élisabeth sursauta et leva la tête. Debout devant l'ouverture de l'abri, Ian la regardait en souriant.

— Ouf ! Tu m'as fait peur, je ne t'avais pas entendu arriver.

David était parti promener Canac. Jim faisant de même avec Highlander, Élisabeth était restée seule et ne s'était pas attendue à recevoir des visiteurs.

— Les nouvelles vont vite. En effet, on a croisé un orignal au sommet du Dôme du roi Salomon. Il était énorme !

— Il ne vous a pas chargés ?

— C'est ce qu'il voulait faire, je pense, mais on l'en a dissuadé. Matrix a quand même été blessé. Le vet dit qu'il a des côtes brisées. C'était incroyable ! Il a continué de courir comme les autres jusqu'à ce qu'on soit assez loin pour que je le mette dans le panier. Un brave chien !

Ian approuva et inspecta d'un œil de connaisseur l'équipe qui se prélassait sous la bâche.

— Mais c'est toi qui es brave, surtout, de faire la Quest avec quatre chiots !

— Qu'est-ce que tu veux dire, des chiots ? Ils ont deux ans !

— Quand même ! C'est jeune un peu pour participer à une course de mille milles.

— Tu penses ? Je trouve qu'ils s'en tirent bien jusqu'à présent.

— Jusqu'à présent, oui. Mais tu sais, il peut arriver encore bien des choses. Fairbanks se trouve à huit cents kilomètres.

En l'écoutant parler, Élisabeth réalisa à quel point elle connaissait bien Ian. Elle était tombée trop souvent dans ses pièges pour se laisser prendre une autre fois.

— Comme tu le dis, railla-t-elle, tout peut arriver jusqu'à Fairbanks. J'ai encore le temps d'arriver dans les dix premiers.

Pris au dépourvu, Ian hésita à répliquer. Puis, se rappelant à qui il avait affaire, il éclata de rire.

— Touché, dit-il, avant de s'en aller rejoindre son handler à l'autre bout du camping.

Quand Jim et David revinrent, ils trouvèrent Élisabeth assise au bord du feu de camp, une bière à la main. La peur avait disparu.

Chapitre 63

Il neigeait fort et le vent, venu directement du pôle Nord, soufflait sans tarir sur la région. Élisabeth avait remonté son capuchon et l'avait attaché serré. Devant elle s'élevait le premier sommet depuis Dawson : le célèbre American Summit.

Elle avait quitté le camping comme prévu à 15 heures le 10 février et n'avait rencontré que peu d'embûches sur le fleuve jusqu'à Fortymile. La piste avait zigzagué entre les plans d'eau libre et les *overflows*. Il avait fallu remonter sur la rive à plusieurs endroits et serpenter de courts moments dans la forêt avant de redescendre sur le fleuve. Mais il ne ventait pas encore, à ce moment-là, même si la neige avait commencé à tomber. Elle tombait tout doucement, comme une neige de Noël.

À 2 heures du matin, après une pause de quatre heures pour profiter de l'hospitalité des hôtes du refuge de Fortymile, elle avait remonté la rivière du même nom. La neige avait commencé à s'accumuler, de sorte qu'Élisabeth avait failli rater la borne qui marquait l'endroit où on devait quitter le lit de la rivière. C'est Canac qui, comme toujours, avait reniflé le passage des équipes précédentes et indiqué la direction à suivre.

Depuis, la piste montait, protégée par les arbres. On entendait le vent qui fouettait les cimes en rugissant. Et la neige, si délicate la veille, avait maintenant des allures de blizzard.

La forêt disparut soudain pour faire place au Grand Blanc qui avalait tout. En fait, il s'agissait plutôt d'un Grand Gris puisque, dans l'obscurité, avec la neige qui n'avait cessé de tomber, l'horizon avait pris la teinte de l'acier. Devant l'impossibilité de voir où se terminait la montagne, on avait l'illusion que la piste montait vers le ciel. Il était hors de question de chercher une balise : elles avaient été ensevelies depuis longtemps. Élisabeth laissa les chiens renifler.

Ce fut Minuk qui, le premier, repéra un traîneau et entraîna toute l'équipe dans cette direction. Un concurrent se reposait là, au milieu de nulle part, et la neige, soufflée en bourrasques, avait déjà recouvert les chiens.

— Whoa ! lança Élisabeth pour immobiliser son équipe.

Elle enfonça l'ancre et s'approcha du traîneau à bord duquel le musher s'était réfugié.

— Are you in trouble ? demanda-t-elle en orientant sa lampe frontale vers l'intérieur du panier. Mars ? !

— Élisabeth ! Tu n'as pas idée à quel point je suis heureuse de te voir.

Mars Arpin sortit de sa cachette et s'ébroua. Elle raconta aussitôt comment Manouche – son extraordinaire Manouche ! – avait refusé d'affronter l'American Summit.

— On ne s'est même pas rendus à mi-pente ! Je ne comprends pas ce qui lui arrive. On dirait qu'elle a eu peur, mais je ne vois pas de quoi.

— Elle est peut-être juste fatiguée.

— On a quitté Dawson hier matin ! Ce n'est pas la mer à boire !

— Elle est peut-être démotivée, dans ce cas-là.

Mars approuva. Sa chienne avait perdu le feu sacré qui avait fait d'elle une championne.

— Ce que je me suis dit, c'est que j'attendrais le prochain musher – et je suis contente que ce soit toi ! – et qu'on attellerait les deux équipes bout à bout.

— Tu penses que Manouche va tirer mieux si elle a tout le monde derrière elle ?

— Pas du tout. C'est pour ça que je propose qu'on attelle mes chiens derrière les tiens. Et qu'on attache mon traîneau à l'arrière du tien.

Élisabeth était sceptique, mais elle comprenait qu'il n'y avait rien d'autre à faire. Mars ne pouvait pas rester sur place indéfiniment. Le vent soufflait toujours et la neige, qui allait en s'intensifiant, rendait la situation dangereuse.

Pour fixer le traîneau de Mars à l'armature de celui d'Élisabeth, on utilisa une corde solide. Il fallut ensuite décrocher les lignes de trait et les rattacher autrement. Quand tout fut en place, Élisabeth s'installa à sa position habituelle.

— Let's go boys !

Elle fut la première surprise quand l'attelage se mit en branle. Canac et Manuk semblaient stimulés par la confiance qu'on avait en leurs capacités. Ça leur faisait quand même vingt et un coéquipiers !

Il aurait pu y avoir de la bagarre ou de l'obstruction, mais rien de tout cela ne se produisit. Mars courait à côté de ses leaders tandis qu'Élisabeth courait derrière son traîneau. Moins d'une heure plus tard, les deux équipes atteignaient le plateau saines et sauves, mais fourbues et excitées au possible.

— Quel accomplissement ! s'écria Mars en sautant de joie.

Elle caressa avec vigueur Canac et Minuk, et Élisabeth se dit qu'elle regrettait peut-être un peu le jour où elle lui avait vendu ces chiens.

Elles atteignirent Eagle l'une derrière l'autre à 2 heures et demie, le matin du 12 février. Le monde extérieur ayant été sans nouvelles de Mars depuis plus de seize heures, elle ne fit pas durer le suspense plus longtemps et signala son retrait.

— Jamais mes chiens ne passeront l'Eagle Summit dans leur état.

En entendant le nom Eagle Summit, Élisabeth se rappela la descente terrible de l'année précédente, le traîneau renversé, la dégringolade qui avait paru sans fin. Un obstacle de taille qui paraîtrait insurmontable à des chiens déjà démotivés.

— Si je continue, je vais les écœurer à vie des courses, ajouta Mars pour justifier son retrait.

Puis, pressée de questions – et désormais libérée du stress inhérent à la course –, elle raconta son aventure au pied de l'American Summit à tous les mushers et bénévoles, et aux rares journalistes arrivés sur place en avion. Dans l'ancienne école transformée en point de contrôle, on écoutait le récit de l'exploit, et Élisabeth, que tous ces compliments rendaient nerveuse, sortit s'occuper de ses chiens.

Elle était fière, elle aussi, et pas qu'un peu ! Mais elle savait que la course n'était pas terminée. Il restait à affronter le dangereux Eagle Summit. Rien ne disait que, cette fois, ce ne seraient pas ses chiens à elle qui refuseraient de gravir la montagne.

Contrairement aux autres postes de contrôle, Élisabeth n'avait ni Jim ni David à qui confier la misère des dernières heures. C'est qu'aucune route ne reliait Eagle au reste de l'Alaska en hiver. La prochaine fois qu'elle les verrait, ce serait à Circle City…

Un étrange chagrin s'empara d'elle à l'évocation du nom du prochain poste de contrôle. Circle City, l'endroit où Cassandre s'était éteinte l'année précédente. C'était la première fois qu'Élisabeth y pensait depuis longtemps, et une boule de tristesse lui serra la poitrine à l'idée de revoir le lieu où son chemin et celui de sa chienne s'étaient séparés.

Soudain en proie à un élan de tendresse insoutenable, elle caressa Minuk et Canac, fit de même avec Laska et Transam, puis Chinook et Odyssey, Cavalier et Morial qui, elle, ne la quittait pas des yeux. Camaro se frotta le museau contre la jambe d'Élisabeth. Sirocco et Corvette baissèrent la tête pour faire durer les caresses. Et derrière, fidèles à eux-mêmes, Silverado et Highlander attendaient, stoïques. Leur tour viendrait, ils le savaient. C'était eux, après tout, qui couraient le plus proche de leur maîtresse.

Consciente que la fatigue parlait trop fort et que le découragement la guettait, Élisabeth rentra se chercher un coin pour dormir. Non ; la course n'était pas terminée.

Chapitre 64

Elle atteignit Circle City trente-six heures après avoir quitté Eagle. La neige n'avait pas cessé, ce qui avait rendu la piste difficile. De plus, les amoncellements de glace jonchaient le fleuve ; impossible de parcourir deux mètres sans avoir à escalader un obstacle. L'impact qui suivait chacune des chutes mettait les articulations à rude épreuve. Les plus jeunes des chiens n'avaient plus du tout de plaisir, ça se voyait. Élisabeth aurait aimé mettre Chinook ou Morial dans le panier, mais les secousses les auraient traumatisées.

Une fois terminée l'inspection du panier par le juge de course, elle dirigea le traîneau vers l'endroit repéré par Jim et ordonna à David d'aller attacher Morial et Chinook à une chaîne du *dog truck* et de leur donner à manger autant qu'elles en voudraient.

— Elles sont trop fatiguées.

David se pencha pour étudier les chiennes qui s'étaient allongées de tout leur long dès que le traîneau avait été immobilisé.

— Tu ne veux pas attendre l'examen du vétérinaire ? Peut-être que plus tard, elles iront mieux…

Jim leva les yeux au ciel avant de le bousculer d'une tape sur l'épaule.

— Elles iront peut-être mieux plus tard, Dave. Mais il ne faut pas insister avec un chien qui n'a plus de plaisir. Si on pousse trop fort, on met en péril son avenir comme chien de traîneau. Allez, amène-moi ça au dog truck et occupe-toi d'elles comme si c'étaient des princesses.

David obéit tandis qu'Élisabeth distribuait de la paille à ses onze derniers chiens.

— Comment ça s'est passé? s'enquit Jim en lui tendant une tasse de café.

— Par quel bout tu veux que je commence?

Il soupira.

— Tant que ça?

Elle hocha la tête.

— Je vais finir de m'occuper d'eux et ensuite, je vais aller manger. La nourriture est bonne ici. Ensuite, je vais dormir un petit quatre heures. Et si je suis en forme après ça, je te raconterai comment ça s'est passé depuis Dawson. Pour le moment, je suis crevée et affamée et je n'ai plus de patience. Et comme c'est justement l'heure du souper...

Jim approuva et s'alluma une cigarette. Personne ne souffrait de rester dehors; il faisait tellement chaud! Pas étonnant que les chiens soient à ce point fatigués. Et dire qu'il restait encore le tiers du trajet à parcourir!

— Eh bien! lâcha-t-il pour indiquer qu'il n'insisterait pas. Si tu as faim, tu es à la bonne place. Je te recommande le steak.

Sans doute avait-il deviné que c'était le souvenir de son dernier passage à Circle City qui rendait Élisabeth à ce point irritable. Il fuma en silence, la regardant aller et venir entre les chiens. Elle leur distribua à manger et à boire. Ce soir, pas question de préparer de soupe. Chacun avait droit à son steak, cru, mais congelé, et à une double ration de croquettes hyper protéinées. Ils l'avaient bien mérité!

*

Elle quitta Circle City à minuit avec ses onze chiens toujours valides et même énergiques. La température n'avait pas baissé, comme ça arrivait habituellement à la tombée du jour. Ça augurait bien mal pour la suite des choses. Élisabeth anticipait une neige lourde et les *overflows* nombreux.

Quand elle pénétra dans la vallée du ruisseau Birch, la température descendit d'un coup. On frisait maintenant les -30 °C. Élisabeth entreprit la remontée du ruisseau dont la glace, qui zigzaguait de gauche à droite, lui rappelait un souvenir pénible. Les montagnes environnantes concentraient le vent, et les bourrasques, qu'on recevait de face, brûlaient le moindre bout de peau exposé.

Une nuit profonde écrasait la région. Dans le ciel, pas la moindre lune. Élisabeth laissait les chiens flairer le terrain. Elle savait la glace traîtresse dans ce segment de la course. D'ailleurs, les plaques plus sombres, qui surgissaient de temps en temps dans le cône de lumière de sa lampe frontale, ne laissaient pas de doute sur leur origine. L'eau vive était un piège fatal que les chiens flairaient à distance. Plus subtils, cependant, les *overflows* guettaient à chaque détour du chemin. Et des détours, il y en avait!

Après un virage pris plus doucement par prudence, Élisabeth aperçut un feu sur la rive. Elle reconnut l'endroit où elle-même avait campé l'année précédente. Elle repensa à Cassandre et sentit une pointe douloureuse dans la poitrine. La sensation s'effaça d'un coup quand elle remarqua que deux traîneaux gisaient côte à côte, bordés d'au moins vingt chiens. Elle allait s'approcher, mais repéra à temps l'immense trou d'eau noire qui la séparait de la berge.

— Do you need help ? s'écria-t-elle.

— Is it you, Frenchie ?

En reconnaissant la voix, le cœur d'Élisabeth fit un bond.

— Ian ? Es-tu blessé ?

— Moi, non. Mais Vince a défoncé la glace. Juste devant l'endroit où tu te trouves. Il est tombé dans l'eau jusqu'à la poitrine. Faut que je m'en occupe sinon il va perdre ses pieds.

— Veux-tu que je vienne t'aider ?

— Inutile. Je lui ai déjà fabriqué des bottes avec les couvertures de mes chiens. Et j'ai actionné le signal de détresse. Les rangers ne devraient pas tarder.

— As-tu besoin de quelque chose ? Du carburant pour ton réchaud ? D'autres couvertures ? De quoi manger ?

— Non, ça va. Allez, sauve-toi !

— Mais je ne peux pas te laisser comme ça, voyons !

Il rit, malgré l'aspect dramatique de la situation.

— Même si tu restais ici, tu ne pourrais rien faire de plus. J'ai habillé Vince avec des vêtements secs et maintenant, il est enroulé dans mon sac de couchage et se fait dorer au bord du feu. Si ça se trouve, ils ne lui couperont même pas un orteil.

Il parlait de l'accident avec une fausse légèreté. Élisabeth comprit qu'il était quand même inquiet.

— Allez, répéta-t-il. Il y a maintenant deux mushers de moins devant toi. Si tu ne te laisses pas attendrir par des egos blessés, tu pourrais bien finir dans les dix premiers.

Elle perçut un aveu inattendu dans cette dernière phrase. Il restait quelque chose. Oh, pas grand-chose ! Des sentiments à peine perceptibles, une certaine tendresse, de la fierté aussi. La prédiction de Ian était sur le point de se réaliser.

Comme elle donnait l'ordre à ses chiens de s'éloigner du bord pour reprendre la piste, elle l'entendit crier une dernière fois.

— Bonne Saint-Valentin, Frenchie !

Cette année-là, Élisabeth Sissi Létourneau finit huitième.

CHAPITRE 65

Après la course, les affaires prirent un essor nouveau au chenil Midnight Sun Adventures. La Yukon Quest lui avait donné une belle visibilité, de sorte qu'Élisabeth consentit enfin à laisser son emploi d'hygiéniste dentaire pour s'investir à fond dans son entreprise.

— Ce n'est pas deux petites journées de salaire qui vont faire une différence dans notre budget, avait déclaré Gabriel pour la convaincre. Mais ces deux petites journées nous éviteraient d'avoir à trouver un handler.

Élisabeth avait cédé. Même si la coutume voulait qu'on ne paie pas le handler, il fallait quand même le nourrir et le loger. Et loger un handler, chez Midnight Sun Adventures, voulait dire l'installer dans une des *cabins* destinées aux touristes. Une telle décision, appliquée sur toute une saison, aurait privé le chenil d'importants revenus.

Les corvées augmentèrent avec l'arrivée de nouveaux petits. À la fin avril, Laska, qu'Élisabeth avait volontairement laissée quelque temps en compagnie de Canac, donna naissance à six chiots. David proposa d'associer à cette portée les noms des nations amérindiennes de l'Est du Canada. Les quatre mâles furent baptisés MicMac, Mohawk, Huron et Innu, et les deux femelles, Abénaquis et Naskapi.

Comme il fallait s'y attendre, ces amours légitimes avaient donné des idées aux autres. Ravenne mit bas à la fin mai. On soupçonnait Matrix d'être le père, mais on n'avait aucune preuve contre lui, Ravenne ayant pénétré dans le chenil par un tunnel creusé sous la clôture. Pour suivre la thématique, on choisit les nations amérindiennes du Nord-Ouest. Les trois petits, deux mâles et une femelle, furent nommés Trondek, Tlingit et Chilkat.

Les derniers touristes partirent avec le couvert de neige. Mais au chenil, entre les soins des chiots et l'ordinaire des chiens, l'ouvrage ne manquait pas.

Gabriel, qui travaillait toujours chez McIntire, en était maintenant à détester son emploi. Il ne se plaignait jamais, mais il aurait fallu être aveugle pour ne pas remarquer son manque d'enthousiasme, tous les matins. Il avait perdu cette joie de vivre qui faisait de lui un Yukonnais libre et heureux de l'être. Désormais, il se voyait comme un condamné emprisonné dans un camp de travail. Sensible à la détresse de celui qu'elle aimait, Élisabeth cherchait une manière de le convaincre de changer les choses.

— Les affaires vont bien, tu pourrais lâcher McIntire et travailler au chenil avec nous…

Et chaque fois qu'elle abordait le sujet, il lui répondait :

— Les affaires ne vont pas si bien, Bebette.

— Tu pourrais au moins louer un espace dans un garage, comme dans le temps.

— Tu oublies que, dans le temps, je ne faisais pas autant d'argent.

Elle aurait voulu le secouer, lui rappeler que les années passaient et qu'il ne pouvait pas gaspiller sa vie ainsi, mais elle ne savait comment s'y prendre pour lui transmettre ce que l'expérience lui avait appris. Et puis elle trouvait bouleversant de voir à quel point il faisait passer son bonheur à elle et celui de David avant le sien. Et à quel point aussi ce dévouement le rendait malheureux.

*

Au début du printemps, un paquet de papier à rouler tomba du sac d'école de David au moment où celui-ci rangeait ses livres, après le souper. Il s'empressa de le ramasser et s'en alla dans sa cabane comme si de rien n'était, mais la chose n'était pas passée inaperçue. Gabriel, qui se sentait en terrain connu, déclara qu'il s'en occupait.

Au lit, ce soir-là, pressé de questions, il finit par avouer sa méthode.

— Je me suis donné en exemple.

Élisabeth secoua la tête, méfiante.

— Excuse-moi de te dire ça, Gab, mais tu n'es pas vraiment une référence dans ce domaine-là.

— Tu te trompes.

— Je ne pense pas.

Au lieu de s'offusquer de la méfiance d'Élisabeth, Gabriel éclata de rire.

— Femme de peu de foi! Je ne lui ai pas montré à fumer du pot en cachette, si c'est ça que tu veux dire.

— Ah, non?

— Non. Je l'ai même un peu poussé dans le sens contraire.

— Comment tu as fait ça?

— Je lui ai juste dit: «Regarde-moi, je ne bande même plus! Ça fait que si tu ne veux pas finir comme moi…» Je n'ai pas eu besoin de continuer, il avait compris le message.

Élisabeth resta muette.

— Maintenant, ajouta Gabriel, je veux que tu lui donnes six chiens.

Elle protesta.

— Il peut déjà se servir des miens, je ne vois pas pourquoi…

— Non, Bebette. Tu ne comprends pas. Je veux que tu lui *donnes* les chiens, avec les papiers pis tout' ce qui vient avec. Je ne veux plus que tu aies le droit de te servir de ces chiens-là et je ne veux plus qu'il pense que tu peux les prendre pour ta prochaine Quest. C'est très important que tu lui prouves qu'ils sont *à lui* et qu'il en est responsable.

Consciente que Gabriel ne lui imposait pas de telles exigences pour rien, Élisabeth réfléchit. Elle hésitait à donner ses chiens, ça se voyait. Gabriel rit et poursuivit :

— Je veux aussi que tu lui donnes tes plus vieux harnais, ta plus vieille ligne de trait et tes plus vieilles lignes de queue et lignes de cou. Pis ton plus vieux traîneau, celui qui tombe en morceaux.

Devant son air perplexe, il ajouta :

— Une fois qu'il va avoir goûté au plaisir de posséder sa propre équipe, je te jure qu'il ne dépensera plus une cenne pour une autre drogue que celle-là.

Élisabeth acquiesça en se demandant si, sous le prétexte de piéger David avec la passion du traîneau à chiens, Gabriel n'était pas en train de lui adresser un message discret.

*

Le soleil monta vers le nord et, au fil de sa progression, les nuits raccourcirent jusqu'à ne plus être qu'un clair-obscur entre 11 heures du soir et 2 heures du matin. On ne voyait cependant pas l'ombre d'un début de chaleur. Même que, pour la première fois depuis qu'elle vivait au Yukon, Élisabeth vécut un temps gris perpétuel. Il plut presque tous les jours, et pendant les rares heures sèches, les nuages ne s'effaçaient pas. En ville, les Yukonnais de longue date se plaignaient. Jim prétendait qu'il n'avait jamais connu ça de toute sa vie.

Cette pluie quasi quotidienne n'empêcha pas les hommes du chenil d'entreprendre un nouveau chantier. On comptait bâtir deux nouvelles cabanes cet été-là. Et David, qui eut dix-sept ans en juillet, devint un ouvrier hors pair. Il travaillait tant et si bien et faisait preuve d'une telle énergie que Jim et Gabriel durent lui imposer un horaire plus modéré.

— Il n'est pas tuable! se plaignit Gabriel un soir qu'il se coucha fourbu. Ou bien c'est moi qui vieillis. C'est l'un ou l'autre, mais je te jure qu'à ce rythme-là, tu vas peut-être avoir tes *cabins* avant la fin de l'été, sauf que David, lui, va avoir ma peau.

Élisabeth s'amusait de ces fausses jérémiades, car ils s'enorgueillissaient l'un comme l'autre de voir comment l'adolescent autrefois désagréable était devenu le jeune homme vaillant qui entamerait cet automne-là sa dernière année du secondaire. Il ne parlait plus de devenir mécanicien ni charpentier-menuisier; il parlait de chiens. Il s'occupait des siens en plus d'entretenir le chenil et de s'investir dans l'aménagement de Midnight Sun Adventures. Il se montrait aussi sensible qu'Élisabeth à la détresse de Gabriel face à son emploi. Il parlait souvent de construire une cinquième cabane, expliquant qu'avec dix clients, le commerce pourrait les faire vivre tous les quatre.

— Après tout, on a quarante et un chiens! Aussi bien les utiliser.

Jim, qui refusait toujours d'être payé, prétendait qu'on était déjà rentable, que c'était une question de volonté et qu'il suffisait d'une meilleure gestion du temps.

— Si on allait nous-mêmes couper notre bois de chauffage, disait-il, ça nous reviendrait bien meilleur marché.

Et tout de suite après, il répétait qu'il avait hâte que Katherine vienne chercher Mogli, Kim et Maya dont on ne ferait jamais de bons chiens de traîneau.

— Si ce ne sont pas des bouches inutiles, ces trois-là, je ne sais pas ce qu'ils sont.

Mais Katherine ne donnait toujours pas signe de vie.

CHAPITRE 66

L'automne revint et avec lui, l'obscurité, la neige et l'entraînement des chiens en vue d'une nouvelle saison de courses. Une routine dans laquelle Élisabeth se lova avec délice, imitée en cela par son neveu qui avait développé pour les chiens une passion aussi intense que la sienne.

Mogli mourut à la fin du mois d'août et, au début d'octobre, on retrouva le corps d'Escort inerte dans sa niche : elle s'était éteinte pendant la nuit. On leur creusa des tombes au pied de la montagne et on observa une minute de silence après les avoir mis en terre. Ils avaient bien vécu et bien couru.

Avec les deux portées arrivées au printemps, le chenil grouillait de vie, et quand un véhicule virait dans l'entrée, on entendait les aboiements jusque de l'autre côté de la route de l'Alaska.

Les clients arrivèrent un peu après la neige et se relayèrent dans les cabanes. Chez Midnight Sun Adventures, on affichait complet et on se trouvait désormais forcé de prendre les réservations des mois à l'avance. Heureusement, depuis septembre, le chenil comptait un membre de plus. Rita, qui n'avait cessé de s'ennuyer à Crag Lake, avait commencé à rendre visite à Élisabeth au début du mois d'août. Elle disait qu'elle venait donner un coup de main, mais en réalité, elle venait pour jaser, pour retrouver chez Élisabeth l'amie qu'elle avait eue et qu'elle ne voyait presque plus. Puis, un soir, elle avait accepté l'invitation de Jim et avait partagé sa cabane pour la nuit. Elle était restée le lendemain soir. Et le soir suivant. Une semaine plus tard, elle y emménageait de façon permanente, et ses bras furent les bienvenus quand il fallut reprendre la cuisine de groupe et faire le ménage des cabanes au départ des clients.

Comme Jim avant elle, Rita avait retrouvé sa joie de vivre à côtoyer les chiens. Elle s'était attachée très vite aux chiots. Elle s'en occupait et les cajolait plus que nécessaire.

— J'ai toujours aimé les Indiens, disait-elle pour se justifier.

Et c'est ainsi qu'au chenil Midnight Sun Adventures, on vit l'hiver s'installer avec cette sorte de petit bonheur tranquille qui rendait possible l'amour de la vie dans les grands froids.

*

Un matin de novembre, Élisabeth ouvrit les yeux à 6 heures. Dehors, la nuit régnait toujours, mais on voyait des flocons qui dansaient devant la fenêtre. Plus tard, elle le savait, cette petite neige fine serait soufflée en poudrerie sur les chemins. Ça rendrait la conduite périlleuse. Gabriel devrait partir plus tôt pour le travail s'il ne voulait pas arriver en retard. Elle se tourna vers lui, le secoua doucement à travers la couverture.

— Bon matin, mon amour, lui murmura-t-elle à l'oreille avant de sortir du lit.

Elle fut étonnée de voir qu'il faisait si froid dans la maison. Cela signifiait que Gabriel ne s'était pas levé au milieu de la nuit comme à son habitude pour ajouter du bois dans le poêle. Elle enfila tout de suite ses vêtements, puis, réalisant que Gabriel n'avait toujours pas bougé, elle alluma la lampe de chevet. Il ouvrit péniblement les yeux.

— Mon doux, Gab! s'écria-t-elle en lui posant une main sur le front. Tu es bouillant de fièvre.

— Je le sais…

Il avait parlé avec difficulté.

— J'ai la grippe, je pense, Bebette. Il y avait un gars cette semaine à l'ouvrage qui…

Sa voix se brisa dans une violente quinte de toux.

Élisabeth descendit lui chercher du Tylenol, puis elle remonta s'asseoir près de lui. Il avala les comprimés et se remit à tousser.

— Je vais appeler chez McIntire, dit-elle une fois qu'il se fut recouché.

Il n'émit pas la moindre protestation.

Élisabeth redescendit, fit sortir Ravenne et Laska, téléphona au garage comme promis et prépara du café. Elle avait prévu de sortir avec leurs clients aujourd'hui pour les conduire sur un nouveau sentier au bord de la rivière Takhini. Elle avait élaboré ce nouveau trajet la veille tandis qu'elle attendait Gabriel qui faisait des heures supplémentaires. Gabriel étant malade, il n'était pas question de le laisser seul. Et puis si ça se trouvait, elle avait elle-même été contaminée. Il fallait donc garder les clients à distance si elle ne voulait pas les rendre malades à leur tour.

Quand David arriva pour déjeuner, elle l'envoya avertir Jim et Rita. Ils devaient nettoyer leur cabane au plus vite, car c'est chez eux que les invités mangeraient ce matin.

— Amène les chaises et reviens chercher la bouffe.

— Tu ne viens pas? s'enquit David quand il s'aperçut que sa tante restait loin de lui.

Elle lui expliqua la situation avant de déclarer:

—Je vais appeler à l'école pour dire que tu n'iras pas le reste de la semaine. Aujourd'hui, tu vas sortir avec Jim, et vous allez emmener les invités en expédition. Rita va vous suivre avec le skidoo. Je vais te donner un trajet à faire en deux jours et demi. Quand vous reviendrez, on verra dans quel état je serai... Ah, oui ! Pis amène Laska tout de suite, je vais faire rentrer Ravenne.

David acquiesça devant le sérieux de la situation et s'en alla, les bras pleins, annoncer la nouvelle à Jim et à Rita.

*

L'avant-midi s'écoula au rythme des pas d'Élisabeth et de ceux de Ravenne qui la suivait partout, souvent en gémissant, comme si elle pouvait sentir l'inquiétude chez sa maîtresse. Elles allaient et venaient entre la cuisine et le chevet de Gabriel. À voir son état, il avait certainement couvé sa grippe pendant quelques jours avant de s'écrouler. Élisabeth se doutait qu'il s'était rendu chez McIntire la veille tout en se sachant malade. Peut-être même était-il déjà fiévreux ! Pourquoi diable avoir ajouté trois heures à sa journée de travail ?

David, Jim et Rita étant partis comme convenu avec les clients et tous les chiens valides, un silence étrange régnait sur le chenil. Il était rare qu'Élisabeth soit témoin d'une telle quiétude. Bien sûr, il restait les petits des deux dernières portées, mais les chiots étant ce qu'ils étaient, ils dormaient beaucoup, longtemps et souvent. Et Summer, qui souffrait maintenant d'arthrite, n'en menait pas large dans sa niche.

Élisabeth chauffait le poêle, préparait du bouillon, faisait boire Gabriel, lui donnait des comprimés, puis retournait au rez-de-chaussée. La neige tombait toujours, voilant l'horizon. Debout devant la grande fenêtre, un café à la main, elle pensait à David et à Jim et priait pour que l'accumulation sur la piste ne soit pas trop importante, car dans un tel cas, les chiens se fatigueraient vite. Elle pensait à ce chenil aussi, qui était désormais toute sa vie. Elle pensait à ce coin de pays où elle se sentait aussi chez elle que si elle y avait vu le jour. Peu importait finalement l'endroit où elle était venue au monde, elle était du Yukon. Elle le réalisait pleinement ce matin-là, tandis qu'elle prenait soin de l'homme de sa vie, qu'elle planifiait le départ des clients actuels et qu'elle préparait l'arrivée des prochains. Elle y songeait encore en mettant à cuire au four le plat de viande et de légumes qu'elle avait prévu de servir au souper. Elle en mangerait pendant quatre ou cinq repas, et Gabriel aussi, lorsqu'il irait mieux.

Quand il fit clair, elle sortit nettoyer les enclos, remarqua la clôture qu'il fallait réparer et la niche dont le toit coulait. Elle regarda les deux camionnettes, couvertes de neige, et entreprit de dégager l'entrée. Puis elle s'arrêta au pied de la galerie et fendit du bois qu'elle entassa à côté du poêle avant d'y glisser une bûche supplémentaire. Elle ne voulait pas que la température baisse dans la maison. Bientôt, déjà, il ferait nuit.

Ce n'est que lorsqu'elle eut terminé ses corvées habituelles qu'elle songea à planifier l'entraînement des chiens. Pour la première fois depuis des années, cet élément avait été le dernier sur sa liste.

CHAPITRE 67

Elle remonta prendre la température de Gabriel. La fièvre avait baissé, mais demeurait trop élevée. Elle lui redonna du Tylenol, ramassa les mouchoirs qu'il avait laissé tomber sur le plancher. Il s'assit péniblement et dit qu'il devait sortir pour uriner. Elle lui ordonna de rester là où il était et descendit chercher un seau qu'elle posa devant lui. Quand il se fut soulagé, elle alla en jeter le contenu dans les broussailles et remonta dans la chambre. Elle alluma la lampe qui trônait dans un coin, l'ajusta pour obtenir l'intensité minimum et s'assit dans la chaise adjacente, là où, le soir, elle posait ses vêtements. Ravenne, qui ne l'avait pas quittée d'une semelle, se coucha à ses pieds.

Élisabeth caressait sa chienne en regardant son homme, que la toux secouait toutes les trois ou quatre minutes. Un souvenir lui revint, quelque chose qui lui sembla tellement lointain que, sur le coup, elle eut de la difficulté à le dater. Elle l'avait aimé dès le début, son Gabriel. Et elle se rappelait maintenant que, déjà à cette époque, elle s'était vue partageant son intimité, s'occupant de lui quand il en avait besoin.

C'était à croire que son cœur avait vu l'avenir plus clairement que sa raison !

Comme d'habitude en novembre, la nuit tomba au milieu de l'après-midi. La neige poudrait toujours et fouettait les vitres. Un moteur gronda au loin. Ravenne redressa la tête, agita les oreilles. Elle bondit au rez-de-chaussée en aboyant, le bruit montait maintenant de la cour.

La surprise figea Élisabeth sur place quand, en ouvrant la porte, elle tomba face à face avec Vince Oblonski. Il s'engouffra dans la maison avec une bourrasque et referma derrière lui.

— Je m'en venais t'annoncer qu'il était peut-être arrivé malheur à Gab, mais je viens de voir son pick-up dans la cour.

— Il est malade, souffla Élisabeth qui ne comprenait toujours pas ce que Vince Oblonski faisait là.

Puis les mots de Vince se frayèrent un chemin jusqu'à sa conscience.

— De quel malheur tu parles ?

Vince lui raconta qu'il était passé devant McIntire et qu'il s'y était arrêté en voyant un attroupement dans la cour du garage. C'est là qu'il avait appris qu'un homme avait été écrasé par le camion sous lequel il travaillait.

— Le chauffeur ne savait pas qu'il était encore en dessous ; il lui a roulé dessus.

— Quelle horreur !

De fait, des images terribles envahirent l'esprit d'Élisabeth tandis que Vince continuait son récit.

— Personne autour ne savait qui c'était parce que la tête avait été… Mais quelqu'un m'a dit que c'était un francophone.

Il se tut un instant, bouleversé.

— J'ai pensé à Gab parce que l'accident s'est produit à l'endroit où il travaille d'habitude. Alors je me suis dit qu'il fallait que je passe te le dire, au cas où personne ne t'avait avertie. C'est terrible de dire ça, mais je suis soulagé de savoir que ce n'est pas lui.

Vince s'éclaircit la voix. Élisabeth réalisa qu'elle le voyait sous un jour nouveau.

— Il ne mériterait pas ça, dit-il enfin. Pis toi non plus.

— Personne ne mérite ça, Vince.

— C'est vrai.

Elle lui offrit un café, qu'il refusa en ajoutant :

— On ne deviendra quand même pas des amis, n'est-ce pas ? Comment je ferais, si c'était le cas, pour te vendre ma moulée aussi cher ?

Elle se retint de lui rappeler que l'amitié ne l'avait jamais empêché de soutirer à Ian plus que nécessaire. Il lui tendit la main, elle la serra. Puis elle le regarda s'en aller. Elle avait le cœur douloureux, mais soulagé.

*

Il faut arriver à ce moment, aussi intense qu'étrange, où l'on perçoit enfin notre propre mortalité et celle des autres. Passé ce point, la peur qui nous tyrannisait perd de son emprise. On embrasse à sa place un féroce désir de vivre. Et le temps, loin de nous filer entre les doigts comme avant, devient un long fleuve tranquille sur le bord duquel il fait bon être en vie, tout simplement.

Élisabeth ouvrit les yeux avec la très nette impression que les choses n'étaient plus exactement comme la veille. L'aube se levait, limpide et crue. La neige avait cessé, et le vent était tombé. Le froid, par contre, s'était réinstallé. Avec ce brutal changement, la Nature se montrait fidèle à elle-même, mais c'est dans son cœur qu'Élisabeth, encore tout ensommeillée, sentait un changement. Quelque chose, en effet, avait changé. Pas tellement dehors, mais dedans.

Elle avait chauffé le poêle toute la nuit. Il ronronnait maintenant tout doucement et répandait sa chaleur bienfaisante jusqu'à l'étage. Élisabeth avait dormi sur le sofa pendant deux jours pour éviter de déranger le sommeil de Gabriel. Elle fut donc surprise, quand elle monta l'escalier, de le trouver assis dans le lit, un livre à la main.

— Bon matin! lança-t-elle en le rejoignant. Comment ça va?

— J'ai une faim de loup!

Elle s'assit à côté de lui et prit le thermomètre.

— Ouvre la bouche! ordonna-t-elle d'un ton faussement autoritaire.

Il obéit.

Elle fut rassurée de voir que la fièvre avait disparu. La toux persistait cependant.

— Tu ne vas pas au travail aujourd'hui, Gab.

— Ah, non? OK. Je pense que je suis capable de jouer au patient tranquille encore pour une journée.

Ils descendirent à la cuisine où elle lui prépara à déjeuner. Il remarqua soudain le silence inhabituel qui régnait dans le chenil. Il se leva et, n'apercevant que les chiots endormis dans leurs niches, il se tourna vers Élisabeth.

— Où est tout le monde?

— Je les ai envoyés en expédition une couple de jours. Avec les clients. Pas question que tu donnes ta grippe aux invités.

Il approuva et mangea le gruau qu'elle lui servit avec un trait de sirop d'érable.

— C'est du luxe à matin!

Il faisait allusion au sirop qu'Élisabeth ne sortait que dans les grandes occasions.

— Tu es encore en vie, Gab. Faut célébrer ça.

— Voyons, Bebette! Tu n'imaginais toujours bien pas qu'une petite grippe allait venir à bout' de moi.

—Je ne te parle pas de la grippe.

Elle lui raconta l'accident survenu chez McIntire. Depuis, un coup de téléphone à des amis lui avait appris que l'homme décédé s'appelait Denis Chabot. Elle savait de qui il s'agissait pour l'avoir déjà croisé en ville, du temps où elle travaillait encore à la clinique. Le savoir mort – et de cette manière ! – lui avait causé tout un choc.

Gabriel ne dit rien. Le volubile Franco-Manitobain d'origine – « La grande gueule », se plaisait-il souvent à répéter – venait de perdre la voix en apprenant la mort d'un collègue. Élisabeth vit presque la nouvelle se frayer un chemin jusqu'à sa conscience. Le visage de Gabriel se crispa soudain, et ses yeux s'allumèrent différemment. Il parla enfin, saisi d'effroi.

—Si j'étais rentré à l'ouvrage, ça aurait pu être moi en dessous du truck.

Élisabeth hocha la tête.

—C'est sûr qu'on ne saura jamais ce qui serait arrivé si tu avais travaillé ce jour-là. Mais chose certaine, Gab, faut voir ça comme un signe.

Il haussa un sourcil.

—Voyons, Bebette ! Tu sais bien que je ne crois pas aux signes !

—Toi, peut-être pas, mais moi, oui. Ça fait des mois que tu rumines. Des mois que tu rentres au garage à reculons tous les matins. Je n'arrête pas de te dire que cette job-là va avoir ta peau. Et là, une simple grippe te sauve la vie. Moi, je te le dis : les étoiles sont alignées.

—Tu exagères.

Il se sentait attaqué, Élisabeth s'en rendit compte. Elle se radoucit.

—Sans la grippe, mon amour, tu y serais allé, même si tu étais déjà crevé.

Elle s'approcha et le serra dans ses bras.

— Tu vas mal depuis un bout, Gab. C'est même surprenant que tu n'aies pas pogné la grippe avant.

Gabriel sentit qu'il était inutile d'argumenter; elle avait raison sur toute la ligne.

— D'accord, dit-il. Qu'est-ce que tu veux que je fasse?

— Tu donnes ta démission et tu viens travailler à temps plein dans le chenil avec nous autres.

Il se renfrogna. Combien de fois avaient-ils eu cette conversation? Dix? Douze? Élisabeth avait perdu le compte. Pour la première fois, cependant, elle tenait de solides arguments.

— Qu'est-ce qu'on va faire pour l'argent?

— On a assez d'argent, Gab. Et dans le pire des cas, si dans quelques années ça marche vraiment moins bien, tu te retrouveras une autre job ou bien tu loueras un espace dans un autre garage et tu reprendras la mécanique à ton compte.

— On n'aura pas assez d'argent cet hiver si tu veux nourrir tout le monde pour faire des courses.

Élisabeth n'eut même pas besoin de réfléchir; la nuit l'avait conduite là où il fallait. La réponse lui vint naturellement. Avec des mots posés, elle lui expliqua qu'elle avait décidé de ne faire qu'une grande course tous les deux ans. Peut-être même toutes les trois ou quatre années si les finances l'exigeaient.

— L'important, pour moi, c'était de savoir que j'étais capable de faire la Quest. Maintenant que je le sais, je peux me contenter d'y participer les années où la course part de Whitehorse. Ça sera bien suffisant.

Elle lui expliqua qu'il avait déjà renoncé à sa drogue pour jouer le rôle de sa vie auprès d'elle et de David, et qu'elle était capable de lui rendre la pareille. Elle ajouta qu'elle avait bien l'intention de faire quelques courses mineures, histoire de garder la forme et de stimuler son équipe, mais qu'elle jugeait qu'avec un peu de modération, leurs finances, leur couple et leur vie familiale se porteraient mieux.

Et là, comme si elle avait prononcé une formule magique, Élisabeth vit apparaître de nouveau la flamme qui brillait autrefois dans le regard de Gabriel, une lueur intrigante, quelque chose entre l'espoir et le goût de la liberté. Elle se blottit contre lui et voulu l'embrasser.

— Arrête, dit-il en la repoussant avec douceur. Tu vas attraper ma grippe.

— On s'en fiche, de la grippe, dit-elle en le serrant plus fort. Tu es en vie, on est ensemble, et je t'aime.

Et blottie contre lui, la tête collée sur sa poitrine, elle entendit battre le cœur de son homme. Elle se revit de nuit, dans la piste, avec ses chiens, et retrouva presque brutalement ce même état d'émerveillement. Au fond, chaque instant de sa vie avait été un moment charnière. Il lui avait suffi d'en prendre conscience pour se tracer un chemin à son image.

ÉPILOGUE

L e Yukon est un pays sans terroristes, où l'aéroport offre des retrouvailles heureuses et des séparations sans tracasseries, même si on n'enregistre ses bagages qu'un quart d'heure avant le décollage. Quand un ours ou un orignal s'égare en ville, on voit l'incident comme un rappel courtois : la ligne est bien mince entre le civilisé et le sauvage. Et ça ne concerne pas seulement la faune. Le cœur des gens aussi est visé.

Debout dans la file qui conduisait au contrôle de sécurité, David s'agitait. Avait-il tout ce qu'il fallait ? Son sac à dos contenait-il un objet interdit que les agents pourraient saisir ?

Il s'était écoulé presque cinq ans depuis le soir où, orphelin, il avait mis les pieds à Whitehorse. Ses grands-parents lui avaient rendu visite à tour de rôle, mais lui n'était jamais retourné au Québec. Il savait que sa vie se déroulerait ici et pas ailleurs. Bien sûr, il comprenait pourquoi ses professeurs avaient tant insisté pour qu'il parte étudier en Alberta. C'était important de voir le monde avant de décider qu'on voulait rester au Yukon. Parce que le Sud et ses exigences ne ressemblaient en rien à la vie dans le Nord. Surtout à la vie dans un chenil.

— Je vais revenir avec mon diplôme, avait-il lancé à Élisabeth le soir où il lui avait annoncé la nouvelle. Mais après, je ne veux plus entendre parler du Sud.

C'était à la fin du printemps. Il n'avait pas encore dix-neuf ans, mais il avait très bien saisi la valeur de ses arguments quand elle lui avait expliqué qu'il lui fallait un métier, qu'être musher, c'était une drogue et que, comme toutes les autres drogues, ça coûtait cher et ça créait une dépendance.

— Je t'avertis, avait-il conclu avec une pointe acérée, quand je vais revenir, je vais bâtir mon propre chenil! Et je veux faire la Quest!

Elle le regardait ce matin avec tendresse. «Comme une mère», songea-t-il. Il en fut ému et s'efforça de graver dans sa mémoire l'image de cette femme à qui l'adolescent d'autrefois avait fait la vie dure. Il trouva que son visage avait un peu vieilli, depuis ses premiers temps au Yukon. Elle avait presque l'air fragile à côté de Gabriel dont elle serrait le bras comme pour puiser chez lui la force de retenir ses larmes. Mais que d'énergie! Elle avait tenu à l'accompagner à l'aéroport même s'il était 5 heures du matin et même s'ils avaient une foule de choses à faire au chenil avec les dix invités installés dans les *cabins* pour la semaine. C'est que, comme tous les Yukonnais, elle accordait beaucoup d'importance aux arrivées et aux départs. Accueillir les gens le plus tôt possible et leur dire au revoir le plus tard possible, c'était la tradition ici.

Le moment était venu. Bientôt, dans cinq minutes tout au plus, David devrait franchir le portail et laisser derrière lui ceux qu'il aimait.

— Ça va, vous pouvez vous en aller maintenant.

Il sentit qu'elle allait se mettre à pleurer, alors il ouvrit les bras. Elle s'y réfugia. Qu'elle était petite finalement! Une puce qui ne lui arrivait même pas aux épaules. Pas étonnant que les chiens préféraient l'avoir elle, sur le traîneau, plutôt que lui.

— Prends bien soin de toi, dit-elle en s'écartant. Pis écris-moi un email de temps en temps pour ne pas que je m'inquiète.

— Promis.

Gabriel lui tendit une main qu'il serra avec vigueur en réalisant à quel point ils allaient lui manquer.

— Oublie pas de revenir, Dave. Il y aura toujours de la crotte en masse à pelleter.

David lui sourit.

— Tu connais la chanson, Gab. Where do you go after Yukon?

Et tandis qu'il les abandonnait dans l'aérogare pour aller vérifier si, vraiment, c'était dans le Nord qu'il voulait vivre sa vie, les paroles de la chanson de Hank Karr lui revinrent en mémoire. Elles jouaient en boucle dans sa tête même quand l'avion décolla.

Where do you go, after Yukon?
What do you do, after Yukon?
You're just fooling yourself,
If you think there's something else.
(...)
Heaven's where I'll go, after Yukon[1].

---

1. *After Yukon*, chanson de Hank Karr, très connue au Yukon.
Traduction libre :
Où est-ce qu'on va après le Yukon?
Qu'est-ce qu'on fait après le Yukon?
On se leurre si on pense
Qu'il y a quelque chose de mieux ailleurs.
C'est au ciel que j'irai après le Yukon.

Remerciements

Ce roman n'aurait jamais vu le jour sans le concours de nombreuses personnes. Il me faut tout d'abord remercier les mushers Jason Biasetti, Kyla Boivin, Normand Casavant, Marcelle Fressineau, Karine Grenier, Cor Guimond, Miriam Havemann, Michelle Phillips, Virginia Sarrasin, Gaby Sgaga, Harvey Van Patten et Brian Wilmshurst pour la patience dont ils ont fait preuve en répondant à mes questions dans leur chenil, sur les pistes ou devant une bière.

De plus, si les décors et les personnages de ce roman sont vraisemblables, c'est parce que plusieurs Yukonnais ont accepté de partager avec moi leur expérience du Grand Nord. Il s'agit surtout ici de Marie-Maude Allard, Danielle Bonneau, Gilbert Bradet, Monique Coderre, Annie Corbeil, Marie-Claude Dufresne, Marie-Dimanche Gagné, Audrey Gallant, Pierre-Luc Lafrance, Marie-Claude Nault, Sylvie Painchaud, Louise Piché, Gilles Proteau, Andrew Robulack, Sylvain Royer, Alain Savard et Nicole Tremblay. Merci pour ces conversations et pour l'accueil chaleureux que vous me réservez chaque fois que je me montre le bout du nez au Yukon. Un merci tout spécial à Josianne Paquin qui m'a hébergée, à Claudiane Samson qui m'a prêté sa maison le temps de la recherche à Whitehorse, et à Kathy Webster dont la maison à Dawson City est devenue « my home away from home ».

Pour écrire ce roman, j'ai aussi eu la chance de compter parmi mes premières lectrices deux musheuses (Marcelle Fressineau, du chenil Alayuk Adventures http://www.alayuk.com/fr/, et Karine Grenier du chenil LesCasAventures http://casaventures.com/). J'ai également pu compter sur une hygiéniste dentaire (Sylvie Normandin) et sur la conjointe d'un Franco-Manitobain devenu Franco-Yukonnais (Maureen Laigniel). Je les remercie du temps qu'elles ont consacré à la lecture de mes manuscrits. Leur souci du détail donne à cette histoire une belle authenticité.

Et bien sûr, je remercie mes premiers lecteurs habituels, Ghislain Lavoie et Pierre Weber, pour leurs commentaires toujours pertinents, de même que ma directrice littéraire, Mélikah Abdelmoumen, et ma réviseure, Élyse-Andrée Héroux. J'ai apprécié la délicatesse de leurs interventions.

Une partie des aventures d'Élisabeth m'a été inspirée par les récits de Marcelle Fressineau, *Le traîneau de la liberté* et *Empreintes dans la neige*, publiés aux Éditions Alayuk de Whitehorse. Je remercie Marcelle d'avoir accepté que je pige dedans.

Enfin, même s'il existe une clinique dentaire Dandelion à Whitehorse, il ne s'agit pas de celle que j'ai décrite dans le premier tome de cette série. Je lui ai seulement emprunté sa raison sociale parce qu'elle servait mon propos.